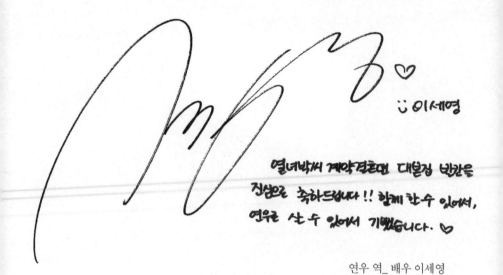

이세영

열녀박씨 계약결혼뎐 대본집 반간을
진심으로 축하드립니다!! 함께 할수 있어서,
연우로 살수 있어서 기뻤습니다. ♡

연우 역_배우 이세영

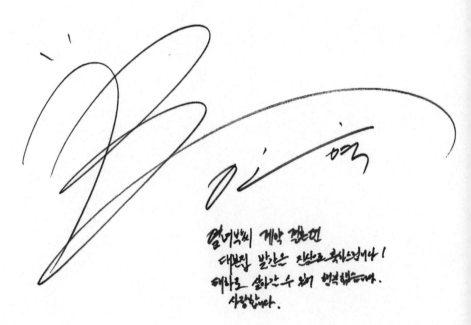

열녀박씨 계약결혼뎐
대본집 받은 진심으로 축하드립니다!
태하로 살아갈수 있어 영격했습니다.
사랑합니다.

태하 역_배우 배인혁

주 현영 (a.k.a 에이프릴)

이 영화를 맞닿을 수 있어서
정말 다행입니다. 이몽당고 따뜻한
이야기 사랑해주셔서 감사합니다 ♡

사월 역_ 배우 주현영

열녀박씨 계약결혼연
대본집 반가 축하합니다.
보신 분들 모두 행복하시길 기원합니다.!!

감독_ 박상훈

열녀박씨 2

계약 결혼뎐

일러두기

1. 대본의 특성상 구어체를 살렸으며, 이 책의 일부 맞춤법과 작가의 의도를 따른다.
2. 대사와 지문에 쓰인 구두점과 문장의 행갈이 방식 또한 작가의 집필 방식을 따랐다.
3. 인물 중 '강회장'과 '이석주'는 해당 대본을 토대로 작품 내에서 부산 사투리로 연기했다.
4. 최종 대본을 실었으므로 방송되지 않은 부분이 포함되어 있거나 방영된 장면과 다를 수 있다.
5. ●는 독자의 이해를 돕기 위한 작가의 설명이다.

열녀박씨 계약결혼뎐 2

고남정 대본집

오브제

용어 정리

S# (번호) 신Scene. 한 장면. 같은 시간과 장소 안에서 일어나는 일련의 상황이나 사건.

/ (지문) 같은 장소와 같은 신에서, 다른 연출이 필요할 때 사용.

(C.U) 클로즈업. 피사체의 일부를 근접 촬영하여 화면에 크게 나타내는 기법.

(E) 이펙트Effect. 주로 화면 밖에서의 음향이나 대사에 의한 효과음.

(F) 필터Filter. 전화기에서 들리는 것처럼 필터를 거쳐 들리는 목소리.

(NA) 내레이션. 화면 밖에서 들려오는 목소리.

(O.L) 오버랩Overlap. 현재 장면과 다음 장면을 겹칠 때 사용하는 기법.

CUT TO 컷 투. 장면 전환. 같은 장소에서 시간이 흐른 경우, 또는 여러 장소의 상황을 동시에 오가며 보여줄 때 사용.

디졸브Dissolve 두 개의 화면이 겹치거나 시간이 경과한 경우.

몽타주Montage 기존에 촬영한 여러 장면을 편집하여 하나의 새로운 장면을 만들어내는 기법.

블랙아웃Black Out 화면이 꺼진 것처럼 어두워진 상태.

인서트Insert 신이 진행되는 중간에 특정 사물이나 상황을 강조하기 위해 삽입한 화면.

플래시컷 화면과 화면 사이에 인서트로 삽입한, 빠르게 움직이는 화면.

틸업till up 피사체의 아래부터 위로 이동하는 촬영 기법.

화이트아웃White Out 화면에 환하게 불이 들어온 것처럼 하얗게 되는 상태.

차례

7부

—

한여름 밤의 꿈

〰 S#1. 조선시대, 태하 집 정자 / 낮

윤씨부인과 부인 4~5명 다과 중이다. 상석엔 판윤대감부인이 말석엔 윤씨부인이 있고.

부인1	(판윤대감부인에게) 경하드립니다. 대감께서 이제 한성부 최고 위치에 오르신 게 아닙니까. 한성판윤이라니, 부럽습니다.
부인들	(그러게요~ / 정말 잘됐습니다 / 대단하세요~ 등등)
윤씨부인	(아니꼽지만, 애써) 축하드려요.
판윤부인	그러지들 마세요. 제가 영전한 것도 아닌데 축하받기 민망합니다.
부인2	아니죠~ 이게 다 판윤부인 내조 덕인데요. 비법 좀 알려주세요~
윤씨부인	(내조는 무슨! 슬쩍 콧방귀 끼는데)
판윤부인	(그런 윤씨 보고) 그럼 윤씨부인께만 특별히 귀띔해 드려야겠네요.
윤씨부인	(?!) 네? 그게 무슨 말씀이신지….
판윤부인	돌아가신 부군께선 진사셨죠? 두 아드님도 과거 한 번 본 적 없구요. 재물이 있음 뭐 합니까, 벼슬 없는 양반은 그저 빛 좋은 개살군데!
부1/다들	그러게요, 윤씨부인은 좀 배우셔야겠어요! / (큭― 웃음 참는데)
윤씨부인	(주먹 꼭 쥐고, 애써 화 참으며) 신경 써주셔서… 감사합니다.

〰 S#2. 조선시대, 태하 집 정원 일각 / 낮

태민, 그림을 그리고 있는데 화가 난 윤씨부인이 다가와 태민의 그림을 집어 던진다!

윤씨부인 과거시험이 코앞인데 허구한 날 뭘 하는 게야!!
태민   … 아시잖습니까, 전 과거에 뜻이 없습니다. 저보단 형님께서,
윤씨부인 (O.L) 내가 여태 왜 버텼는데! 강씨 집안의 모든 건 네가 이어
        야 해. 태하가 못한 과거급제도 후사를 잇는 것도 다!!
태민   … 죄송합니다. 하지만 전… 어머님 뜻대론 살 수 없어요.
윤씨부인 (질망스럽게 보는)

〰 S#3. 조선시대, 서낭당 일각 / 밤

장옷을 뒤집어쓴 윤씨부인이 탈 쓴 덕구에게 종이봉투를 건네고 있다.

윤씨부인 비상일세. (싸늘한 눈빛) 태하 혼인날까지 이걸 타서 먹이게.
덕구   (비상이 든 종이봉투를 받으며) … 괜찮으시겠습니까?
윤씨부인 가슴의 병증이 있는 아이가 갑자기 급사한다고 누가 의심하겠
        는가. 내 염원을 이루려면 이 방법밖에 없겠지. (살벌한) 자네
        만 믿겠네.

〰 S#4. 현대, 강회장 집, 혜숙 방 / 밤

테이블에 앉아 뭔가를 생각하는 혜숙의 얼굴로 디졸브.

TITLE 7부. 한여름 밤의 꿈

S#5. 태하 집, 마당 / 밤 - 6부 S#78 이어서

태하 (씁쓸한) 아뇨, 괜찮아요. 난… 연우씨 서방님이 아니니까.

연우 !!! (보는)

태하 (덤덤한 척) 내가 많이 닮았나봐요. 처음 봤을 때도 그러더니. 무슨 일 있었는진 몰라도 내 걱정은 안 해도 돼요. 그만… 들어가죠. (돌아서는데)

연우 (말해야겠다!) 혼인하던 날 서방님께서 돌아가셨어요.

태하 (돌아보는)

연우 가슴에 병중이 있긴 하셨는데 (차마 독살이라 못하고) 갑자기….

태하 ?! (가슴에 병중?)

연우 그래서 걱정돼요. 운명이 반복될까 봐. 태하씨도 서방님처럼, (하는데)

태하 (O.L) 그럴 일 없어요. 난 그 사람도 아니고 운명 같은 거 안 믿으니까.

연우 (더는 말 못 하고 그냥 보는)

S#6. 태하 집, 태하 방 + 연우 방 / 밤

침대에 앉아 휴대폰으로 '전생 환생 / 환생 경험' 등을 검색하는 태하. 그러다 현타 와서 휴대폰 내려놓고는 그대로 침대 위에 눕는다.

태하 (어이없는) 뭐 하는 거냐, 진짜… (하는데)

연우 (E) 그래서 걱정돼요. 운명이 반복될까 봐. 태하씨도 서방님처럼,

태하   (마음 복잡한) …. (왼쪽으로 돌아눕는데, *화면분할 시작)

연우 쪽/ 침대에 누워서 천장을 보고 있는 연우다.

태하   (E) 난 그 사람도 아니고 운명 같은 거 안 믿으니까.
연우   …. (답답한 듯 오른쪽으로 돌아눕는다)

두 사람, 서로 바라보듯 있나가 태하가 반대쪽으로 돌아눕자 연우도 돌아
눕는다. 그렇게 등을 돌린 채 다른 곳을 보는. (*화면분할 끝) 화면, 이제 연
우 방만 비추는데 서랍 위에 있던 배롱나무 가지에서 꽃 하나가 또 시들더
니 그대로 툭— 떨어진다! (*연우 못 본)

～ S#7. 강회장 집, 다이닝룸 / 아침

강회장과 해령, 서준이 식사 중이고 사월이 음식 서빙 중이다. 강회장, 식
사를 끝내고 숟가락을 내려놓자 사월이 숭늉 그릇을 강회장 옆에 내려놓
는다.

강회장   고마워요, 고마워. 사월씨 덕에 입맛이 막 돌아. 해령이 저게
         웬일로 사람 구실 했어! 어디서 이렇게 손맛 좋은 사람을 데려
         온 건지.
사월   감사합니다, 회장님.
해령   (해맑) 내가 남자 보는 눈은 없어도 여자 보는 눈은 있잖아용~!
         (헤헤—)

29

이때, 혜숙이 들어와 앉는다. 사월, 커피와 간단한 샐러드 등을 세팅하려
는데.

혜숙 고모, 아는 한의원 있음 소개 좀 해줄래요? 태하 보약 좀 해주
    게요.

사월 (세팅하며, 보약? 뭐지? 싶은데)

해령 (엥?) 보약?? 웬일이래~ 언니가 태할 다 챙기고. (아!) 어제 꿈
    에 죽은 오빠라도 봤어요? 태히힌데 잘해주래요?!

서준 ! (달걀장조림 해령 입에 넣어주며) 엄마 이거 느세요~! 맛있어
    요!

혜숙 걱정돼서요. 태하, 어제 별채에서 쓰러졌나봐요.

강회장 !! (놀랐지만 티 안 내는)

해령 !! (달걀 먹으며 웅얼) 말도 안 돼! 태하가 거길 왜요?! (꿀꺽!) 아,
    왜!

서준 (바로 달걀 해령 입에 넣어주는)

혜숙 (강회장 들으라는 듯) 연우가 별채에 들어갔던 모양이에요.

사월 ?! (부러 이것저것 챙기며 얘기 엿듣는)

강회장 (흠… 숭늉 그릇을 들어 천천히 마신다)

해령 (달걀 먹다 목이 막혀 가슴을 치며, 웅얼) 연우요?? 걘 또 왜?!

혜숙 거야 모르죠. (강회장 보며) 아버님 보약도 같이 지을까요?

강회장 (숭늉 내려놓고) 난 됐어, 태하나 챙겨줘. (혜숙 보며) 어쨌든 고
    맙다!

혜숙 당연하죠, 제가 할 일인데. (홋―, 식사 시작하는)

강회장 (웃으며 일어나 밖으로 나가는데 표정이 차갑고 무섭게 변한다!)

～ S#8. 태하 집, 연우 방 / 아침

씻고 들어온 연우, 머리를 털다가 서랍 위 시든 배롱꽃(*S#6)을 보고 멈칫!
한다.

연우   (시든 꽃 앞으로 와서 보며) … 또 시들었어…. (뭔가 이상한데)

～ S#9. SH서울, 태하 사무실 / 아침

성표   (어이없단 표정으로 깊은 한숨) 그러니까…

화면 넓어지면, 성표와 태하가 테이블 축구 게임기 앞에 서 있다. 성표, 양
손으로 게임기를 잡고 이리저리 움직이며 설명을 시작한다.

성표   부대표님, 아니 부대표님 친구분이 좋아하는 연,(우 하려다) 아
           니 여자랑 잘해보고 싶은데 (게임기로 공 차고) 그 여자분이 전
           남편을 (공 막는) 못 잊는다. 그래서 어떻게 해야 할지 모르겠
           다. 뭐 그런 거잖아요?
태하   (끄덕) 정확하게 이해했네요.
성표   그리고! 그 얘길 하자고 절 이 꼭두새벽부터 부르신 거구요?
태하   (큼) 친구가 물어보는데 이런 건 잘 몰라서.
성표   아~ 부대표님 친구가요? (하하…) 어쨌든 이건 쉬워도 너~무
           쉽습니다.
태하   (!) 쉽다구요? 어디가요?
성표   어차피 연우(하다), 그 여자 분 전남편은 여기 없잖아요? 골키

퍼도 없는데 뭔 상관입니까! 직진하세요, 직진! (게임기를 마구 마구 움직인다)

태하   … 직진이면 어떻게…?

성표   뭘 어쩝니까! 몸, 마음, 선물! 뭐든 다 퍼주세요, 다!! (또 게임기를 마구 움직이는데 골이 들어간다) 아싸 고올!! 보셨죠? 들어가잖아요!!

태하   (오호~~! 다 퍼줘??, 눈 반짝이는)

〰 S#10. SH서울, 복도 / 낮

태하, 핑크색 쇼핑백을 들고 오면서 휴대폰 통화 목록 중 〈금쪽이〉를 찾아 전화 걸려는데 앞쪽에서 지나가는 연우가 보인다. 태하, 어! 해서 연우를 부르려는데 하나가 다가와 서는.

하나   (태하 옆으로 다가와서) 부대표님?

태하   ! (보며) 아… 유대리. (하며 연우 쪽 보는데, 연우 가고 없다!, 아쉬운)

하나   마케팅팀 가시던 길이세요? (하며, 쇼핑백으로 시선 가는)

태하   (하나 시선에, !) 이거, 팀원들하고 (나름 강조) 같이 먹어요.

하나   (받아 들고 안을 보는데, 고급 초콜릿이다) 초콜릿이네요?

태하   누가 줬는데 단 건 별루라서요.

복도 일각/ 연우가 통화를 하며 다시 걸어 나온다.

연우   네, 실장님. 원단 목록이요? (하며 고개 드는데 태하랑 하나가 보인다) !

연우, 태하 앞에서 웃고 있는 하나를 보자 왠지 기분이 나빠져 그대로 휙—
사무실 쪽으로 가버린다. 한편, 그런 연우를 발견한 하나, 뭔가 생각하는
표정이고.

～ S#11. SH서울, 마케팅팀 사무실 안 / 낮

연우, 자리로 와 서류를 챙기는데 쇼핑백을 든 하니가 들어온다.

현정	하나씨~ 그 섬세하게 핑크핑크한 건 뭐야? (다가와 쇼핑백 안을 보며, !) 이거 완전 비싼 초콜릿인데? 어디서 났어?
연우	(촉호?? 신경 쓰인다, 슬쩍 하나 보는) ….
하나	(연우 힐끔 보더니) 선물 받았어요.
현정	선물? 남자야?? 딱 봐도 그린라이트 삘인데~ 뭐야뭐야~!
하나	(자리로 가면서) 그런 거 아니에요.
현정	(자기 자리로 가면서) 아닌데~ 스윗한 스멜이 막 뿜뿜인데?
연우	(서류 챙기며 중얼, 서운한) 촉호… 나도 좋아하는데. (삐죽— 하더니 나간다)
하나	(그런 연우를 보며 훗! 코웃음 치는데)
현정	(자리에 앉아 컴퓨터 폴더를 이리저리 뒤지다가) 하나씨. 디자인 3D 작업한 거 어느 폴더에 있지?
하나	(현정 보며) 그거, 317폴더에요.
현정	오케이~ (공유문서에서 317폴더를 클릭하자 디자인 스캔한 게 주루룩 뜬다, 혼잣말처럼) 연우씨 디자인, 정말 맘에 든단 말이야.

하나, 그런 현정을 보다가 다시 모니터 화면의 317폴더를 본다. 그러더니 서랍에서 USB를 꺼내서 연우가 작업한 317폴더를 옮겨 넣는데!

〜 S#12. SH서울, 승강기 앞 + 안 / 낮

태하   (승강기 앞에 서서, 중얼) 그냥 집에 가서 줄 걸 그랬나… (하는데)

이때, 석주가 휴대폰으로 축구 보면서 '막어! 막어!' 하고 오다가 태하를 보곤 꾸벅 인사를 한다. 이때 석주 휴대폰에서 '골~ 골입니다!' 캐스터 목소리가 들리고.

석주   ! (휴대폰 보며) 아, 골키퍼 뭐야! 장난해!
태하   (앞만 보면서) 골키퍼가 있어도 골은 들어갑니다.
석주   ? (태하 보며) 네?? (하다가) 뭐… 그렇죠.
태하   (앞만 보는) 그래도 골키퍼는 없는 게 훨~씬 좋은 것 같습니다.
석주   (뭔 소리야??, 혼잣말처럼) 키퍼가 없음 게임 못 하는데…. (갸웃)
태하   (앞만 보고 있는데 지잉— 휴대폰 울린다, 보면 〈남교수〉다!)

〜 S#13. 박물관 서고 / 낮

고문서들이 보관된 서고다. 하얀 장갑을 낀 남교수와 태하가 고서 앞에 서 있다.

남교수   외부 반출이 안 되는 귀한 자료라 부득이하게 모셨네요.

태하	(고서 보며) 여기에 박연우에 관한 내용이 있는 겁니까?
남교수	(조심스럽게 고서 넘기며) 함양박씨 집안에서 남긴 서찰들인데 짧지만 박연우의 행적도 있더군요. (글자 가리키며) 박재원의 딸 박연우가 열녀비를 하사받았단 내용입니다.
태하	(!!!) 네?? (당황) 여, 열녀요?! (뭔 소리야? 멘붕 오는) …….
남교수	여기 보면 (하다가, 태하가 이상해서) 괜찮으세요? 안색이 안 좋으신데.
태하	(당황) 정말입니까? 연우씨, 아니 박연우가 열녀란 게?
남교수	예. 마당과부였는데 당시도 이런 경운 드물어서 꽤 소란했던 모양입니다.
태하	(?) 마당… 과부요?
남교수	결혼 당일 남편이 죽은 과부를 말합니다. (사료 보며) 남편이 지병으로 사망하고 (안타깝다) 박연우도 그날 우물에 몸을 던졌다네요.
태하	!!! (2차 충격) 그날 바로요? (바로 따라 죽었다고?!)

◟ S#14. 박물관 야외 일각 / 낮

태하, 충격을 받은 듯 멍—하니 커다란 돌(*앉는 자리가 아닌 이상한 곳) 같은 곳에 앉아 있다. 성표가 오다가 이상한 곳에 앉아 있는 태하를 보고 다급히 다가온다.

성표	부대표님! 왜 그러고 계십니까?
태하	(멍~) 연우… 아니 내 친구가 좋아하는 그 여자 전남편, 강적이었어요.

성표	(하…, 태하 코앞에다 대고 박수 크게 짝!!!) 그래서 뭐, 포기할 겁니까?! 여기서 관둘 거냐구요!
태하	(살짝 움찔해서) 아니… 그건 아닌데….
성표	잘 들으세요! (협박) 계속 이러시면 부대표님도 그대~로 전남편 됩니다. 계약결혼 (강조) 했었던! 전!남!편!!!!
태하	(헉!! 벌떡 일어서는)
성표	오케이~! 일어나서 뭐든 하세요! 늘 그러셨잖아요. (비장하게) '하늘은 스스로 돕는 자를 돕는다!'
태하	(금시초문) 내가요?
성표	어쨌든! 시도라도 하시라구요. 안 해보고 후회하는 게 젤 나쁜 겁니다!
태하	시도라…. (결심한 눈빛) 그래요, 어디 해보죠! (하더니 가는)
성표	(주먹 꼭 쥐고)

◠ S#15. 놀이터 / 낮

연우와 사월, 벤치에 앉아 있다. 놀란 눈으로 연우를 보는 사월.

사월	그럼 그 노리개가 진짜 독 때문에 색이 변한 거예요? (헉!) 누가 서방님을 죽인 건데요?!
연우	… 어머님인 것 같아.
사월	(!!) 윤씨마님요?? (하다가, 응?) 근데 서방님이랑 도련님이 전생 환생 그런 거면 (헉!) 지금 사모님도…?!
연우	(끄덕) 태하씨… 위험할지도 몰라.
사월	(헉! 벌떡 일어서며) 애기씨, 당장 발 빼세요! 조선에 안 돌아가

고 말지 이건 아니에요! 이년이 뭘 해서든 먹여 살릴 테니까 모른 척하세요.

연우   어떻게 그래. (사월 보며) 다 아는데.

사월   (답답한, 다시 앉아) 그러다 애기씨도 다치면요? 왜 그렇게 신경 쓰시는 건데요! (하다가) 설마, 도련님 좋아하세요?

연우   글쎄… 좋아는, (하다가) 뭐?! (벌떡 일어서며, 저도 모르게 빽!) 내가? 사기꾼 양반을?!

사월   왐마! 아님 아니지 왜 소리 지르신대요! (의심스럽게 보며) 이상하게?

연우   니가 이상한 소릴 하니까 그렇지! (허둥대며) 나 회시 들어가 봐야 하니까 나중에 얘기해. (후다닥 가버리는)

사월   (킁킁거리며) 냄새가 나. 수상하고 요상하고 야릇~한 냄쇄! (흠!)

〜 S#16. 강회장 집, 정원 / 낮

강회장, 의자에 앉아 뭔가 생각 중이고… 앞에는 서류를 든 최이사가 서 있다.

최이사   (서류 내밀며) 주총에서 우리 쪽에 서기로 한 이사들입니다.

강회장   (혜숙이 했던 말 떠올리고 있다)

혜숙   (E) 태하, 어제 별채에서 쓰러졌나봐요.

최이사   (이상한) 회장님?

강회장   (그제야) … 주총 말이야. 잠깐 미루는 건 어때?

최이사   예?? 갑자기 왜… 그럼 태하 대표 선임안은 어쩌시구요?

강회장   (꽃밭으로 가 서며) 언젠가 꽃밭에 진드기가 들러붙었는데, 어찌

나 독한지 약도 뿌리고 별 방법을 다 써도 소용없더라고. 그래서 어쨌는지 알아?

최이사　(무슨 소리지? 싶지만) 글쎄요….

강회장　그냥 뒀어. (꽃밭 보며) 진드기 밥이 되나 안 되나 보려고. 근데 결국 (지팡이로 꽃을 툭― 치며) 죽더라고.

최이상　! (조심스럽게) 강부대표 관련해서 다른 계획이라도 있으십니까?

강회장　(흠) 생각 중이야. 그냥 둘지, (표정 싸늘한) 진드길 때 낼지.

〰 S#17. SH서울, 마케팅팀 사무실 / 낮

연우, 디자인 스케치를 앞에 두고 앉아 멍하니 생각에 빠져 있다.

연우　(E) 사기꾼 양반을 좋아한다구…? 말도 안 돼… (하며 도리질)

이때, 다른 팀 사람들 3~4명이 우르르 들어온다.

팀장1　오팀장. 그 미담 디자이너 박연우씨, 오늘 출근했어?!

팀장2　어때 어때? 완전 예쁘다며 진짜야?

연우　(나를 찾는 건가? 싶어 일어서는데)

현정　!! (연우 가리며) 다들 웬 관심이래? 아, 시끄러우니까 가! 아, 얼른!

다들, 현정 뒤의 연우를 보며 '저 사람인가?' '맞는 거 같은데?' '진짜?' 웅성거리자,

현정	이 은은한 광기들은 뭐지? (협박) 나 눈 돌면 섬세하게 돌아이 되거든? 셋 센다! 하나, 둘! (하다) 석주씨, 다들 내보내! 얼른!! (사람들 밀어내는)
석주	(현정을 도와주는) 가시죠! 가요!
사람들	(아, 가! 간다고!! 하면서 쫓기듯 내몰린다)
현정	(손 탁탁 털며) 어디 감히 우리 팀원을 건드려?! 바빠 죽겠구만! (쯧!)
연우	(미인한) 죄송해요, 괜히 저 때문에,
윤재	연우씨가 왜요, 잘못한 것도 없는데.
하나	(서류 챙겨 일어서며) 잘못한 건 없지만 문젠 될 수 있죠, 지금처럼.
연우	(!, 하나 보는)
하나	(연우 보며) 나라면 사과할 시간에 더 열심히 할 것 같은데.
현정	(당황) 하나씨, 왜 그래…. (연우 눈치 보며) 연우씨, 유대리 말은, (하는데)
연우	(다짐하듯 크게 O.L) 네!! 알겠습니다!! 겁내, 킹왕짱 분골쇄신해서 1주년 행사 꼭 성공시키겠습니다!! (주먹 쥐고) 아자~ 아자자!!!

현정과 윤재, 댕!! 하는데 석주가 연우 팔과 크로스 하며 '아자자!' 한다.
그러자 다들 빵— 터지는데 (*하나 빼고) 이때, 최비서가 들어온다. 다들,
뭐지? 해서 보는데.

～ S#18. SH서울, 주차장 / 낮

태민, 다급하게 걸어오고 있는데 앞쪽에서 태하와 성표가 오는 게 보인다.
한달음에 태하 앞으로 다가와 서는 태민. 태하, 그런 태민을 보는데.

태민	(화난) 경고했지. 소복이 끝까지 책임 못 질 거면 잘 정리하라고. 니 아내라고 밝히면 다 해결될 줄 알았어?
태하	(이상한) … (!) 뭐야, 연우씨 무슨 일 있어?!
태민	(몰라?) 누군 좋겠네. 일은 혼자 저지르고 속은 편해서.
태하	뭐냐고! (하다) 민대표야?! 연우씨 지금 어딨어!
태민	(하!) 됐으니까, 그냥 꺼져! (가려는데)
태하	(매섭게) 홍비서!! 박연우씨 위치 당장 파악해요!
성표	네!! (하며 전화기 꺼내 들고 뒤쪽으로 빠지는)
태민	(그러든 말든 가려는데)
태하	(태민 손목 탁— 잡고 쳐다본다)
태민	(!) 이거 놔, 안 놔! (하며 태하 손 뿌리치려는데)
태하	(태민 손목 꽉 잡고) 여기까지만 해. 니가 낄 자리 아냐.
성표	(다가와) 연우님 위치 확인했습니다.
태하	(태민 손 놔주고 빠르게 가는)
태민	강태하!! (하는데)
성표	(막으며) 잘못 나서면 연우님만 더 곤란해집니다. 모르세요?
태민	!! (정곡을 찔린) …. (에이씨! 발로 바닥 차고, 태하 간 쪽 쳐다보는)

～ S#19. 레스토랑 안 / 낮

혜숙과 연우, 마주 앉아 있다. 혜숙 옆 의자엔 쇼핑백이 있다.

혜숙   점심이나 좀 하자고 불렀어. 그래도 명색이 시어머닌데 그간
       너무 신경 못 쓴 것 같아서, 고맙기도 하고.

연우   (고마워?)

혜숙   태하가 별채까지 갈 줄은 정말 몰랐거든. 들었니? 태하 엄마
       얘기.

연우   (화나지만 참고) 그걸 알면서 절 그리로 부르신 겁니까?

혜숙   궁금했거든. 태하가 어떻게 나올지.

연우   (맘 아픈) 측은지심은 짐승도 아는 법이라 했습니다. 어찌 사람
       의 아픔을 그렇게 멋대로…! (절망스러운) 미안한 마음은 하나
       도 없으세요?

혜숙   글쎄…. (흠) 내가 왜? 잘못한 것도 없는데.

연우   !! (질린다) 더는 얘기할 필요도 없겠네요. (일어서는) 시간이 지
       나면 아시겠죠. 내가 받은 상처보다 내가 준 상처가 더 오래간
       다는 거.

혜숙   (훗!, 의자에 뒀던 쇼핑백 연우에게 주며) 이거나 가져가렴. 몸에
       좋은 거야. 태하가 지 엄말 닮아서 어릴 때부터 좀 약했거든.

연우   (쇼핑백을 쳐다보자)

혜숙   (연우 보며) 왜, 독이라도 들었을까 봐?

연우   !! (혜숙 보는데)

이때, 혜숙 뒤에서 태하가 성큼성큼 들어오는 모습이 보인다! 혜숙은 무시
하고 연우만 보며 걸어와 앞에 서는 태하! 연우, 놀란 눈으로 그런 태하를

보는데!

태하	(연우 손잡더니, 보며) 가요. (연우를 데리고 혜숙을 지나쳐 가는데)
혜숙	(앞만 보며) 예의 정돈 지켜, 얘기 중이었어.
태하	(돌아보며) 예의? 그럼 그런 짓은 하지 말았어야죠.
혜숙	(태하 보며, 비아냥) 고마운 건 아니고? 내 덕에 별채 문턱도 넘었잖니.
태하	(혼잣말처럼) 그러네. 덕분에 이젠 거리낄 게 없으니까. (혜숙 보며) 기대하세요. 23년 전 하곤 완전 다를 겁니다.

태하, 연우의 손을 잡고 그대로 나가버린다. 혜숙, 나가는 태하를 빤히 보다가.

혜숙	거리낄 게 없다…? (훗!) 길고 짧은 건 대봐야 알겠지. (표정)

⌁ S#20. 레스토랑 밖 / 낮

태하, 연우를 데리고 나와 뒤를 돌아본다.

태하	(연우 살피며) 괜찮아요? 민대표가 무슨 짓 한 거 아니죠?
연우	(끄덕) 그냥 얘기만 했어요.
태하	(그제야, 속상해서) 대체 왜 만난 거예요! (하는데)
연우	(배에서 꼬르륵!, 민망한) 아직 점심을 못 먹어서. (쩝─)
태하	(그런 연우를 보다가 크─ 웃는) 미안해요. 그 소리 오랜만에 듣는 것 같아서. (또 웃음 나지만 참는)

연우   (민망해서 삐죽! 쳐다보는)

〰 S#21. 상점가 거리 / 낮

연우, 쇼핑백(*초콜릿 든)을 들고 초콜릿을 먹으며 걸어가고 있고. 그 옆의 태하.

태하   정말 초콜릿이면 돼요? 밥 안 먹어도 되겠어요?
연우   괜찮소. (쇼핑백 속 초콜릿 보며) 이게 제~일 먹고 싶었으니까. (헤헤)
태하   연우씨는 뭐든 그렇게 쉬워요?
연우   ? (보면)
태하   그렇게 금방 좋아하고, 부른다고 그냥 막 가고 그러냐구요.
연우   (슬쩍 기분 상해) 지금 시비거는 거요?
태하   걱정하는 겁니다. 내가 얼마나 놀랐는 줄 알아요?
연우   (궁시렁) 내가 애요? 맨날 그놈의 걱정은. (하며 고개 돌리는데)

한쪽에서 버블쇼 버스킹을 하는 게 보인다. 연우, 호기심에 가보는데 우루루 몰려오던 인파들과 부딪칠 뻔 한다! 순간, 뒤에서 연우의 손을 잡아 자기 쪽으로 당기는 태하!

태하   봐요, 눈을 뗄 수가 없잖아요, (연우 보며) 한순간도.
연우   (두근!!, 태하 쳐다보는)
태하   그러니까 내 옆에 있어요. 한순간도 놓치지 않게.

두 사람 위로 버블쇼의 비눗방울들이 마구 날아가고. 연우, 멍하니 태하를
보다가!

연우   !! (당황, 태하 밀어내며) 무슨 말이요? 누가 들음 날 좋아하는 줄
         알겠소.
태하   좋아해요. (했다가, !!!) 사, 사람으로! 사람으로 좋다구요. (휙!
         앞을 보며) 가죠, 늦었는데. (빨리 걸어가며, 작게 중얼) 사람! 사~
         람?!! (으… 미치겠다)
연우   (왜 저래? 갸웃하며 따라가는)

〰 S#22. 태하 집, 연우 욕실 / 저녁

연우, 칫솔을 소금통에 푹! 찍어서 거울 앞에 서서 치카치카~ 양치를 하
다가.

〈플래시컷// S#21. 내 옆에 있어요, 라고 말하던 태하.〉

연우, 멍해 있다가 저도 모르게 꿀꺽! 소금 양치하던 걸 심킨다. 순산, 으—
짜!! 하며 오만상을 쓰면서 재빨리 입을 헹구는 연우!

〰 S#23. 성표 동네 일각 / 다음날, 낮

나래, 짜증스럽게 걸어가고. 그 뒤를 장바구니 든 성표가 따라가고 있다.

나래	아우~ 짜증나. 점장 일까지 알바인 내가 왜 해야 하냐고, 왜!!
성표	그래서 (봉지 보며) 이걸 다 먹겠다고? (쯧쯧) 다이어트 한다며.
나래	(빠직!, 돌아보며) 건들지 마라, 오빠님아! 지금 내 컨디션 9,620원이거덩!
성표	(?) 9,620원? 건 또 뭔데.
나래	최저시급. 내 컨디션 최저라고!! (다시 걸어가며) 나 떡볶이랑 어묵탕, 콘치즈까지 다 먹을 거니까 하나도 빼지 말고 오빠가 다 만들어! 알았지?
성표	오빠의 황금 주말을 등골 빼먹듯 쏙쏙 잘도 빼먹는구나~ (나래가 귀여운 듯 피식— 웃는데 문자가 온다, 확인하는데) !! (눈 번쩍)
나래	황금 주말은 무슨~ 만날 여친 하나 없으면서. (하는데)

이때, 뒤에서 퍽— 소리가 들린다. 나래, 돌아보면 봉지만 바닥에 있고 성표는 없다!

〰 S#24. 편의점 앞 / 낮

성표, 감동에 찬 눈으로 뭔가를 보고 있다. 화면 넓어지면, 앞에 사월이가 앉아 있다.

성표	(감동에 가득 차) 사월씨… 어쩐 일로…?
사월	(빙긋) 숙제 좀 풀어보자구요.
성표	설마… 1일입니까?! (하며 와락! 사월 손 잡으려는데)
사월	(성표 손 찰싹 치며) 그 전에! 그짝 도련님이랑 울 애기씨부터 처리해요.

성표	(아픈, 손등 만지며) 처리요…?
사월	두 양반이 근지럽다~ 근지럽다~ 하면서 넘의 다리 벅벅 긁어 대는 꼴 답답해서 더 못 보겠다구요! 둘을 촤—악! 물미역처럼 감아버려야지.
성표	! (솔깃) 물미역?! 어떻게요?!
사월	(성표에게 귀 가까이 대라는 듯 손짓하는)
성표	(사월에게 귀 댔다가, 말도 안 했는데 바로 귀 떼고) 정말요? 진짜?!!!
사월	(논다, 놀아!) 얼씨구?! (하더니, 성표 귀 잡아당겨 뭐라 말하는)

⌒ S#25. 태하 집, 전경 / 저녁

연우	(E) 이게 다 뭐야~?!

⌒ S#26. 태하 집, 주방 / 저녁

사월, 옹기종기 만들어 놓은 주먹밥 위에 김자반을 뿌리고 있다.

사월	(김자반 뿌리며) 오늘 집에서 일하신다길래 챙겨드리려고 왔죠.
연우	(봉투에서 김자반 꺼내 먹으며) 와~ 엄청 고소해! 그냥 먹어도 맛있는데? 정말이지 새조선은 맛난 거 천지라니까?!
사월	(김자반 먹으며) 그니깐요~ (하다가) 애기씬 일단 올라가 계세요. 제가 다 해서 금방 가지고 갈 테니~
연우	근데 너, 언제까지 애기씨라고 할래?

46

사월	(!, 훅— 들어오자 당황) 예???
연우	여긴 새조선이고, 이제 내 몸종도 아니잖아. 그냥 언니라고 해.
사월	(싫진 않지만) 귀하디귀한 금쪽 같은 애기씨한테 어찌 그래요!
연우	친자매처럼 지냈는데 뭐 어때. 한번 불러봐! 응? 응?
사월	어…어~~언…니? (부끄러운 듯 머리 긁적이며) 얼른 올라가세요, 얼른!
연우	(신난) 알았어~ (김자반 들고 가며) 나 이거 가져가서 먹는다!
사월	(속내 숨기고, 헤헤 웃으며) 예~예~! 언능 가세요~ 언능!

〜 S#27. 카페 / 저녁

태하, 팔짱을 끼고 뭔가를 노려보듯 쳐다보고 있다. 보면, 양쪽에서 서류를 잔뜩 세워놓고 뭔가를 열심히 뒤적거리는 성표가 앞에 보이고.

태하	(워치 보며) 홍비서. 그냥 집에서 찾아보죠. 벌써 3시간째인 거 압니까?
성표	(오버하며) 벌써요? 전 한 30분이나 지났나 했는데. 금방 찾을게요.
태하	할아버지가 뭘 시켰는지 모르겠는데 나중에 합시다. (일어서려는데)
성표	안 됩니다!! 이 서류, 꼭! 부대표님 확인받아서 회장님께 오늘! 가져가야 해요. 안 그럼 진짜 혼난다니깐요!
태하	(답답한) 그러니까 찾는 서류가 뭐냐구요!
성표	그러게요. 그게… 뭘까요? (하하하…, 서류 뒤지며) 이건가? 아님 이거?

태하, 뭐야? 싶은데 이때, 성표의 휴대폰 벨이 울린다. 성표, 오! 하며 받는데.

성표   (오버하는) 아, 사월씨~! 뭐라구요?? 연우님이요?!!
태하   ?! (보는)

⌒ S#28. 태하 집, 거실 / 저녁

사월, 거실에서 이제 오나 저제 오나 기다리고 있는데 태하가 다급히 들어와 2층으로 올라간다. 태하 뒤따라온 성표와 사월, 서로 쳐다보며 하이파이브!

⌒ S#29. 태하 집, 연우 방 + 방 앞 / 저녁

연우(*볼에 김 묻은), 김자반 먹으며 잡지 보는데 태하가 '연우씨!' 하며 들어온다.

연우   ! (놀라서) … 사기꾼 양반?
태하   (연우 붙잡고) 괜찮아요? 무슨 일이에요?! (하는데)

갑자기 팟! 연우 방의 불이 꺼진다!(*사월이 두꺼비 집 내린) 태하와 연우, 놀라서 천장 등을 쳐다본다. 태하, 뭔가 이상해서 문을 열려는데 문이 안 열리고!

문 앞/ 성표, 2층 거실 가구로 문을 막는데 안에서 태하가 문을 민다! 성표, 헉! 해서 다른 물건들도 마구 가져와 문을 막고 때마침 2층으로 올라온 사월도 합세한다!

◠ S#30. 태하 집, 거실 / 저녁

사월과 성표, 거실 소파에 털썩! 앉는다.

성표   (그제야 걱정) … 이거 괜찮으려나? (사월 보며) 정말 통할까요?

사월   원래 남녀의 깊은 정이란 단둘이 있으면 무조건 통해요! 통!

성표   아~ (슬쩍) 근데 우리도 지금 단둘이면 단둘인 건데… 아닌가?

사월   그러니까, 통한다니까?! (하더니 휙! 성표 멱살을 잡아 뽀뽀한다)

성표   !! (눈 커지는, 지잉, 지잉ー! 태하에게 전화 오지만 신경 안 쓰고)

◠ S#31. 태하 집, 연우 방 / 저녁

문 앞에 서 있는 연우와 태하, 살짝 떨어져 서로 눈치만 보고 있다가.

태하/연우   (동시에) 홍비서가 쓸데없는 짓을…. / 사월이가 장난을 좀….

          (동시에 멈칫)

태하   (큼) 먼저 얘기해요. 사월씨가 뭐요?

연우   아뇨, 별거 아니요. (하다 괜히 서 있는 게 뻘쭘해서 침대로 가 앉으며) 그러고 있지 말고 일단 여기로 와서 (하다가 침대잖아?!) !! (당황, 벌떡 일어나) 아니 내 말은 그게 아니라! 그냥 서 있는 것

도 이상하고,

태하   (허둥대는 연우를 보자 풉! O.L) 알아요, 누가 뭐래요? (하다 연우 얼굴에 붙은 김 보며, 큭!) 볼에 그건 또 뭡니까? (장난) 나중에 먹으려구요?

연우   ! (민망, 기분 나빠져 얼굴에 김 털며, 중얼) 개 귀 비루나 털어먹을 양반 아니랄까 봐, 또 시비는. (삐죽)

태하   (연우 말에 문득) 근데 그게 뭡니까? 개 귀 비루요, 자주 얘기하던데.

연우   (흥!) 것도 몰라요? 개 귀에서 빠진 털이나 털어먹을 치사한 놈! 그거요.

태하   (헐!) 치사한 놈?! (하!) 내가요? (연우에게 다가가며) 왜요? 아니, 왜?!

연우   (!!, 뒷걸음질 치면서도) 이봐, 또 치사하게 화내고 그러지!

태하   (연우 앞으로 바짝 다가와 서며) 화를 내긴 누가 냈다고 그래요!

연우, 더 뒤로 가려다 다리가 침대에 걸려 몸이 넘어가고! 태하, 그런 연우를 붙들면서 침대로 함께 쓰러진다. (*태하 위, 연우 아래) 두 사람, 놀라서 서로 쳐다보는데!

〰 S#32. 갤러리 / 저녁

아무도 없는 갤러리. 혜숙이 찬찬히 그림을 보고 있고 그 뒤로 최비서가 수행 중이다.

혜숙   (그림 하나씩 가리키며) 이건 SW 오회장님, 이건 박장관님 처가로 보내, 그리고 송대표. (최비서 보며) 배달 사고 없게 잘해.
(하는데)

이때, 태블릿을 든 황명수가 '대표님!!' 하며 다급히 다가온다.

황명수   이거… 이거 (혜숙에게 태블릿 보여주며) 대표님께서 하신 겁니까?

혜숙   (태블릿 받아서 보는데) ?! (손가락으로 화면 아래로 스크롤)

태블릿 화면/ 〈복도에서 주웠음. 1주년 행사 디자인 유출!〉이린 제목의 게시글에 연우의 디자인 3~4개가 올라와 있다.

황명수   (신난) 이거 박연우 디자인 맞죠? 정말 존경합니다! 언제 또 요런 깜찍한 덫을 놓으신 건지! 이러다 행사 망치는 거 아니냐고 댓글도 난립니다.

혜숙   (태블릿 황명수 주며) 내가, 그렇게 한가해 보여요?

황명수   ?! (태블릿 받으며) 에? 아니십니까?? 그럼 누가…?

혜숙   누군지 몰라도 또 있나보네요. 박연우가 눈엣가시인 사람이.
(표정)

～ S#33. 태하 집, 거실 / 저녁

성표와 사월, 서로 옆구리 찔러가며 '아잉~' '왜 그래용' 꽁냥거리고 있는데 이때 성표 휴대폰으로 문자가 온다. 보면 〈유하나 대리〉다.

성표   (사월에게) 잠시만요~ (하고 문자 확인하는데 헉!!!! 입 틀어 막고)

⌒ S#34. 태하 집, 연우 방 / 저녁

연우와 태하, (S#31 그대로) 야릇한 분위기가 흐른다. 태하의 시선, 연우의 눈과 코를 지나 입술을 바라보는데 이때, 문 밖에서 '부대표님!!' 하는 성표 목소리가 들린다! 그 소리에 연우가 태하를 냅다 밀어버리고! 태하, 억! 바닥으로 떨어졌다가 벌떡 일어서는데 이내 문이 벌컥 열리더니 성표가 '큰일 났습니다!!' 하며 뛰어 들어온다.

⌒ S#35. 태하 집, 서재 / 저녁

태하, 노트북으로 인트라넷(*S#32 게시판)과 쇼핑몰(*연우 디자인 카피한) 사이트를 보고 있고. 그 옆에 성표가 서 있다.

성표   사내게시판도 문제지만, (쇼핑몰 가리키며) 이미 연우님 디자인과 똑같이 옷을 만든 업체까지 나타났습니다.

태하   (흠) 작정하고 한 거네요.

성표   이번에도 민대표님 쪽이겠죠?

태하   아이피 추적하고 이 쇼핑몰, 접촉해봐요. 뭔가 나오겠죠.

성표   네. 근데… 연우님은 어쩌죠? 이거 다시 해야 할 텐데.

태하   (연우가 걱정된다)

하나(E)   대체 뭐 하는 거예요?!

연우, 속상한 얼굴로 쇼핑몰(*S#35)과 인트라넷을 보고 있고 그 앞에 하나가 서 있다.

하나	디자인 관릴 어떻게 했길래 쇼 시작도 전에 이 난리냐구요!
연우	… 분명히 따로 잘 보관했는데….
하나	그럴 변명이라고 해요? 이유 불문 디자인 유출은 담당자 책임이에요. (혼잣말처럼) 일 진짜 엉망으로 하네. (하!) 누가 낙하산 아니랄까봐.
연우	… 낙하산? 그게 뭔데요?
하나	몰라서 물어요? (비아냥) 연우씨 같은 사람이요, 위에서 내리꽂아 준.
연우	?!!
하나	어떻게든 해결요. 1주년 행사 망칠 거 아니면! (휙— 가버리는)

하나, 사무실 밖으로 나가는데 동시에 태민이 들어온다. 태민, 연우 쪽을 보는데 연우가 망연자실, 멍하게 앉아 인트라넷의 댓글을 보고 있다.

〈찐으로 디자인 관리 개판이네~ / 근데 벌써 카피당한거 좀 이상하지 않음? 낙하산 혹시 산업스파이? / 1주년 행사 망했네! / 낙하산이 한 건 했어. 강○○ 완전 대난감!〉

연우 눈에 〈낙하산〉이란 글자가 선명하게 보인다. 연우, 속상한 얼굴인데 이때 책상 위로 믹스커피 한잔이 올라온다. 보면 태민이 커피 빈 봉지 흔들고 있는.

태민	마셔. 초코는 아닌데 달달해서 괜찮을 거야.
연우	(태민이 준 커피 보는) ….
태민	세상이 원래 불공평해. 그래서 사람들이 화가 좀 많아. (흠) 어차피 너랑 나, 낙하산이니까 (책상 톡톡 치며) 하고 싶은 대로 해. 겁내 소복이답게.
연우	… (커피잔을 쳐다보다가 결심한 듯 벌컥! 마시더니 가슴 부여잡는다) !!
태민	(!!) 야! 안 뜨거워?!
연우	(뜨겁다!) 참을… 만합니다! (하지만 오만상)
태민	(그 모습에 품! 웃음 터지는)

〰 S#37. SH서울, 마케팅 사무실 앞 복도 / 아침

하나, 사무실 앞으로 걸어오는데 연우가 기다리고 있다. 하나, 무시한 채 가려는데.

연우	디자인 유출된 건 죄송합니다.
하나	(걸음 멈추고 보는)
연우	제대로 관리 못 한 제 잘못이니까요. 근데… (하나 보며) 낙하산이라 일을 못 한단 얘긴 취소해주세요.
하나	(하!) 지금 따지는 거예요?
연우	실순 누구나 합니다. 그렇다고 그걸로 사람을 쉽게 평가할 순 없죠. 네, 저 낙하산이에요. 근데 그게 디자인 유출과 상관이

있나요?

하나   이봐요, 박연우씨!

연우   제 실수까지 포함해서 맡은 일 다 끝내고, 그때 다시 평가 부탁
드립니다.

하나   (화난) ⋯ 왜? 내가 왜 그래야 하는데?

연우   (?!, 보는)

하나   (연우에게 가까이 다가와) 착각하지 마. 당신, 아직 아무것도 아
니니까.

하나, 연우를 매섭게 쳐다보다가 돌아서는데 복도 끝에 태하가 시 있디!!
당황하는 하나, 하지만 티 안 내고 꾸벅 인사하더니 태하를 지나쳐 빠르게
걸어간다. 태하, 그런 하나 시선으로만 살짝 봤다가 연우를 보더니 다가와
선다.

태하   유대리랑 무슨 일 있었어요? (조심스럽게) 혹시 디자인 유출 때
문에,

연우   (둘러대며, O.L) 아뇨, 뭐 좀 물어봤어요. 모르는 게 있어서.

태하   연우씨, 나한텐 그냥 다 말해도 돼요. 그러니까, (이때, 휴대폰이
울린다 〈최이사〉다. 일단 받고) 네, 최이사님.

최이사   (F) 강부대표. 당장 회장님께 가봐. 인트라넷 보신 모양이야.

태하   (!!) 할아버지가요? (표정 어두워지는)

연우   (무슨 일이지? 보는)

～ S#38. 강회장 서재 안+ 앞 / 낮

강회장과 태하 마주 앉아 있다. 강회장, 아무 말도 없이 지그시 태하를 보고만 있다.

강회장 (침묵 깨고) 내가 욕심이 많았던 모양이다. 1주년 행사 손 떼.

태하 아뇨, 그럴 순 없어요.

강회장 그럼 내가 회장을 그만둘까?

태하 (!) 할아버지!

강회장 (탕! 지팡이로 바닥 내려치며) 회장님!! 지금은 SH 회장으로 말하는 거야!

태하 ……

강회장 입방아 찧기 좋아하는 놈들, 찧고 까불라고 해! 아무 상관없어! 문젠 그 빌미를 니가 던져줬단 거야! 그러고도 SH 주인이 되겠다고?

서재 앞/ 연우가 조심스럽게 다가와 선다. 들어가야 하나 어쩌지? 고민하고 있는데.

강회장 (E) 뭐? 이눔이! 다시 말해봐!

연우 !! (강회장 목소리에 놀라서 보는)

서재 안/

태하 몇 번을 물어보셔도 제 대답은 같아요. 지금 저한테 중요한 건 SH 주인이 되는 것보다 1주년 행사를 잘 끝내는 거예요.

강회장   강태하!! (하는데)

이때 노크와 함께 연우가 들어온다. 강회장과 태하, 놀라서 보면 꾸벅 인사하는 연우.

연우   허락 없이 멋대로 죄송합니다. 태하씬 잘못 없어요, 할아버님. 다 제 탓이고 제 부족함 때문이니까 그만 노여움 푸세요.

강회장   정말 그렇게 생각하니? 그럼 연우 니가 그만 두거라.

연우/태하 (!!)

강회장   주총 앞두고 이런 일, 태하한텐 최악이야. 이번 디자인 유출 관련해선 나도 무작정 편만 들 수도 없어. 그러니 연우 네가, (하는데)

태하   (O.L) 그건 절대 안 됩니다. 저도 연우씨도 1주년 행사 포기 안 해요.

강/연우   (!!)

태하   (일어선다, 당당하게) 책임자인 제가 내린 결정이고, 그에 따른 결과 감수하겠습니다, 회장님. (꾸벅 인사하고, 연우에게) 가요, 연우씨.

태하, 연우를 데리고 나가고… 강회장, 그런 태하와 연우를 차갑게 바라본다!

∼ S#39. 강회장 집 앞 / 낮

태하, 연우와 나오고 있다. 연우, 죄지은 사람처럼 고개 숙이고 있다.

태하	(그런 연우 보고) 연우씨, 무슨 죄졌어요? 그러지 말고 나 봐요.
연우	(고개 숙인 채) … 미안해요, 괜히 나 때문에 당신까지.
태하	그래서… 그만두게요? 할아버지한테 선전포고까지 했는데?
연우	! (바로 고개 들고) 아뇨, 할 거요! 나 포기 안 해요! (하는데)
태하	(피식─ 웃더니, 연우에게 다가와 양손으로 연우 귀 막아주듯 감싼다)
연우	!! (놀라서 보면)
태하	그럼, 다른 사람 말 듣지 마요. 내가 괜찮다면 괜찮은 거니까. 알겠어요? (따뜻하게 웃어 보이는)
연우	(심장이 쿵쾅! 쿵쾅! 마구 뛰어댄다)

〰 S#40. 태하 집, 연우 방 / 밤

연우, 침대에 가만히 누워 있다가 벌떡 일어나 앉더니 침대 아래 돌쇠 보며,

연우	돌쇠야… 나 어디 아픈가? 꼭 (심장에 손 올리며) 여기서 집 짓는 것 같아. 요새 계속 쿵쾅쿵쾅, 이거 괜찮을까?
돌쇠	…….
연우	(후~ 한숨 쉬는데)
태하	(E) 저도 연우씨도 1주년 행사 포기 안 해요.
연우	아냐! 지금 이럴 때가 아니지! (돌쇠 보며) 낼부터 다시 힘내는 거야! (주먹 꼭 쥐고) 가자, 박연우! 호접! 할 수 있드아~!!!

S#41. 몽타주, 다른 날 - 열심히 일하는 연우

1. 미담 작업실, 낮/ 연우, 미담과 마네킹에 옷감을 대보면서 색을 배치해 보는.

2. 마케팅팀, 낮/ 연우, 현정 석주와 열심히 회의 중이고. 태민 그런 연우를 보는.

3. 태하 집 거실, 밤/ 태하, 거실로 나오는데 연우가 TV로 패션쇼 틀어놓고 잠이 들어 있다. 연우 주변으로 한복 화보, 패션 잡지가 잔뜩이고. 태하, 그런 연우 보는.

S#42. SH서울, 야외 공원 / 낮

연우, 벤치에 앉아 노트에 꽃과 나비 등을 스케치 하고 있다. 이때, 태민이 캔커피 들고 와 연우 옆에 앉는다. 힐끔, 연우가 그린 스케치 보며.

태민	디테일한 건 좋은데 이건 어때? (연우 펜을 뺏어 들더니 나비와 꽃 그림 위에 단순한 선을 그리며) 간단한 선으로 패턴화시켜서 깔끔하게.
연우	(오! 좋다) 이런 재주도 있었습니까?
태민	(칭찬에 좋은) 왜, 반했어? 막 설레?
연우	(태민이 그림 보며) 그림만 반했습니다.
태민	(피식- 웃다가) 왜 그렇게 열심히 해? 대충 해도 되잖아.
연우	(잠시 생각) 후회 안 하려구요. (도시를, 사람들을 보며) 좀 더 싸워 볼 걸, 마음껏 해볼 걸, 그런 후회 하면 너무 아깝잖아요. (태민 보며) 겨우 여기까지 왔는데. (웃는)

태민	(또 연우에게 반한)！(시선 돌리며, 캔커피 주는) 마셔. 얜 차가워.
	(하다가) 아, 이 커피 카페인 센 건데 괜찮아?
연우	카페인…?
태민	웅! 카페인에 약하면 심장 막 뛰고 그러잖아, 쿵쿵!
연우	쿵쿵…? (하다가 아!!)

〈플래시컷// S#39. 귀 막아주는 태하 보며 심장이 마구 뛰던 연우.〉

연우	커피!! 그날 마신 커피 때문이었어! 아픈 게 아니라!! 다행이다
	~ (웃는)
태민	(뭔 소리지? 싶어 갸웃하는)

∼ S#43. SH서울, 매장 일각 / 낮

태하, 성표와 매장을 살피며 지나가고 있다가 고딩커플이 인형뽑기 하는 걸 본다. 여고딩 '저기 왕토끼 뽑아줘!' 하고, 태하 그 말에 토끼 인형을 빤히 보는.

(CUT TO) 남고딩, 또 실패한 듯 '아까워!' 하며 여고딩과 함께 다른 곳으로 간다. 비어 있는 기계로 쏙— 다가오는 누군가. 카메라 틸업하면 비장한 표정의 태하다!

연우, 새로 만든 피날레 드레스를 보고 있다. 뭔가 뿌듯하고 기쁜데.

미담　　(다가와) 결국 해냈네. 한국적이고 독특한 게 피날레로 딱인데요?

연우　　저번 일은 정말 죄송했습니다. 저 땜에 고생만 하시고.

미담　　고생은 무슨. (자수 보며) 이렇게 깔끔하고 촘촘한 자릿수는 처음 봐요.

연우　　어머니께 혼나며 배운 덕이죠. (옛 생각) 제가 말썽쟁이였거든요. 자수는 안 두고 나가서 활 쏘고, 맨날 염정소설만 읽고, 청나라 가겠다 떼쓰고,

미담　　(O.L) 염정소설, 청나라요?

연우　　! (아차!) 사극 보면서 따라 해봤다구요. 하고 싶게 늘 많았거든요.

미담　　(흠…, 화제 돌리며) 근데 연우씨, 나비를 정말 좋아하나봐요? 옷에도 늘 나비 자수가 있는 걸 보면.

연우　　(끄덕) 그래서 어릴 땐 어머니께서 호접◦이라고 부르셨어요. (하다가) 그러고보니 (의상 보며) 내 이름으로 옷을 만들고 여기 내가 있는 것도 호접지몽◦◦처럼 전부 다 꿈인 것 같아요.

미담　　호접… (하다가) 꿈이면 어때요. 중요한 건, 함께 하는 지금인데.

연우　　지금…이요?

미담　　연우씨가 누구든 어디서 왔든 지금 내 눈앞에 있잖아요. (옷보

●　　호접 : 호랑나빗과의 호랑나비, 제비나비 따위를 통틀어 이르는 말.
●●　　호접지몽 : 나비가 된 꿈. 나와 사물이 한 몸이 되는 경지를 뜻함. 또는 인생의 무상함을 비유하는 말.

며) 옷도 같이 만들고, (연우 손잡으며) 손도 잡고, 함께 웃는 연
우씨가요. (미소)

연우   (미담의 말에 뭔가 생각이 많아진다) ….

⌒ S#45. 미담 사무실 / 저녁

미담, 보자기 액자(*6부 S#9)를 꺼내서 액자를 열어 안에 숨겨진 언문 서찰
을 꺼낸다. 글자 사이로 〈나의 호접, 우리 연우〉란 문구가 보이고. 미담, 잠
시 호접이란 글자를 보다가 책꽂이로 가서 낡은 서책(*연우모 일기)을 꺼내
펼쳐서 읽어 보는 모습 위로.

연우모   (E) 오늘은 나의 호접, 우리 연우 생일이다. (중략) 청나라 물감
          이나 사달란다. (중략) 읽으라는 책은 읽지 않고 염정소설이나
          끼고 산다.

〈플래시컷// S#44.
연우   자수는 안 두고 나가서 활 쏘고… 청나라 가겠다 떼쓰고,〉

미담   연우씨가 정말… 그 호접일까? (서책을 가만히 보는)

⌒ S#46. 태하 집, 마당 / 저녁

연우, 마당으로 들어오는데 태하가 서 있다. 태하, 연우를 발견하고 환하게
웃는데 일순, 연우의 심장이 쿵쿵! 뛴다.

연우	(혼잣말처럼) 뭐지…? 커피도 안 마셨는데. (하며 태하 보는데)
태하	(연우 옆으로 다가와 선다) 왔어요?
연우	(시선 살짝 피하며) 여기서 뭐 하는 거요?
태하	연우씨 기다렸어요.
연우	(!, 태하 보며) 날 말이요? 왜….
태하	(달 보이게 연우 돌려세우며, 연우 귓가에) 같이 달 구경하려고.
연우	(?!) 달이요? (하며 달을 올려다보는데)

이때, 연우 눈앞으로 토끼키링이 달랑~ 내려온다!! 연우 시선으론 달 속에 도끼가 있는 것처럼 보인다. (*뒤에서 태하가 손가락에 토끼키링 걸어서 연우에게 보여주는 상황)

연우	!! (태하 돌아보는)
태하	내가 뺏은 옥토끼, 돌려줄게요. (연우 손에 토끼키링 주며) 이제 소원은 걔한테 빌어요. 겁내 잘 이루어질 거니까. (연우를 보며 환하게 웃는다)
연우	(키링 봤다가 태하를 본다, 환하게 웃는 태하에게서 시선을 못 떼는)

∼ S#47. SH서울, 전시홀 백스테이지 / 다른 날, 낮

마케팅팀 직원들이 분주하게 패션쇼 준비를 하고 있다. 현정은 무대가 잘 보이는지 모니터 상태 체크하고, 태민, 하나, 석주는 의상 정리할 행거, 헤어와 메이크업 받을 자리들을 세팅하고 각종 도구들을 정리하며 일사분란하게 움직인다.

S#48. SH서울, 전시홀 / 낮

진행요원들, VIP와 기자들 자리에 〈VIP석〉〈기자석〉 종이 명패를 올려놓고 있고. 무대감독과 스태프들이 마지막으로 동선과 조명, 음악 등을 체크하느라 분주하다. 태하와 성표, 그 모습을 보고 있는데 하나가 다급히 '대표님!' 하고 다가온다.

S#49. SH서울, 마케팅팀 안 + 앞 복도 / 낮

태하와 연우, 성표, 윤재, 하나, 현정이 심각하게 얘기 중이다.

태하	모델 에이전시로 행사 날짜가 변경됐단 메일이 왔다구요?
하나	네. 확인해보니 우리 팀에서 보낸 게 아니었습니다.
성표	(태하 보며, 조심스럽게) 혹시 민대표님께서 한 일 아닐까요?
태하	일단 상황부터 해결하죠. 다른 모델 에이전시 접촉 가능합니까?
현정	지금 석주씨랑 태민씨가 알아보고 있는데 워낙 시간이 없어서요.
연우	(걱정스런 표정이고)
태하	(그런 연우를 쳐다보는데 마음이 무겁다)

S#50. SH서울, 혜숙 사무실 / 낮

혜숙, 서류를 보고 있는데 노크와 함께 황명수가 안으로 다급히 들어온다.

황명수	대표님! 들으셨습니까? 지금 모델들이 안 와서 행사 못 하게 생겼답니다! (신난) 강부대표 완전 난리 났다는데요?!
혜숙	!! (잠시 뭔가 생각하다가 일어서더니 사무실을 나간다)
황명수	(응?!) 어디 가십니까! (쫓아가며) 대표니임~~!

〰 S#51. SH서울, 마케팅팀 사무실 / 낮

다들, 어쩌지 하고 있는데 석주와 태민이 들어온다.

현정	태민씨! 어떻게 됐어?
태민	(하…) 확인 가능한 에이전시에 다 연락해봤는데 안 된대요.

태하, 난감한 표정인데 이때 혜숙이 최비서, 황명수와 들어온다. 다들 놀라서 보면.

혜숙	모델들은 아직인가? (태하 보며) 나한테 부탁하면 당장이라도 구해줄 수 있는데.
태하/연우	!!
태민/황	(무슨 꿍꿍이지? 싶어 혜숙 보는)
마케팅팀	(태하와 혜숙 눈치만 살피는데)
태하	……. (대답 못 하고 있다)
혜숙	(태하 보다가) 필요 없는 모양이구나, 알겠어. (하고 돌아서서 가는데)
태하	(연우 한 번 보더니, 혜숙 앞으로 와 선다) … (주먹 쥐고) 부탁드립니다, 민혜숙 대표님. (목례 하며) 한번만 도와주세요.

혜숙	(빙긋 웃는) 그래, 그러자꾸나.
연우	(그런 태하를 보는데 마음이 안 좋다)

〜 S#52. SH서울, 복도 / 낮

혜숙과 황명수, 최비서가 가고 있는데 태민이 쫓아와 혜숙 앞을 가로 막는다.

태민	뭐야. 대체 무슨 꿍꿍이냐고?
혜숙	나 SH 대표야. 행사 망해서 좋을 게 뭐 있다고. (가려는데)
태민	민대표가 그냥, 선의로 도와주는 거라고?
혜숙	이럴 시간 있음 가서 일이나 해, 애처럼 굴지 말고. (하고 가버리는)
태민	(가는 혜숙을 본다. 뭔가 께름칙하고)

〜 S#53. SH서울, 로비 / 저녁

최이사와 황명수, 다른 임원들 도열해 있고. 강회장이 해령과 서준의 에스코트를 받으며 걸어 들어온다. 강회장 일가가 앞장서서 가고 그 뒤를 쫓아가는 임원들.

S#54. SH서울, 전시홀 백스테이지 / 저녁

마케팅팀, 휴대폰과 태블릿으로 모델들에게 무대 동선을 설명 중이다. 연우, 의상 체크하면서 모델들을 보는데 표정이 어둡다. 그런 연우에게 다가오는 태하.

태하   일 안 하고 뭐 해요?

연우   (태하 보다가) … 아까 왜 그랬어요? 민대표한테 고개까지 숙이고.

태하   나, 사업가예요. 필요하면 얼마든지 할 수 있어요. 그리고 이 행사, 연우씨가 많이 기다렸잖아요.

연우   ! (보는) 나 때문에 그런 거예요?

태하   (웃으며) 당연하죠, 연우씬 내 사람이니까.

연우   (그 말에 또 심쿵! 하는데)

석주(E)   (크게) 뭐야! 이거 왜 이래?!!

보면, 석주가 소매와 치마가 찢어진 연우의 피날레 의상(*S#44)을 보고 있다. 연우, 한달음에 석주 쪽으로 가고 태하와 미담, 윤재, 성표 등 모두 다가와 서는.

연우   (석주 보며) 이거… 이거 왜 이래요?

석주   아니… 피날레 의상 가져와서 커버를 여니까 옷이….

연우   … (충격받은 듯 옷만 보며) 아침까진 괜찮았는데….

태하   (걱정스런 눈으로 연우를 보는데)

하나   (시간 확인) 이제 곧 시작인데 어쩌죠?

성표   미담 선생님 옷으로 피날레 하면 안 되나요?

67

미담	컬렉션엔 스토리가 있어요. 연우씨의 '인연'이란 주제에 맞춰 만든 옷들인데 피날레 의상 갑자기 바꾸면 전체 흐름이 깨져서 안 돼요.
태하	다른 방법 없을까요?
윤재	(안타깝다) 연우씨 의상을 통으로 빼는 거 말곤 없습니다.
연우	(!!, 놀라서 보는데)

〰 S#55. SH서울, 전시홀 / 저녁

강회장과 해령, 서준, 최이사와 임원들, VIP들과 관람객, 기자들로 가득 차 있다. 사람들, 왜 시작 안 해? 웅성거리는데 구석에서 빼꼼 고개를 내미는 사월(*변장).

사월	뭐야… 왜 안 하지?? 뭔 일이라도 났나? (하며 무대 쪽을 보는)
해령	언제 시작해?? 10분이나 지났구만. (하다) 설마…! 이거 망삘인가? 뒤집어지게 느낌 쎄한데? (서준 보며) 그치 준아?!
서준	(헐!) 엄마! 쉿! (강회장 눈치 보며) 제발 좀요!
강회장	(흠… 뭔가 생각하는)

〰 S#56. SH서울, 전시홀 백스테이지 / 저녁

연우, 난감한 얼굴로 찢어진 의상을 보고 있고 그런 연우를 보는 태하.

| 성표 | (태하에게) 더는 시간 끌면 안 됩니다. 회장님도 와 계시는데 잘 |

못하다 불똥이 튀면 어쩌시려구요!

태하	(아무런 말도 안하는) ….
연우	(그런 태하 봤다가) 제가 뺄게요.
미담/다들	연우씨?! / !! (놀라서 보는데)
연우	… 제 옷 빼고 가요. (태하 보며) 나보다 쇼가 더 중요하니까.
태하	박연우씨, 그 말 진심입니까? 정말 그래도 돼요? 포기할 거냐구요!
연우	!! (눈동자가 흔들린다)

〈플래시컷// S#51. 혜숙에게 도와달라고 부탁하는 태하.〉

연우, 피날레 의상의 라벨― 박연우 ―를 보는.

연우	(결심) 30분…! 30분만 주세요. 다시 만들어낼게요, 무조건.
태하	밖은 내가 어떻게든 할 테니 시간만 맞춰줘요. 홍비서, 이석주 씨 따라 나와요. (하고 가는)
석주	(어리둥절) 저요?? 전 왜….
성표	(석주 목덜미 잡아 데려가며) 에, 갑니다! (가고)
윤재	(연우를 보며) 이제 어쩔 생각이에요?
연우	…. (어쩌지? 고민하는데)
태민	(찢어진 치마 보다가) 찢어진 치마를 바지로 만들면 어때요?
연우	(아!) 바지로 만들어서 소매를 자른 저고리랑 연결하면 되겠네요!
미담	(!) 점프슈트…? 그거 괜찮겠네요. 빨리 시작하죠!
연우	(태민 보며) 고마워요. (하더니 옆에 있는 가위로 소매를 잘라버린다!)

태민   (그런 연우를 보다 다행이다 싶어 웃는)

〰 S#57. SH서울, 전시홀 앞 복도 / 저녁

태하와 성표, 석주가 나오고 있다. 태하, 빠르게 가면서 석주에게 지시하는.

태하   이석주씨, 내가 따로 부탁했던 영상 지금 들 수 있죠?
석주   예?? 아, 그거 말씀이십니까?
태하   그걸로 시간 좀 벌어야겠어요. 홍비선, 이석주씨 도와주구요.
       (가는)
성표   예! 알겠습니다. (하다, 석주 보며) 뭡니까? 따로 부탁한 영상이
       란 게?
석주   일단 가시죠! (이번엔 자기가 성표 목덜미 잡고 데려가는)

〰 S#58. SH서울, 전시홀 / 저녁

조용한 무대를 보며 사람들 웅성거린다. 홀 안으로 들어오는 태하, 분위기
를 살피는데 이때, 갑자기 조명이 꺼지더니 깜깜해진다. 그러더니 무대 벽
면으로 미디어아트쇼가 시작된다! 한 마리의 나비가 나타나 한복을 입은
어린 소녀(*연우)가 되고, 그 소녀가 어디론가 달려가다가 커다란 빌딩 숲
에 도달하고 그곳에서 소녀에서 여인으로 변하더니 손을 펼친다. 그러자
여인의 손에서 배롱꽃과 나비와 각종 전통문양®들이 튀어나온다! 사람들,

● 연우가 쇼에 선보일 의상에 자수로, 무늬로 표현한 문양들이다.

생각지도 못한 미디어아트쇼가 펼쳐지자 시선을 뺏겨 쳐다보는데.

〰 S#59. SH서울, 전시홀 백스테이지 / 저녁

연우, 집중해서 바느질 중인데 모니터로 무대를 보고 있던 현정이 놀라서 소리친다.

현정	연우씨! 이거 연우씨가 디자인한 패턴들 아니에요?
연우	(고개 들어보는데 모니터에 S#58의 무대가 보인다!!)
석주	(연우 옆으로 와서) 이거 부대표님 아이디어예요. 연우씨가 디자인 한 패턴들로 미디어아트 만들어 달라고 부탁하셨거든요.
현정	진짜? 서프라이즈 선물이었나?! (아~) 강드로, 아니 강스윗! 미쳤네~ 무댈 섬세하게 찢어버렸어! 아니, 내 맘도! (부럽) 좋겠다, 연우씬!
연우	(화면 속 영상을 빤히 보는데 또 가슴이 쿵쾅! 쿵쾅! 하는데)
하나	(그런 연우를 보다가 휙ー 나가 버린다.)

〰 S#60. SH서울, 복도 / 저녁

태하, 복도로 나오는데 강회장과 최이사가 서 있다. 태하, 강회장 앞으로 와 서는.

강회장	연우 옷에 문제 생겼다며? 그냥 빼고 진행해, 당장!
태하	할아버지!

강회장	이게 니가 책임진다던 그거냐? 그래? (쯧!) 모델들 얘기도 들었어. 계속 애미한테 빌미를 주면 대표는커녕, 지금 니 자리도 위험해!
태하	알아요! 아는데… 전 연우씨도 이 쇼도 모두 지킬 겁니다, 죄송해요.
강회장	(그 말에 멈칫! 하고 보는) … (흠) 그래, 어디 한번 해봐, 그럼.

강회장, 돌아서서 최이사에게 손짓하더니 전시홀로 가버린다. 태하, 미안한 얼굴로 보다가 돌아서는데 하나가 서 있다. 태하, 그냥 지나쳐 가려는데.

하나	(맘먹고) 박연우씨가 그렇게 중요한가요? 회장님 뜻도 거스를 만큼?
태하	(그 말에 돌아서서 하나를 본다)
하나	근데… 그거 아세요? (슬픈) 제게도 부대표님이 그런 사람인 거.
태하	(차가운) 그 얘긴 못 들은 걸로 하죠.
하나	부탁이에요! 저한테도 기회를, (달라고 하려는데)
태하	(O.L) 유대리 자린 거겁니다. 더는 선 넘지 말아요. (하고는 가버린다)
하나	(눈물이 차오른다) ….

〜 S#61. SH서울, 사무실 / 낮 - 하나 회상

신입사원 하나, 책상에 앉아 샌드위치 먹으며 컴퓨터로 제안서 정리 중인데.

여선배 (하나에게 와) 하나씨, 점심도 안 먹고 그럼 누가 알아줘? 선배
       물 멕이는 것도 참 가지가지다. (하며 가는)

하나   …. (맘 상한, 그래도 참고 샌드위치 베어 물고 다시 작업하는)

〰 S#62. SH서울, 태하 사무실 / 다른 날, 낮 – 하나 회상

태하, 제안서를 살펴보고 있고 여선배와 하나가 서 있다. 하나, 긴장한 얼
굴인데.

태하   제안서, 괜찮네요. 맘에 들어요. 이대로 진행하세요.

여선배 (바로, 제 공인 듯) 감사합니다. 앞으로 더 열심히 하겠습니다!

태하   (여선배 보며) 이해가 안 가네요. 왜 최대리가 대답하죠?

하나   !! (놀라서 보는)

여선배 (당황) 네? 무슨 말씀이신지….

태하   난 일 잘하는 사람보다 제대로 된 사람이 필요해요. 최대린 오
       늘부로 이번 프로젝트에서 제웁니다. 유하나씨가 맡아요. (일
       어서며 하나에게) 점심 하면서 회의할까요? 샌드위치 좋아해요?

하나   (!) 네…. 좋아합니다. (태하를 보며 웃는데 떨린다)

〰 S#63. SH서울, 복도 / 저녁 – 현재

하나, 눈물이 뚝— 떨어지는 이제 다 끝난 건가? 슬프고 괴로운데.

S#64. SH서울, 전시홀 백스테이지 / 저녁

연우, 온 힘을 다해 나비 매듭을 만들고 있는데 와서 의상을 살피는 미담.

연우   (미담 보며) 어떠세요? 이 정도면 괜찮을까요?

미담   원단을 잘라서 그런지 연우씨가 만든 문양이 잘 안 사네. 피날레 의상은 그게 핵심이었는데… (달래듯) 그래도 최선 다했으니까 너무 염려 마요.

연우, 아쉬운 마음에 옷을 만져보는데 이때, 앞쪽으로 모델과 함께 지나가는 석주가 보인다. 석주를 보자 뭔가가 떠오르는 연우, 벌떡 일어서더니 석주를 붙잡는다!

연우   (석주를 붙잡고) 석주씨! 좀 도와줄래요?!

S#65. SH서울, 전시홀 / 저녁

사람들, '왜 아직 안 해?' '뭔 일 있나?' 쑥덕인다. 태하와 성표도 무대를 보고 있고.

성표   (걱정, 태하에게 속닥) 30분 다 됐는데 왜 시작 안 하죠? (하는데)

이때, 음악과 함께 쇼가 시작된다! 무대 위로 윤재와 미담 의상이 순서대로 나오자 사람들, 새로운 한복을 넋을 놓고 바라보고 기자들은 사진 찍느라 바쁘다. 그렇게 미담의 마지막 의상이 들어가고, 조명이 바뀌면서 연우의 의상이 나온다.

성표   (오!!) 연우님 의상입니다!!
태하   (긴장한 듯 손을 꼭 쥐고 무대를 쳐다본다.)

연우의 의상들 차례대로 나오다가 튜브탑 점프슈트가 등장하자 환성이 터진다! 태하, 그제야 안도하는데 점프슈트가 들어가고 무대가 깜깜해지더니 하얀 한복˚ 차림의 연우가 나온다, 한복 위로 미디어아트(*S#58)에서 나왔던 연우의 문양들이 쏟아지고!

성표   아까 그 미디어아트죠? (헐!) 연우님 센스 대박인데요?!

시시각각 변하는 문양이 마치 여러 벌의 한복처럼 보이자 다들 환호하고, 사월도 입을 틀어 막으며 쳐다본다! 무대 일각에선 석주가 예스! 하며 주먹을 꼭 쥐고. 무대 위를 당당하게 걸어가는 연우를 따뜻하게 웃으며 바라보는 태하. 강회장, 그런 태하와 연우를 쳐다보고.

〰 S#66. 부조 / 저녁

혜숙, 전시홀 상황을 화면으로 보며 빙긋 웃는다. 황명수, 혜숙을 힐끔 보는 시선.

(E) 사람들의 환호와 박수 소리가 들린다.

- 연우가 만든 나비 매듭만 달려 있다.

S#67. SH서울, 전시홀 / 저녁

미담, 윤재가 박수치며 나와 인사를 한다. 인사를 끝낸 미담이 무대 뒤를 가리키자 연우의 옷을 입은 모델들과 연우가 나온다. 사람들, 일어나서 환호하고. 연우, 가슴이 벅차 머리 숙여 감사 인사를 하고는 고개 들어 눈으로 태하를 찾는다. 태하, 그런 연우를 환하게 웃으며 바라본다. 그렇게 잠시 서로를 바라보는 두 사람. 연우, 한 번 더 인사하고 돌아서서 가는데 이때, 태하 심장이 욱씬! 조여온다! 놀란 태하, 심장을 잡는데! 순간, 연우의 나비매듭이 초록빛으로 반짝이더니 초록나비로 변해 태하에게 날아들며 시공간이 멈춘다! 그리고 어느새 나타난 천명이 태하 앞으로 천천히 다가온다. 태하, '이게 무슨 일이지? 저 여잔 또 누구지?' 싶은데!

〈플래시컷//
1부 S#44.

연우   (슬쩍) 혹 성함을 여쭤봐도 될까요?
태하   (연우 보며) … 태하, 라고 합니다, 강, 태하.
1부 S#57. 혼례복 입은 연우가 놀란 눈으로 앞에 앉은 태하를 보고 있다.
1부 S#65. 툭— 바닥에 손을 떨구는 태하를 안고 서방님!! 외치는 연우.〉

갑작스럽게 떠오르는 환영에 놀란 태하 앞에 어느새 다가와 서 있는 천명.

천명   반복되는 운명, 이젠 알겠어요? (미소)
태하   (!!, 내가 정말 그 사람 환생이라고?!)

천명, 씩— 미소를 지으며 나비와 함께 사라진다. 동시에 시공간이 움직이면서 태하 심장도 평소대로 돌아온다. 태하, 퇴장하는 연우의 뒷모습을 빤히 보는데!

S#68. 바 / 밤

혜숙, 황명수와 마주 앉아서 위스키를 마시고 있다. 혜숙, 뭔가 기분 좋은
얼굴이고.

황명수 그 모델 일 말입니다. 진짜 왜 도와주신 겁니까? 강부대표를?
혜숙 그래야 아버님께서 크게 화가 나실 테니까요.
황명수 (엥? 해서 자리에 앉으며) 네? 그게 무슨 말씀이십니까?
혜숙 아버님은 태하를 자기 뜻대로 키우셨어요. 근데 연우 그 아이
가 나타나곤 달라졌죠. 하나씩 하나씩… 아버님 뜻을 어기기
시작했거든요, 태하가.
황명수 ? (보면)
혜숙 태하랑 연우는 점점 더 가까워질 거고, 그럼 아버님은 더 흔들
리시겠죠. 태하한텐 연우란 새로운 약점이 생겼고, 아버님껜
거슬리는 존재가 하나 더 늘었으니 나한텐 잘된 일이죠. (훗!
위스키 마시는)

S#69. 강회장 집, 서재 / 밤

강회장, 회중시계(*연우의)를 손으로 만지작거리며 벽장에 있는 연우의 그
림을 보고 있는데 이때, 강회장의 휴대폰에 발신제한 문자가 온다. 〈회장
님, 분부대로 처리하겠습니다.〉 강회장, 문자 확인하고는 차가운 표정으로

연우의 그림을 보는.

～ S#70. 해외 어딘가, 숲 / 새벽

차 한 대가 선다. 운전석에서 남자가 내려서 뒷좌석을 열자 하영이 내린다.

하영   여기… 어디예요? 강회장님께서 파리로 보내주신다고 하셨는
데, (하는데, 갑자기 하영의 머리 위로 보자기가 뒤집어 씌워진다!)

～ S#71. 강회장 집, 서재 / 밤

강회장, 회중시계를 꼭 쥐는데 시곗바늘이 한 칸 옆으로 움직였다 다시 멈
춘다!

～ S#72. SH서울, 전시홀 백스테이지 / 밤

연우가 조명 아래서 자기 옷들을 바라보고 있다. 연우, 소매와 치마 끝의
나비 이음수와 라벨에 적힌 〈박연우〉를 만지며 미소 짓는데 백스테이지로
태하가 들어선다. 연우, 인기척에 돌아보고 환하게 웃는다. 태하, 그런 연
우를 가만히 바라보는데.

〈플래시컷// 1부 S#65. 숨진 태하를 꼭 끌어안고 우는 연우.(*대사 없이)〉

연우	(태하 보며) 왔어요? (하며 미소 짓는)
태하	(연우를 보다가) 많이 아팠어요? 그 사람이… 당신 곁을 떠났을 때.
연우	?!!

〜 S#73. 바 / 밤

혜숙, 자리에서 일어나는데 황명수가 휴대폰을 들며 다급히 다가온다.

황명수	대표님!! 대박입니다, 대박!! 강부대표한테 사람 붙였잖습니까?! 방금 왕건이가 왔습니다! 보십시오! (혜숙에게 휴대폰 속 사진 넘기면서 보여주는)

혜숙, 보는데 성표가 건네준 약을 먹는(*S#60 이후 상황) 태하의 사진들이다.

혜숙	(?) 이게… 뭐죠?
황명수	약입니다, 약!! 무슨 혈관확장제라는데… 심장 때문에 먹는 거래요!
혜숙	(!) … 심장…이요??
황명수	예!! 강부대표 친모가 심장병으로 사망한 거, 맞죠?
혜숙	(!!!, 놀라서 다시 사진을 보는)

〜 S#74. SH서울, 전시홀 백스테이지 / 밤

태하	(솔직한) 끝까지 모른 척하고 싶었어요. 연우씨가 그 사람 혼

적, 나한테서 찾을까 봐. 근데 이젠 알겠어요, 그 운명이란 거.
(쓸쓸한 웃음) 내가 절대 이길 수 없는 상대라는 것도.

연우   (보는)

태하   (연우 시선에 말 돌리며) 그만 가죠, 늦었는데. (돌아서려는데)

연우   (조선태하를 떠올리며) 서방님은 내게 그저 서글프고 아픈 분이
        셨지만, (태하 보며) 태하씬 달라요.

태하   (다르다고? 역시 난 아닌 건가? 싶은데)

연우   당신을 보면 따뜻하고, 고맙고, 걱정되고, 어떨 땐 화도 나고,
        밉고… 그래서 어떻게 해야 할지 모르겠는데 한 가진 알고 있
        소.

태하   ? (보는)

연우   내가 보고 있는 건, 누군가의 흔적이 아닌 당신이란 거. 내 운
        명을 바꿔 준, 나의 처음… 당신이요.

태하   !! (날 보고 있다고?!)

태하, 자신을 보고 있단 말에 마음이 벅차오른다. 연우 앞으로 성큼 다가와
연우의 허리를 감아쥐며 자신 앞으로 당긴다. 서로를 바라보는 둘. 태하,
연우를 바라보다가 천천히 다가와 입술을 맞춘다! 놀란 듯 잠시 눈을 뜨고
있던 연우도 이내 눈을 감는다. 두 사람, 입을 맞춘 채 잠시 마음을 확인하
고 부드럽게 키스하는데!

                                                      (엔딩)

8부

홀레바람°
불던 날

● 홀레바람 : 비를 몰아오는 바람.

S#1. SH서울, 전시홀 백스테이지 / 밤 - 7부 S#74 이어서

키스를 마친 연우, 부끄러운 듯 태하를 보는데 쿵쾅쿵쾅! 심장이 뛴다.

연우   (혼잣말처럼) 또 쿵쾅거리네. (나, 이 사람 좋아해, 태하 보며) 한번
          확인해봐도 되겠소?
태하   (?) 확인이요? (하는데)
연우   (까치발로 태하 입술에 자기 입술을 살포시 가져다댄다)
태하   !! (놀라서 보는)
연우   (입술 맞댄 채로, 쿵쿵! 심장 소리에 빙긋)

S#2. 태하 집, 연우 방 / 밤

연우, 침대에 누워서 꿈인가 생시인가, 눈만 끔벅이다가 슬쩍 손을 들어 자기 입술을 만져본다. (*야릇한 BGM) 연우, 획! 이불 뒤집어쓰더니 이불킥하며 좋아서 난리다.

S#3. 태하 집, 태하 방 / 밤

태하, 침대에 멍하니 앉아 있다.

〈플래시컷// S#1. 연우가 까치발 들고 태하에게 입 맞추는 모습.〉

태하	(자기 볼을 꼬집는다, 아! 아픈) 꿈… 아니네. (비죽 웃음이 나온다, 휴대폰 문자음이 울리고, 보면 현욱 선배다)
현욱	(E) 강태하, 내일 당장 병원 와! 너, 진짜 큰일 나고 싶어!!
태하	(잠시 생각하다 현욱에게 전화하는, 통화) 선배, 저예요. (표정)

TITLE 8부. 홀레바람 불던 날

〜 S#4. 김포공항 안 / 다른 날, 아침

마케팅팀들 모두 모여 있다. (*다들 들떠 있고, 하나만 차분한 느낌)

현정	웬일이니, 웬일이니! 나 섬세하게 완전 떨려. 포상휴가 첨이잖아.
석주	저두요! 남의 돈으로 가는 제주도!! 진짜 대박! 그죠? 유대리님?!
하나	(마지못해) 그러게. (하는데)

이때, 태하와 연우, 성표(*쇼핑백 든)와 사월이 온다.

현정	(인사하며) 오셨습니까! (사월 보며) 근데… 저 분은…?
태하	연우씨 친한 동생인데 제가 같이 가달라고 부탁했어요.
태민	(동생?? 연우와 사월을 쳐다본다)
연우	(큼, 태민 시선 피하며 딴청)
사월	(바로) 안녕하세요~ 우리 언니 잘 부탁드려요! (성표 옆구리 툭─치면)

성표	! (쇼핑백 들어 보이며) 사월씨가 간식 챙겨왔는데 맛이 끝내줍니다!
태하	(시계 보며) 시간 됐네요, 가죠. (연우 에스코트해서 가고)

다들 태하와 연우 뒤를 쫓아가는데 태민이 슬쩍 사월 옆으로 온다.

태민	(소근, 놀리듯) 사월씨가 소복이 친~한 동생이었구나~
사월	(소근, 맞받아치며) 입 다물면 소복이 비밀 하나 알려줄게요.
태민	(어쭈?! 하! 웃고) 콜! 약속 지켜요.
성표	! (태민과 사월 사이에 껴들어서) 왜? 무슨 약속? 뭔데?!

〜 S#5. 비행기 안, 비즈니스석 / 아침

현정, 석주는 사월이 만든 쿠키 먹으며 '존맛탱!' '갓핸드!' 찬양 중이고, 사월, 성표는 몰래 서로 쿠키 먹여주며 꽁냥꽁냥! 태민, 하나는 선글라스를 끼고 심드렁하게 있다. 한편, 연우는 창밖 풍경에 시선 고정이고, 태하는 그런 연우에게 시선 고정이다.

연우	(구름 보며, 감동) 어릴 땐 저기 사람이 사는 줄 알았는데… 이제 보니 하늘에 핀 목화솜이네! (빤히 보다가) 아니, (급 감성 파괴) 생크림인가? (!) 아, 그거다, 그거! 초코빵 사이에 낀 하얀 거!! 마시메롱?? 마시말려?
태하	(큭!) 마시멜로요?
연우	(태하 보며) 맞소! (다시 창밖 보며) 구름은 못 먹겠죠?
태하	(연우가 너무 귀엽다) 구름보다 더 맛있는 거 많이 사줄게요.

연우, 돌아보는데 태하 입술이 클로즈업되며 반짝!! 저도 모르게 침을 꼴 깍 삼켰다가 헉!! 다시 창밖 보며 '마하반야바라밀다…' 반야심경을 소리 없이 입 모양으로만 외운다.

〰 S#6. 제주도 해변가 / 낮

석주, 현정은 하나를 성표, 사월우 태민을 끌고 우와ᐞ히며 비다를 향해 날 려간다. 천천히 모래사장 앞으로 걸어 나오며 바다를 바라보는 연우와 그 옆의 태하.

연우   (바다 보며, 감동) 왜 말 안 해줬소? 바다가 이렇게 예쁜지. 이런
            세상은 평생 못 볼 줄 알았는데….
태하   (바다 보며) 아직도 이 섬이 외로운 것 같아요?
연우   ?! (태하 보는데)

〈플래시컷// 5부 S#26, 태하가 사월인 줄 알고, 제주도에 대해 얘기하는 연우.〉

태하   (연우 보며) 보여주고 싶었어요, 더는 외롭지 않다는 거. 나도,
            연우씨도.
연우   (좋다, 바다 쪽 봤다가, 태하 보며) 그런 거면 겁내 성공했소. (웃
            는)
태하   (이때다 싶어 슬쩍 연우 손잡으려고 하는데)
사월   (손 흔들며) 언니!! 빨리 와요!!
연우   (신나서) 응! (뛰어가며) 간드아~~~

태하   ! (헛손질!, 손 보며 민망, 괜히 연우에게) 조심해요!! (보는데)

연우, 사월과 파도를 피하며 꺄~ 하고 신났고. 태하, 그런 연우를 보며 웃는다.

∼ S#7. 제주 숙소, 사월 현정 하나 방 / 낮

연우와 사월, 뭔가 내려다보고 있는데 보면, 침대에 비키니, 원피스 수영복이 있다.

연우   (비키니 상의 들고) … 이걸로… 뭘 가릴 순 있는 거야???
사월   (비키니 뺏어 들고) 왜요~ 가릴 때만 딱 가리겠구만. 이쁘죵?!
연우   (바로) 됐고!! 너나 실컷 입고, 맘껏 가려라~ (하면서 나가려는데)
사월   (연우 잡고) 이럴 때 아님 언제 이런 아슬한 걸 입는데요?! 아, 애기씨!
연우   어허!! 싫다니까! (고개 돌리다가 멈칫!, 뭔가 가리키며, 오!!)
사월   (연우가 가리킨 거 보는, 헐!) 왐마!

∼ S#8. 제주 숙소, 수영장 + 사월 현정 하나 방 / 낮

튜브 낀 성표, 태민, 석주, 하나 물놀이 중이고, 태하는 선베드에서 책을 보고 있다. 현정도 선베드에서 구경 중인데 뭔가를 보곤 입이 쩍! 벌어진다!! 보면, 해녀 복장의 연우와 수영복 차림의 사월이 걸어 들어오고 있다.

태하, 들고 있던 책 떨어트리고!

사월 방/ 방 한편에 해녀들이 환하게 웃고 있는 사진 보이고.

수영장/ 현정, 태민, 석주 연우를 보며 헐! 하고, 성표는 후다닥 태하 옆으로 오는.

성표	(헐! 황당) 연우님… 대체 뭘 입으신 겁니끼?
태하	(콩깍지, 연우만 보며) 그러게요, 너무 귀엽네요.
성표	! (뭐래?! 손 들어서 태하 눈앞에 왔다 갔다, 미동도 없자 도리질)

(CUT TO) 이하, 다 같이 수영장에서 신나게 물놀이하는 모습 짧은 몽타주로 보이고.

〰 S#9. SH서울, 혜숙 사무실 / 낮

혜숙, 책상에 살짝 기대 앉아 창밖을 보고 있다. 소파에 앉은 오박사는 좌불안석이고.

혜숙	(창밖 보며) 그거 아세요? 우리 아버지랑 저, 오박사님 참 좋아했어요. (돌아보며) 강회장님 주치의로 갈아타기 전까진. (책상 위 서류 챙기는)
오박사	!! (큼…)
혜숙	(서류 들고 소파로 오며) 아버진 오박사님 솔직하고 똑똑한 분이랬어요. (소파에 앉아 오박사에게 서류 주며) 그래서 차명 투자도

똑똑하게 많이 하셨더라구요?

오박사	!! (혜숙 보는)
혜숙	오박사님은 아시죠? 태하가 왜 결혼했는지, 솔직하게요. (빙긋)
오박사	(어떻게 해야 하나 망설이는데)
혜숙	몰라서 묻는 건 아니에요, 확인 차원이지. (빤히 오박사 보며)
오박사	(그제야) 회장님께서 평소 간이 안 좋았던 걸로 태하를 속이셨습니다. 태하가 결혼하면 수술 받겠다구요.
혜숙	(?) 수술…? (!) 아버님이 태하한테 거짓말을 했다구요? (하하하 웃는) 예상했던 답은 아닌데 것도 나쁘진 않네요. (훗!) 난 태하가 (태하 약 먹는 사진을 보여주며) 이 약 때문에 결혼한 줄 알았거든요.
오박사	(?!) 약이요? (혜숙이 보여주는 사진을 보다가) ?!
혜숙	(떠보듯) 아버님은 아세요? 태하 심장, 문제 생긴 거. (표정)

～ S#10. 제주 숙소, 바비큐장 / 저녁

다 같이 모여서 바비큐를 먹으며 맥주도 마시고 즐겁게 노는 짧은 몽타주. 태하, 바비큐 굽는데 성표가 파프리카 올리며 이래라저래라 훈수 두는 컷 / 태민, 연우한테 바비큐 접시 가져다주는데 석주가 낼름 받아서 테이블에 올려놓자 현정, 사월, 석주가 먹느라 바쁘다. 태민, 삐죽! 입 내미는 컷 / 다들(*태하 뺀), 술잔을 들고 기분 좋게 건배~ 하면서 고기 먹는 컷 /

일각/ 연우, 좀 떨어진 테이블에 앉아 풍경을 보고 있는데 사월이가 접시에 고기, 구운 파프리카, 야채 등을 가져와 앉는다. 사월, 파프리카 집어서 연우에게 주며,

사월	이거 잡숴보셨어요? 알록달록 이쁜 게 맛있네요.
연우	(파프리카 받아서 먹어보는, 오!) 달달한데?
사월	새조선은 정말 살맛 나죠? 맛난 것도 많고~ 돈도 벌고~ (슬쩍) 우리 그냥 여기서 살면 안 돼요? 돌아갈 방법도 솔직히 잘 모르잖아요.
연우	(사실 그러고 싶다)
사월	그래서 말인데~ 도련님하곤 어디까지 가셨어요? 손? 입?!
연우	! (당황) 뭐?! 입, 입, 입은 무슨!!!
사월	(오!) 왐마! 갔네, 갔어! (다다다) 언제, 어디서, 어떻게요?!
연우	!! (당황) 아니 그게! 그냥 상황이… 어쩌다 보니까,
사월	(O.L) 괜찮아요~ 원래 다들 어쩌다 정을 통하고, 어쩌다 입 맞추고, 어쩌다 합방하는 거니까~! (씩-)
연우	(!) 하, 합방?!!

⌒ S#11. 제주 숙소, 태하 연우 방 / 밤

잠옷 입은 연우, 침대에 앉아 다리를 달달 떨고… 머리 위로 사월이 뿅!

〈인서트//

사월	도련님이 신호주면 넙죽-! 그대로 혹! 덮쳐서〉

연우, '으아아~' 하며 도리질 하자 머리 위로 나타난 사월이가 사라진다!

연우	넙죽은 무슨! 내가 왜! (하면서도 머리, 옷매무새 은근슬쩍 살피는데)

이때, 태하 인기척이 들리자 잽싸게 침대에 등 돌리고 누워 자는 척 한다! 태하가 천천히 침대 위로 올라오는 기척이 들리자 연우, 침 꼴깍 삼키는데.

태하   (베개 챙기며) 난 바닥에서 잘 테니까 편히 자요.

연우   ?!! (벌떡 일어나 태하 보며) 왜요?!

태하   (댕!!, 연우 보며) 왜…라뇨? 연우씨 불편할까 봐요.

연우   (후다닥 태하 쪽으로 와 태하 베개 잡고) 그냥 위에서 자도 되는데.

태하   아니에요, 연우씨가 침대 써요. (하고 베개 살짝 잡아당기는데)

연우   괜찮다니깐요! (하면서 자기 쪽으로 세게 베개를 잡아당긴다!)

태하   (반동으로 앞으로 쿵쿵 갔다가 버티며) 왜 그래요?! (다시 당긴다)

연우   어! (하며 앞으로 쿵쿵 딸려 갔다가) 거 내 말 좀 들어요! (세게 당기는!!)

연우, 강하게 잡아당기자 태하가 연우에게 와락 안기듯 한다! 순간, 중심 잃은 연우가 태하와 함께 침대 위로 넘어진다! 덜컹~ 침대가 흔들리고! 두 사람 서로를 쳐다본다! 연우, 코앞에 태하가 있자 뽀뽀를 기대하며 슬쩍 눈을 감는데 태하, 아직 이런 본격적인(?) 분위기가 민망한.

태하   (벌떡 일어서며) 조, 좋은 방법이 있어요!

연우   (엥? 하며 쳐다보는)

〜 S#12. 제주 숙소, 사월 현정 하나 방 / 밤

현정, 하품하며 화장실에서 나오는데 사월이 한쪽 벽(태하 방)에 귀를 붙이고 요상한 자세로 붙어 있다. 현정, 그 모습에 '엄마야!' 놀라는데 사월, 손가락으로 쉿! 하는.

⌒ S#13. 제주 숙소, 태하 연우 방 / 밤

어두운 방. 연우, 뚱한 표정으로 누워 있는데 화면 넓어지면, 침대를 가운데 두고 양 바닥에 이불 깔고 누워 있는 연우와 태하(*자는 듯 눈 감은)다!

연우   (삐죽) 신호는 무슨… (하다가, 슬쩍) 태하씨… 자요? (조용하자, 앉아서 침대 너머 보며) 태하씨…?

조용하다. 연우, 살그머니 일어나 침대로 올라오더니 침대 끝(*태하 쪽)으로 와서는 태하를 바라보며 옆으로 눕는다. 그러고는 가만히 태하를 쳐다보는데.

사월   (E) 우리 그냥 여기서 살면 안 돼요?
연우   (태하 얼굴로 손을 뻗더니 검지로 닿지 않게 천천히 태하의 이마 선을 따라 코까지 내려오다가 슬쩍 코를 건드려 본다)
태하   (간지러운지 손으로 살짝 코 주위를 만지다가 이내 음냐~ 하며 잔다)
연우   (그런 태하가 귀여워 큭! 웃더니 그대로 가만히 바라본다)

⌒ S#14. SH서울, 회의실 / 다음날, 아침

혜숙이 상석에 앉아 있고, 황명수와 고이사, 다른 임원들이 웅성거리며 모여 있다. 혜숙, 힐끔 손목시계를 보는데 이때, 문이 열리고 강회장과 최이사가 들어온다. 다들, 놀라서 벌떡 일어서는데 혜숙은 자리에 앉아 있다.

강회장   (혜숙을 보며) 이게 무슨 짓이야! 뭘 하겠다고? 태하를 해임 시
          켜?!

혜숙   (일어서며) 네. SH를 위해서 필요한 조치라고 생각해서요.

강회장   뭐?! 필요한 조치? (하는데)

혜숙   (임원들 보며) 안타깝게도 강부대표가 심장병을 앓고 있거든요.

강회장   !! (멈칫! 매섭게 혜숙 보는)

임원들   (뭐? 심장? /이게 무슨 소립니까?/ 강부대표가요? 등등 웅성거리는)

고이사   (놀라서) 정말입니까?! (강회장 보며) 회장님!!

강회장   (매섭게) 민대표! (하는데)

혜숙   만약! 회장님께서 태하 상태 아시고도 대표로 삼을 생각이셨
          다면 절대! 묵과할 수 없습니다. SH는 회장님 개인 회사가 아
          니니까요.

강회장   !!! (지팡이 꼭 쥐고, 혜숙을 보는데)

혜숙   (차갑게) 그런 의미에서 강태하 부대표의 해임안, 정식으로 제
          안합니다.

강회장과 혜숙, 서로를 바라보는데 황명수, 그런 두 사람을 보며 비릿하게
웃는다!

〜 S#15. SH서울, 혜숙 사무실 / 아침

강회장 상석에 앉아서 빤히 혜숙을 쳐다보고 있다.

강회장	이젠 그 시커먼 속, 숨길 맘도 없는 거니?
혜숙	아버님만 하겠어요? SH 주인은 태하라고 늘 그러셨잖아요. 돌아가신 우리 아버지 회사랑 제 덕에 여기까지 온 거 다 아시면서.
강회장	(허허허) 민사장, 딸 하난 기가 막히게 됐어! 제법이야.
혜숙	8할은 아버님께 배웠죠, 감사하게도.
강회장	아직 멀었어. 태하 심장 얘긴 너한테도 마이너스야. 외부로 새나가면 주식이든 뭐든 휘청일 테니까.
혜숙	그래서 그 전에 태하 정리하려구요. 아! 주주들은 아버님이 맡아주세요. 그럼… 태하한테 하신 거짓말 정돈 눈 감아드릴게요, 미국 수술 얘기요.
강회장	!! (잠시 멈칫했다가 하하하! 웃더니) 고맙구나, 마음 써줘서. (보는)
혜숙	(빙긋) 별 말씀을요.

〰 S#16. 제주 야외 카페(바다 앞) / 낮

현정, 하나, 석주, 태민, 성표, 사월, 카페 밖(*야외 테라스)에서 신나게 사진을 찍고 있다. 연우, 초코케이크를 앞에 두고 먹는 둥 마는 둥 심드렁한데 다가오는 사월.

사월	(연우에게 슬쩍) 어제 어떠셨어요? (큭) 아주 우당탕 난리더만.
연우	(하~) 아~무 일도 없이 잠만 잘 잤어.
사월	(!) 에? 왜요?! 아니, 왜! 이렇게 꽃다운 울 애기씰 두고 왜!!!
연우	… 몰라. 그냥 그랬나보지, 뭐~ (포크로 케이크 툭툭─ 치는데)

사월	(헐) 두 분 정인이 된 지 얼마나 됐지? 한 며칠은 됐죠?
연우	(?) 응? 정인?
사월	넌 내 거! 난 니 거! 좋아한다! 오늘부터 1일! 뭐 그딴 말 언제 했냐구욧!
연우	(?) 안 했는데? 그런 말.
사월	진짜요? (하다) 그거네, 그거!! (포크로 케이크 찍으며) 요렇게 콕! 찍어서 (케이크 잘라 들고는) 넌 내 거다~! 그걸 안 해서 도린님이 망설였구만! (케이크 먹으며) 애기씨가 먼저 확— 질러요! 좋아하는데 뭐 어때요!
연우	그런가…? (그럼 내가 먼저 말해?!)

〰 S#17. 제주 야외 카페 앞 / 낮

태하, 카페 안으로 들어가려고 하는데 전화벨이 울린다. 보면, 최이사다.

| 태하 | (전화 받으며) 네, 최이사님. (잠시 얘기 듣다가, 표정 굳는) 뭐라구요? |

〰 S#18. 강회장 집, 서재 / 낮

최이사, 태하와 통화 중이다.

| 태하 | (F) 민대표가 절 해임하겠다구요? |
| 최이사 | (통화) 해임안도 문제지만, 너 심장병 얘기 회장님도 들으셨어. |

94

(사이) 그래. 어쨌든 최대한 빨리 올라와. (끊고, 앞을 보면)

강회장   (다기 세트로 차를 마시고 있다)

최이사   회장님, 이제 어쩌실 생각이십니까?

강회장   어쩌긴 순리대로 해야지, 하나하나. (차를 마시는)

〜 S#19. 제주 야외 카페 (바다앞) / 낮

태하, 생각 많은 얼굴로 앉아 있다. 좀 전에 최이사와 했던 통화 떠올리는.

최이사   (E) 해임안도 문제지만, 너 심장병 얘기 회장님도 들으셨어.

태하, 하… 하며 고개를 돌리는데 바닷가에서 노는 연우와 사월이 보인다.
환하게 웃는 연우를 보자 태하도 따라서 미소를 짓는데 옆으로 다가오는
성표.

성표   그렇게 좋으십니까? 눈에서 꿀이 뚝뚝 떨어지십니다.

태하   (보는)

성표   (순간 헙!) 죄송합니다, 제가 또 눈치 없이 오바를. (쩝−)

태하   맞아요. (연우 보며, 솔직하게) 연우씨 보면 그냥 좋아요.

성표   ! (의외다 싶어 보는데)

태하   그래서 가끔 무서워요. 내가 행복하게 해줄 수 있을까, 해서.

성표   무슨 그런 걱정을 하세요! 연우님 얼굴 보면 딱 답 나오는데.

태하   (덤덤하게) 민대표가 내 심장병 알게 됐어요.

성표   (사월과 연우 쪽 보며) 아, 예~ (하다가, 헉!!) 예?!! 진짜요!!

태하   그걸 빌미로 날 해임하겠다고 한 모양이에요.

성표   (!) 해, 해임?! (하다, 걱정스레) 어쩌실 생각입니까?

태하   진흙탕 싸움이 되겠죠. 그러다 연우씨도 다칠까 봐 걱정이에
        요.

태하, 연우를 바라보며 더는 아무 말도 안 한다. 성표, 그런 태하를 걱정스
레 보고.

～ S#20. 제주 숙소, 태하 연우 방 + 현욱 진료실 / 오후

태하, 가방에 지갑을 넣다가 안에 있던 목걸이 상자를 본다. 상자를 꺼내서
열어보면 연우에게 줄 나비목걸이가 보인다. 태하, 목걸이를 만져보는데
이때! 심장이 갑자기 조여온다! 태하, 숨을 몰아쉬며 목걸이 상자 내려놓
고 가방에서 약을 찾아 먹고는 침대에 앉는데 휴대폰 벨이 울린다. 현욱 선
배다. (*이하 화면 분할)

태하   (고민하다 받는, 힘들다) … 여보세요?

현욱   ?! (이상한) 목소리 뭐야, 어디 아파?

태하   좀 피곤해서요. 왜 무슨 일 있어요?

현욱   (모니터의 태하 심장 사진 보며) 너 제주도 가기 전에 한 검사 결
        과 나왔어. 니 심장, 엉망진창이니까 당장 올라와. 오늘 당장!

태하   !! (설마 했는데) ….

현욱   듣고 있어? 지금 심각하다고, 너!

태하   (차분한) 알겠어요. 이따가 다시 연락할게요.

현욱   (F) 야, 강태하!

태하   (전화 끊고 휴대폰 내려놓는)

태하, 마른세수하며 시선을 돌리는데 침대 위의 나비목걸이와 약통이 보인다. 하! 헛웃음을 짓던 태하, 약통을 꼭 쥐더니 그대로 화가 난 듯 벽에다 집어던진다!

〰 S#21. 제주 숙소 일각 어딘가 / 노을

연우, 풍경을 보며 가고 있는데 풀밭에서 셀프 웨딩촬영 중인 커플이 보인다. 행복해하는 두 사람을 보는데 문득,

〈플래시컷// 2부 S#29. 연우, 드레스 입고 숨이 막혀 헥! 기절하고 놀라는 태하!〉

연우, 옛날 생각에 큭! 웃었다가 앞을 보는데 어느새 태하가 와 서 있다. 연우, 태하를 보며 환하게 웃는데 태하, 그런 연우를 빤히 본다.

〰 S#22. 바닷가 일각 산책로 / 노을

연우와 태하가 걷고 있다. 연우, 들뜬 모습으로 바다를 보다가 태하 보며,

연우 그거 기억하오? 우리 혼인하던 날, 나 기절했던 거.
태하 … 어떻게 잊겠어요, 그날을.
연우 여기 와서 진짜 이상한 짓 많이 했는데. (훗!) 소복 입고 돌아다니고, 사극 보면서 조선이라고 소리치고, 아! 타락의 맛! 그것도 있었네. (큭― 웃다가) 이제 좀 새조선 사람 같아요? (태하 보

97

는데)

태하   (그간 연우와의 추억을 떠올리자 마음이 아픈)

연우   (멈춰 서서, 노을 보며) 그땐 꿈에도 몰랐소. 사기꾼 같던 당신을
         (태하 보며) 좋아하게 될 줄은. (사이) 내 거 합시다, 강태하씨.

태하   (!!) ······.

연우   (살짝 부끄러워 귀엽게) 촉호보다 아껴주겠소. (웃는데)

태하   (차갑게) 연우씨, 우리 그만 계약 종료하죠.

연우   (종료?, 아~) 새로 시작하잔 소리요?

태하   아뇨, 그냥 끝내자구요. 전부 다.

연우   ?!! (무슨 소리지? 해서 보는) 끝···내요?

태하   (앞을 보며, 애써) 연애할 생각 없어요. 그만큼 한가하지도 않
         고. 어차피 계약기간도 지났잖아요.

연우   ······. (멍해지는)

태하   있을 곳 알아봐 줄 테니까 그때까진, (하는데)

연우   (O.L) 그럼 지금까지 뭘 한 거요? (화난다) 나랑 웃고, 손잡고,
         입 맞추고! 여기까지 데려와 놓고 이제 와서,

태하   (O.L) 그건 그냥··· 분위기에 휩쓸려서 그랬던 거예요. 난, (사
         실이라 속상하지만) 다른 사람들하곤 달라요. 평범하게 살 수 없
         다구요.

연우   진심이요? (맘 아픈, 눈물이 고이는) 날··· 조금이라도 좋아하긴
         했소?

태하   (거짓말이다) 그런 적, 없어요.

연우   !! (태하 보다가) ··· 사기꾼, 맞았네. (눈물이 툭― 떨어진)

태하, 우는 연우를 보자 반사적으로 손을 뻗으려다 참고 주먹을 꼭 쥔다.
연우, 태하를 보다가 획― 뒤돌아서 가버린다. 떨어지는 눈물을 애써 참고

가는. 태하, 애써 덤덤하게 고개를 돌리는데 눈가가 붉게 물들어 있다!

〰 S#23. 제주 숙소 앞 / 저녁

연우, 멍하니 걸어오는데 사월이 다급하게 다가온다.

사월	어디 갔다 오세요~ 다들 얼마나 찾았는데! 전화도 안 받고.
연우	어? (대충) 어… 좀 걷다 보니까 늦었네.
사월	도련님 먼저 가신 건 아시죠? 근데 뭔 일이래요?
연우	(!) 태하씨가… 갔어?
사월	(이상한) 모르셨어요??
연우	(둘러대며) 아~ 맞다! 회사에 일이 있다더니 벌써 갔구나?
사월	난 또 말도 없이 가셨나 했네. (연우 팔짱 끼고) 얼른 가요, 저녁 먹게.
연우	응… 그래. (하며 사월과 가는데 표정은 어둡다)

〰 S#24. 서연대학 병원, 현욱 진료실 / 밤

태하, 현욱과 크리스 교수와 함께 앉아 있다.

크리스	(영어) 강태하씨 심장 박출률이 40%대 이하로 떨어졌어요. 인공박동조율기가 제 역할을 못 하는 겁니다. 이러면 심부전을 피해갈 수 없어요.
태하	(영어) 많이 위험한가요?

크리스　　(영어) 좌심실의 기능이 떨어지면 심장에 혈전이 생겨 뇌졸중
　　　　　이나, 심장마비까지 올 수 있습니다. 이렇게 단시간에 나빠진
　　　　　건 나도 처음 봐요. 대체 무슨 일이 있었던 거죠?

태하, 아무 대답 못하고. 현욱은 그런 태하를 속상한 듯 쳐다본다.

〰 S#25. 포장마차(혹은 술집, 바) / 밤

빈 소주병 3~4병이 보이고. 취한 현욱과 빈 잔을 앞에 둔 태하가 보인다.

태하　　(빈 술잔을 보다가 툭 던지듯) 그래서, 나 죽어요?
현욱　　(마시던 술잔 탁! 내려놓고) 미친놈! 너, 내가 무조건 살려. 걱정
　　　　마! (답답한, 마른세수) 한 달 전엔 괜찮았는데 대체 무슨 일이냐
　　　　고 이게에~!
태하　　(서글픈) 운명일지도 모르죠. 반복되는 그런 운명.
현욱　　놀고 있네, 운명은 무슨! (술 따라 마시는데)
태하　　(보다가) 나도 한 잔 줄래요?
현욱　　돌았냐? 나 너 주치의야. (태하 잔에 생수 따라 주며) 이거나 마
　　　　셔.
태하　　(술잔 보는)
현욱　　별 생각 다 했다. 갑자기 심장이 왜 나빠졌지? 그 해로운 여자
　　　　때문인가? 사랑하니까 막 (가슴 때리며) 빨리 뛰어서? (하!) 근
　　　　데 똥 같은 소리잖아. 말이 되냐?!! (점점 테이블 위로 쓰러지며)
　　　　니 심장도! 의학적으론 완전 똥이야! (하…) 더럽게! 더럽게…
　　　　말도 안 된다고…. (테이블 위로 쿵─!)

100

태하   (술잔을 만지작) … 그러게요. 언제 죽을지도 모른다는데 그 여
       자만 생각나는 거, 이거 말도 안 되는 거죠?

〈플래시컷// S#22. 태하를 보며 눈물을 뚝— 떨어뜨리던 연우.〉

태하   울려서 미안하고, 못 볼까 두렵고, 날 미워할까 봐 걱정돼요.
       (가슴에 손 올리며) 여기가 단단히 고장 난 거 맞나봐요. (쓸쓸한
       미소)

〜 S#26. 제주 숙소 앞 / 밤

연우, 무릎을 끌어안은 채 벤치에 앉아 밤하늘의 달을 보고 있다. 연우의
손엔 태하가 준 토끼키링이 들려 있고. 말없이 달을 보던 연우, 손에 들린
키링을 쳐다본다.

연우   옥토끼 같은 건 없는 거야. (눈물 감추려고 얼굴을 무릎에 파묻는다)

〜 S#27. 한정식집, 룸 / 낮

강회장과 태하, 차를 두고 마주 앉아 있다. 강회장 놀란 표정으로 태하를
보면서.

강회장   (놀란 척) 그게 무슨 소리야…! 계약결혼? 연우랑?!!!
태하   (담담하게) 죄송해요. 심장 문제 알면서 결혼, 할 수 없었어요.

101

	하지만 어떻게든 회사랑 할아버지 지키고 싶어서, (하는데)
강회장	(화난 척, O.L) 그래서 고작 생각한 게 그거야? 어!! 언제까지 속이려고 했는데?! 이 자식이 어디서 배워먹은 짓이냐고! (차를 마시려다, 옆에 있던 냉수 마시고는) 너, 내가 진짜 몰랐을 것 같니? 니 심장 말이야.
태하	(!!) 그게… 무슨 말씀이세요?
강회장	수술 끝나고 보고 받았었어. 그래서 결혼도 서둘렀던 거야! 너 하나 잘되라고, 다 닐 위해서 모른 척했던 건데 일을 어떻게 이렇게 만들어!
태하	(죄송한) 걱정 끼쳐드리기 싫었어요.
강회장	결혼이든 심장이든 나한텐 말했어야지! 니가 나 없이 뭘 한다고!!
태하	……. (할 말이 없다)
강회장	그래서 이제 어쩌려고. 민대표도 민대표지만 연우는 어쩔 거야?!
태하	(맘 아프지만) 연우씨랑 계약 끝내기로 했어요.
강회장	(!) 벌써 정리한 거야?
태하	네.
강회장	(속상한 척) 그래, 그게 순리겠지. 잘했다. (사이) 일단 임원들은 내가 맡을 테니 넌 주총이나 신경 써. 이번엔 민대표 확실하게 정리하자.
태하	알겠습니다. (마음 무거운데 문자 진동벨이 울린다, 성표다)
성표	(E) 연우님과 서울에 무사 도착했습니다! 맥으로 곧 출발합니다!
태하	(!, 휴대폰 보는 표정) ….
강회장	(그런 태하를 지그시 바라본다)

〰 S#28. 태하 집, 거실 / 낮

연우, 사월과 거실로 들어오고. 그 뒤로 성표가 연우 캐리어 끌고 들어온다.

사월   (빈 거실 보며) 도련님은 어디 가셨나 봐요?
연우   ······.
성표   (캐리어 들고) 이거 2층에 올려드리면 될까요?
연우   (보며) 아뇨, 여기서 잠깐 기다릴래요? (하고는 2층으로 올라간다)
성표/사월 (무슨 일이지? 해서 쳐다보는)

〰 S#29. 태하 집, 연우 방 / 낮

연우, 방 안을 쓱— 둘러보더니 배롱나무 가지 앞에 와 선다. 뭔가 결심한 표정이고.

〰 S#30. 태하 집, 거실 / 저녁

태하, 어두운 거실로 들어와 불을 켠다. 너무 조용한데? 싶어 2층으로 가려는데 시선이 거실 테이블로 향한다. 보면, 테이블에 토끼키링이 보이고. 태하, 설마…! 해서 테이블로 와 보면 키링과 그 아래 연우가 남긴 쪽지가 보인다.

연우	(E) (쪽지 내용) 그간 고마웠소. 수고무강●하길 바라겠소.
태하	!! (휴대폰으로 연우에게 전화를 건다, 받자) 여보세요! (하는데)
안내음	(F) 전원이 꺼져 있어 음성사서함으로,
태하	(전화 끊고) 하… (하다가, 성표에게 전화 거는) 홍비서, 나예요.

〜 S#31. 성표 집, 거실 / 저녁

통화 중인 성표 얼굴 C.U

성표	연우님이요? 아뇨…. 모셔다드리기만 했습니다. 예…. 알겠습 니다. 네. (끊는)

(E) (사월 휴대폰) 요란한 휴대폰 벨소리.

화면 넓어지면, 연우와 사월이 앉아 있고(*연우 뒤에 캐리어와 돌쇠 있는) 사월의 휴대폰에 태하 전화가 오는 중이다. 사월, 삐죽거리며 휴대폰 노려보더니 전원을 끈다!

성표	(난감한) 연우님~ 일단 집에 가셔서 부대표님이랑 얘기를 좀,
사월	건 안 돼요! 감히 금쪽 같은 울 애기씰 발로 뻥~ 찬 놈한테 가긴 왜 가!
연우	(살짝 창피한) 뻥 찬 거까진 아니야….
사월	(흥분) 아니긴요! 애기씨가 어! 어렵게, 어! 고백까지 했는데 지

● 수고무강(壽考無疆) : 아무런 탈 없이 아주 오래 삶.

104

~가 뭔데!

성표   (큼) 뭔가 사정이 있으시겠죠. 그리고 부대표님께 놈이랑 지는
       좀….

사월   (O.L) 사정은 무슨! 그 도령에 그 종놈이라더니 편드는 거예
       요?!

성표   (빠직!) 종놈?! (하!) 고백했다 까였다고 집 나온 것도 잘한 건
       아니죠!

연우   (억울한) 아니, 까였다기보다… (하는데)

사월   그럼 퇴짜 맞고 그냥 거기 있으란 말이에요!

연우   (빠직, O.L) 그래! 나 뻥 차이고, 까이고, 퇴짜 맞았어! 됐냐, 이
       제!!

연우, 씩씩거리며 쳐다보자 성표와 사월, 깨갱해서 딴청부리는데. 이때, 벌
컥 문이 열리고 나래가 '오빠~' 하고 들어오다 연우와 사월을 보고 얼음!!

나래   죄송합니다!! (문 닫았다가 다시 열며) 아닌데? 여기 우리 집 맞
       는데?!

〰 S#32. 태하 집, 연우 방 / 밤

태하, 불을 켜는데 보면 연우가 오기 전 그대로 깨끗하다. 태하, 쓸쓸한 얼
굴로 둘러보는데 한쪽에 청소기 거치대만 있고 돌쇠가 보이지 않는다.

태하   … 돌쇠는 데려간 모양이네. (연우답다 싶지만 뭔가 서운한, 한 번
       더 방을 둘러보다가 깊게 한숨 쉬고선 불을 끄고 나간다)

∽ S#33. 성표 집, 성표 방 / 밤

연우, 침대에 앉아 휴대폰 전원을 켜고 부재중 전화를 보는데, 태하한테 1건 와 있다.

연우   (하!) 고작 한 통? (화난, 연락처에서 태하 번호 지우려다 못하고, 침대에 누워 이불을 뒤집어써버린다!)

∽ S#34. SH서울, 회의실 / 다음날, 아침

태하와 최이사, 고이사가 모여 있다. 한쪽에 성표가 서 있고.

고이사   솔직하게 말씀해주시죠. 지금 건강 상태가 어떠신지.
태하   (태연하게) 임원분들께서 절 걱정해주시는 건 감사하지만,
고이사   (O.L) 아니죠. 이건 개인이 아닌 SH 전체의 문제입니다.
최이사   고이사, 너무 그러지 맙시다. 당장 뭔 일이 생기는 것도 아니잖아요.
고이사   주주들 귀에 들어가면 엄청난 리스크가 될 겁니다. 하루빨리 입장정리 하세요. 안 그럼 해임안 받아들일 수밖에 없습니다.
태하   (!!) ……. (머리가 복잡한데)

이때, 혜숙과 최비서가 들어온다! 태하, 싸늘하게 쳐다보고, 최이사와 고이사 놀라는.

혜숙   (이사들에게) 강부대표가 있다고 해서 와봤어요. (태하에게) 제

주도 잘 다녀왔니? 심장도 안 좋은데 멀리 다니지 마. 갑자기
쓰러지면 어쩌려고.

태하　민대표님보단 건강하니까 걱정하지 마세요.

혜숙　그럼 다행이고. 회사 그만두면 몸 관리부터 해야지? (웃는)

이사들　!! (노골적인 혜숙의 태도에 난감한)

태하　(주먹을 꼭 쥐고 참으며 혜숙을 노려보는)

〰 S#35. SH서울, 태하 사무실 / 아침

태하, 잔뜩 굳은 얼굴로 사무실에 앉아 있다. 그 옆에 성표가 서 있고.

성표　(태하 눈치 살피며) … 부대표님.

태하　연우씨, 내 해임안은 물론이고 심장 문제도 몰라야 해요.

성표　거야 당연하죠! (하다, 헉!) 알고 계셨습니까?! 연우님 저희 집
에 있는 거. (슬쩍) 두 분 싸우셨어요?

태하　(잠시 생각하다) 연우씨 남편, 나랑 같은 병을 앓다가 죽었어요.
그 후에 연우씨도 우물에 몸을 던졌구요.

성표　(!) 우, 우물이요?!! 연우님이 죽으려고 했단 말씀이세요?

태하　(끄덕) 그랬던 것 같아요.

성표　(헐! 당황스러운데)

태하　그 사람한테 같은 아픔 주고 싶지 않아요. 그러니까 모르게 해
줘요.

성표　(태하가 안쓰럽다) 네. 알겠습니다. (꾸벅 인사하고 나간다)

태하　(의자 뒤로 몸을 기대며 눈을 감고 깊은 한숨을 쉰다)

S#36. 강회장 집, 서재 / 낮

사월, 마른 수건으로 물건들을 닦고 있다. (*주변에 청소기, 물걸레 등 보이고)

사월	(화난) 지가 뭔데 울 애기씨를 뻥 차냐고, 뻥 차기를! (하다가) 아니지, 나도 당장 이놈의 집구석을 나가서, (하며 돌아서는데)
강회장	(언제 왔는지 문 앞에 서서) 청소 다 했나?
사월	(헉!!) 오, 오셨어요?!
강회장	(웃으며) 그쯤이면 됐으니, 그만 나가 봐요.
사월	예. 알겠습니다. (청소도구들을 챙기는)

강회장, 수납장에서 회중시계가 든 상자를 꺼내서 손에 들고 본다. 사월, 청소도구 챙겨 나가려다 얼핏 회중시계를 보고는 응? 해서 다시 보는데 강회장, 회중시계를 상자에 넣고 사월을 본다. 사월, 헉! 해서 후다닥 밖으로 나가며 문을 닫는다!

서재 앞/

사월	잘못 봤겠지? 시계가 여기 있을 이유가 없잖아. (갸웃하다가) 아, 됐어! 지금 중요한 건 그게 아니야! (후다닥 복도를 뛰어가는)

S#37. 강회장 집 앞 / 저녁

사월이가 양손에 샤인머스캣 상자를 들고 살그머니 현관문을 나오는데.

태민	(E) 그거 들고 어디 가는 거야? (*태민 가방 메고 있다)

사월	(!, 히끅! 해서 돌아보는데)
태민	폼을 보니까, 몰래 가려다 딱! 들킨 거 같은데? 왜, 소복이한테 가려고?
사월	아니에요~ 가긴 어딜 이 시간에. (하다가 딸꾹질!) !! (이런 씨!)
태민	(사월에게 어깨동무) 나도 갈래. 안 그래도 소복이 보고 싶었는데.
사월	(!, 태민 밀어내며) 아, 거기가 어디라고 같이 가요, 가긴!! (하는데)
태민	소복이 비밀 알려준단 거 개뻥이었지? 그럼 이걸로 퉁—치자! (씩—)

〜 S#38. 성표 집, 거실 / 저녁

나래, 팔짱 끼고 뭔가를 빤~히 보고 있다. 보면, 식탁에 한 상 잘 차려져 있고 그 앞에 연우와 태민이 앉아 있다. 사월, 접시에 샤인머스캣 담아 가져오는데.

나래	연우님은 알겠는데 (사월에게) 그쪽은 또 왜 왔어요? 그리고! (태민 보는, 잘생겼다 혹!해서) 이 잘생긴 오빠랑… (헉! 정신줄 잡고) 밥상은 대체 뭐구!!
사월	(접시 내려놓으며) 실 가는 데 바늘 가고, 온 김에 저녁 해주는 거고~!
태민	난 직장 동료 만나러 온 거고. (헤헤)
연우	(난감한) 미안해요…. 나래씨.
사월	(샤인머스캣 하나 떼서 연우 입에 넣어주며) 요거 먼저 드셔보세요. 이렇게 크고 실한 포도는 첨 봤어요! 달고 아삭해요!
연우	(먹는데, 오!) 와~ (나래 눈치 보며, 큼) 맛있긴 하네. (헤헤)

나래	(입바람, 후!) 그니까! 그쪽이 뭔데 남의 집에서 이러고, (하는데)
사월	(샤인머스캣 나래 입에 넣으며, O.L) 성표씨 여자친구요~ 그럼 됐죠?
나래/연우	(동시에) 뭐요?? / 진짜야??
태민	(샤인머스캣 먹으며) 몰랐어? 둘이 완전 티 나던데.

이때, 성표가 '다녀왔습니다!' 하고 들어오다가 거실 보고 다시 나가는데, 그 위로!

나래	(E) 홍성표!!!!!!!!

⌒ S#39. 성표 동네 일각 / 저녁

연우, 태민과 걸어오고 있다.

태민	이거 황송하네~ 소복이가 배웅까지 해주고?
연우	회사에선 모른 척해줘요, 나 집 나온 거.
태민	(멈춰 서서) 오케이! 대신 부탁 하나 들어줘. (하더니)

태민, 가방에서 무지수첩을 꺼내 수첩 끝을 손으로 잡고 빠르게 촤르륵! 넘긴다.

〈인서트// 그림 내용 : 회전문 상황(2부 S#42) / 도망가는 연우와 쫓는 태민 상황(2부 S#43) / 태민 상처 살펴주는 연우(3부 S#59) / 환하게 웃는 연우〉

110

태민, 환하게 웃는 연우 모습에서 수첩 넘기는 걸 멈추더니 연우에게 주며,

태민	나, 너 계속 좋아할 거니까 밀어내지만 마. 그게, 내 부탁이야. (웃는데)
연우	(수첩 속 웃고 있는 자기 얼굴 그림을 본다) … (수첩 태민에게 내밀며) 가져가요. 못 들은 걸로 할게요.
태민	(재빨리 손으로 귀 막으며) 뭐? 안 들려!
연우	(미안한) 태민씨. (하는데)
태민	(귀에서 손 떼며) 그만! 더 말하면 나 쪽팔려. 오늘은 여기까지! 잘 자~! (획— 뒤돌더니 뛰어가다가, 다시 돌아보며 손을 붕붕 흔들고는 간다)
연우	(수첩을 보는데 마음이 무겁다) ….

이때, 연우 휴대폰 벨이 울린다. 연우, 태하인가? 싶어 재빨리 보면 미담이다.

연우	(살짝 실망한, 받는) 여보세요?
미담	(F) 나예요, 연우씨. 내일 시간 좀 돼요?
연우	내일이요?? (무슨 일이지? 싶은)

〰 S#40. 미담 사무실 / 다음날, 낮

연우와 미담, 현정이 앉아 있다.

연우	! (놀란) 제 옷을 따로 만들어보라구요?
미담	SH 뉴욕지점 오픈 때, 미담이랑 같이 연우씨 브랜드도 런칭하는 거죠.
연우	제가 그래도 될까요?
현정	그럼요~! 이번에 쇼 끝나고 SH에서 연우씨 팝업 진행 안 하냐고 문의가 얼마나 많았는데요. 그래서! (제안서 연우에게 주며) 준비했죠~ 팝업 관련 제안서예요, 부대표님한테 들으셨죠?
연우	! (태하 얘기에) 아… 네, 대충요. (제안서 보는, 맘이 편하진 않다)

〰 S#41. SH서울, 태하 사무실 / 낮

태하, 서류를 보고 있는데 성표가 심각한 얼굴로 들어와 태하 옆에 선다.

성표	저… 부대표님. 보고 드릴 게 있습니다.
태하	(뭔가 이상해서) 왜요? 무슨 일 있습니까?
성표	(망설이는) 그게… (말하자!) 패션쇼를 망치려고 했던 범인을 찾았습니다. 디자인 유출 건 증거도 확보했구요. (태블릿 보여주며) 보시죠.
태하	(태블릿을 보는데 눈이 커진다) !!
성표	어떻게 할까요?
태하	(잠시 생각하다) 지금 만나고 오세요. (표정)

～ S#42. 카페 / 낮

하나, 멍한 얼굴로 태블릿을 보고 있다. 그 앞에 성표가 앉아 있고.

〈인서트// 태블릿 화면. 7부 패션쇼에서 쓴 의상들을 이동했던 대형 차량 안. 하나가 들어와 연우의 피날레 의상(*7부 S#54)을 찾아 커버를 열고 찢는 장면이다.〉

성표   (화면 정지하고) 인트라넷에 디자인 유출하고, 모델들 일정 변경한 것도 유대리님인 거 확인했습니다. 증거도 있구요.

하나   …….

성표   최대한 아무도 모르게 이 달 안으로 거취 정리하라고 하셨습니다. 오늘부로 유대리님 담당 업무도 오팀장님이 하실 거구요.

하나   (서글픈) 이젠… 얼굴도 안 보시겠단 거네요.

성표   그동안 수고하셨습니다. (일어서서 나가는)

하나   (화나고 속상한) … (휴대폰 꺼내 VIP에게 전화하는) 접니다, 봬야겠어요.

～ S#43. 다리 아래 으슥한 곳 / 저녁

혜숙의 차가 서 있고. 황명수, 후드맨에게 쇼핑백을 건넨다.

후드맨   (쇼핑백 받고, USB 건네며) 그간 찍어뒀던 강태하 사진들입니다.

황명수   (USB 받고 뒷좌석 창으로 와, 똑똑 노크하며) 대표님.

차 뒷좌석 창문이 반쯤 열리면서 혜숙이 모습을 드러낸다.

혜숙   태하 계약결혼 증거가 필요해요. 그게 뭐든 무조건 가져와요.

후드맨   예, 알겠습니다.

혜숙   그리고. (흠) 저번 찌라시처럼 SH 강태하 부대표가 심장병으
         로 경영에 나서기 힘들 거란 소문도 내줬으면 좋겠는데.

후드맨   그것도 걱정 마십시오.

혜숙이 차 창문을 닫고 잠시 후, 혜숙의 차가 출발한다. 그 모습을 지켜보
는 황명수.

후드맨   예상대로 심장병을 이용할 모양입니다.

황명수   (표정 바뀌는, 서늘하게) 이번에야말로 강태하 숨통을 끊어 놓겠
         단 거겠지. (훗!) 원하시면 그렇게 해드려. (표정)

〰 S#44. 강회장 집, 거실 / 밤

태민, 주방에서 캔맥주 하나 들고 오는데 혜숙이 들어온다.

태민   (워치 보며) 요새 맨날 늦네? 민대표님, 혼자 회사 일 다 하나
         봐?

혜숙   (가려다) 회사 일은 어때, 할 만해?

태민   뭐 대충. 나름 재밌어요. (하고, 2층 올라가려는데)

혜숙   잘됐네. 곧 본부장 임명할 거니까 준비해.

태민   무슨 개꿈 꿨어요?? (하!) 본부장? (피식) 할아버지랑 강태하가

참 좋아하겠다. 무슨 꿍꿍인진 몰라도 그만 포기하지, 좀?!

혜숙　준비하라면 준비해. 그래도 내 아들인데 나라도 챙겨야지. (하고 가는)

태민　(뭐야? 진짜 무슨 일 있나? 싶고)

〜 S#45. 성표 집, 성표 방 / 밤

책상 위에 배롱나무 가지를 꽂아놓은 화병이 보이고 연우가 팝업 관련 옷을 디자인하다 잠들었는지 책상에 엎드려 있다. 잠든 연우의 표정이 악몽을 꾸는 듯 괴로워 보이는.

〈인서트// 연우의 꿈이다. 우물에 연우를 던진 덕구가 극락왕생 하라 말하는〉

연우　(헉! 하며 눈을 뜨는) … (헉헉… 숨을 몰아쉰다, 꿈이구나… 싶은데)

덕구　(E, 선명한 목소리) 원망 말고 극락왕생 하시오.

연우　어디서 들었던 목소리 같은데…. (이상한 기분에 배롱나무 가지를 보는)

〜 S#46. SH서울, 승강기 안 / 다음날, 낮

연우, 승강기에 타고 있는데 문이 열리고 통화 중인 황명수가 올라탄다.

황명수　(힐끔 연우 보더니 한쪽으로 가서 통화 *후드맨과*) 알아보란 건?

연우	어때? (하…) 돈 받고 싶음 제대로 해. 나중에 원망하지 말고!
연우	!! (순간 황명수를 쳐다보는데)
덕구	(E) 원망 말고 극락왕생 하시오!
연우	(같은 목소리 같은데? 싫어, 저도 모르게 부르는) 저기… (하는데)

이때, 문이 열리고 승강기 앞에 태민이 서 있다. 태민이 승강기에 올라서자 황명수, 꾸벅 인사를 하고는 내린다. 연우, 어! 해서 앞으로 가려는데 문이 닫힌다.

태민	(이상한) 왜, 황이사가 뭐라고 했어?
연우	아뇨, 아니에요. (계속 신경 쓰인다)
태민	민대표가 시키면 뭐든 다 하는 사람이니까 웬만하면 얽히지 마.
연우	그럴게요. (민대표랑 가깝다고…? 뭔가 느낌이 이상하다)

〰 S#47. SH서울, 마케팅팀 / 낮

연우와 태민이 들어오자 현정과 석주가 반갑게 맞는다. (*하나 없고)

현정	연우씨~ 여기서 또 보니까 좋은데요? 우리 이번에도 대박 내서 포상휴가랑 인센티브까지 좀 섬세하게 챙겨볼까요~?
석주	그니깐요! 팝업스토어 대박 내서 저 집 살래요! 인센티브로.
연우	(씩씩하게) 저 정말 열심히 할게요! 같이 집 사요!
현정	(정색) 뭐야~ 다들!! (했다가 웃으며) 근데 참~ 듣기 좋은 뻘소리다?!

분위기 좋은데 태하, 성표가 들어온다. 현정, 석주 꾸벅 인사하고 연우도
인사하는.

태하   회의 시작할 거면 회의실로 가죠.

연우   (급 표정 관리, 단호) 아뇨, 오늘은 인사만 드리려고 왔습니다.

태하   (!) 그래도 왔으니까 간단하게 회의는,

연우   (바로) 죄송합니다, 제가 약속이 있어서요.

성표/태민   (하… 폭풍전야다) / (오~ 나쁘지 않은데?)

현정/석주   (뭐지? 이 분위기는??)

연우   그럼 가볼게요. 오팀장님, 석주씨 다음 회의 때 봬요! (인사하고
          가는)

태하   (하! 하고 가는 연우 보다가) … (따라가는)

현정   (성표 붙잡고) 뭔데요? 부부싸움?

석주   빅데이터에 기반한 촉에 의하면~ 연우씨, 집 나온 거 같습니
          다!

성표/태민   (헉! 해서 석주 보는데)

현정   말도 안 돼! 완전 똥촉을 어따 들이미니? 안 그래요, 홍비서님?!

성표   뭐… 똥촉도 촉은 촉이죠. (큼)

⌒ S#48. SH서울, 복도 / 낮

연우, 빠르게 가는데 태하가 '박연우씨!' 하며 쫓아온다. 연우, 무시하고
가는데.

태하   (빠직) 안 들려요! 박연우씨! (하며 연우 등 뒤로 바짝 붙는데)

연우	(갑자기 휙! 뒤돌아보며) 뭐 하실 말씀이라도 있으십니까?
태하	!! (흠칫! 살짝 뒤로 물러서는) 아… 그게, (뭐라고 하지?)
연우	없으시면 가보겠습니다. (하고 돌아서려는데)
태하	(바로) 말투가! 말투가 왜 그래요?! (뭔 소리야? 싶지만) 그러니까, 우리 사이의 일은 일이고, 꼭 남처럼 그럴 필욘 없잖아요.
연우	남, 아닙니까?! 저랑 부대표님. 그리고 절 무슨 뒤끝 작렬하는 사람처럼 말씀하시는데 불쾌합니다! 조심해주십시오. (휙— 돌아서서 가는)
태하	(!) 박연, (우씨! 부르려다 말고) … (쩝…) 작렬하잖아, 뒤끝…! (하아…)
연우	(가면서) 뭐? 말투가 왜 그래? 그걸 몰라서 물어?! (하!)

태하, 가는 연우 뒷모습만 보다가 돌아서는데 일각에서 빼꼼 고개를 내미는 성표.

| 성표 | (하아~ 한숨) 오늘도 거실 소파 당첨이구나. (후!) |

〰 S#49. 한강 공원 / 낮

하나, 천천히 걸어와 벤치에 앉는다. 화면 넓어지면 그 옆에 앉아 있는 건 강회장이다!

하나	(앞을 보며) 얼굴 한번 뵙기 참 힘드네요. 계속 연락드렸는데.
강회장	(허허) 보는 눈들이 많으니, 어쩌겠어.
하나	제가 필요 없어지신 건 아니구요?

강회장	알면서도 확인하려는 버릇은 고치는 게 좋아.
하나	부대표님께 말씀드릴 겁니다. 회장님께서 절 어떻게 쓰셨는지. 그간 회장님과 주고받은 문자며 사진도 다, (하는데)
강회장	(O.L) 그게 왜? 할애비가 손주 걱정에 지켜봐달라고 했을 뿐인데.
하나	약속하셨잖아요! 저한테 부대표님 옆자리 허락하시겠다고!
강회장	(허허허) 태하가 널 맘에 안 들어 하는데 어쩌겠어?!
하나	(!!, 그래도) 이대로 못 물러납니다, 저.
강회장	그래, 마음껏 해봐. 억울하면 잠도 안 오니까. (일어나서 가려다) 아. 다음엔 조심해. 그땐 나 말고 누가 나올지 모르니까. (웃어 보이곤 간다)
하나	!! (두렵지만 용서가 안 된다) …. (이를 앙다물고 손을 꼭 쥔다)

⌒ S#50. 미담 작업실 / 저녁

미담, 디자인 작업을 하고 있는데 전화가 온다. (*미국에서 온 전화)

미담	(받는) 헬로우? (사이, 한국어) 어머! 의원님! 어쩐 일이세요, 이 시간에!
조상궁	(F) 내가 급하게 부탁 좀 하고 싶은 게 있어서요.
미담	부탁이요? (얘기를 듣다가, !) 누구… 박연우씨요? (표정)

⌢ S#51. 태하 집, 주방 + 거실 / 저녁

태하, 냉장고 문을 여는데 안에 우유가 보인다. 이때 뒤에서 연우(*환상)가
나타나서는 우유를 집어 들더니 태하를 쳐다보며 웃는다.

연우   (우유 들고) 타락 먹어봤소? 타락의 맛!

태하, 놀라서 보는데 이내 연우의 환상이 사라진다. 태하, 하… 한숨 쉬는.

거실/ 태하, 거실로 나오는데 거실 여기저기에서 연우의 환상이 보였다가
사라진다.
- 걸레자루 들고 돌쇠랑 컬링하며 '가자, 가자!' 하는 연우.
- 소파에 등 대고 앉아서 TV보며 초코파이 먹으면서 하하하! 웃는 연우.

태하, 멍하니 바라보는데 휴대폰이 울리고! 연우의 환상이 사라진다. 그제
야 정신 차린 태하 휴대폰을 쳐다보는데 〈이미담 대표님〉 이고.

⌢ S#52. 미담 전경 / 다음날, 낮

⌢ S#53. 미담 사무실 / 낮

태하, 미담과 마주 앉아 있다.

태하   미국 하원의원이 연우씰 만나고 싶어 한다고요?

미담	내 오래된 고객인데, 이번 쇼에서 연우씨 옷 보고 반한 모양이 에요.
태하	정말요? 잘됐네요. (하다) 그 일로 절 보자고 하신 건가요?
미담	그건 아니고 실은 다음 달부터 해외 패션쇼 준비 땜에 파리에 갈 건데, 괜찮다면 연우씨랑 같이 가고 싶어서요.
태하	(?!) 연우씨랑요?!
미담	나름 신혼인데 미안해서 강부대표랑 먼저 애기 좀 하려고 연락했어요.
태하	아… 네. (연우씨가 어딘가 떠난다고?)

〰 S#54. 미담 일각 거리 / 낮

태하, 생각에 빠져 멍하게 걸어간다.

미담	(E) 간 김에 연우씨 공부도 할 겸 한 1~2년? 장거리 부부 괜찮 겠어요?
태하	(연우를 못 볼지도 모른다는 생각에 멍하니 가는데)

〈플래시컷// S#22, S#48 획─ 뒤돌아서 태하를 떠나가듯 가는 연우.〉

태하, 가던 걸음을 멈춰 서더니 이내 획─ 뒤를 돌아 어디론가 뛰어간다!

⌒ S#55. 성표 집, 나래 방 + 거실 / 낮

성표, 나래 침대에 누워서 태블릿으로 웹소설을 보고 있다. 이때, 쾅! 방문을 열고 들어오는 나래. 성표, 화들짝 놀라서 벌떡 일어나 앉는.

성표	(살짝 쫄아서) 아니, 거실 소파는 등이 엄청 배겨가지고….
나래	(팔짱 끼고 그 모습 보며) 오빠 그 사월이란 애랑 진짜 사겨? 그래?
성표	애 아니고, 언니야 언니!
나래	됐고! 난 싫어! 완전 성질 있어 보인다구!
성표	그러니까~ 너랑 찰떡궁합이잖아~ 동생님아?!
나래	(우씨! 방방 뛰며) 싫어! 싫어! 싫다니까―!!
성표	얌마! 그만 좀 해! 안 그래도 지금 부대표님 회사에서 쫓겨나게 생겨서 골머리 아파 죽겠는데 너까지 보태야겠냐?!
나래	(헐!) 오빠네 부대표님이 쫓겨난다고? 회사에서? (하는데)
연우	(E) 그게 무슨 소리요?

성표와 나래, 헉! 해서 보면 언제 왔는지 연우가 열린 문 앞에 서 있다.

성표	(헉! 해서 벌떡 일어나) 연… 연우님!!
연우	(이상한) 사기꾼 양반한테 무슨 일이 생긴 거요?!

⌒ S#56. 성표 집 현관 앞 / 낮

문이 열리고 연우가 나온다. 잔뜩 화가 난 표정의 연우.

〈인서트// S#55 이후 상황.

성표   부대표님 심장병을 다들 알게 돼서 회사 상황이 안 좋습니다. 연우님 아시면 걱정한다고 말하지 말라고 하셨는데… 죄송합 니다.〉

연우, 어디론가 뛰어가는데 잠시 후, 태하가 다급히 와서 문을 열고 들어 간다.

⌒ S#57. 성표 집, 거실 / 낮

성표와 나래, 난감한 표정으로 앉아 있다.

성표   너땜에 괜히 연우님까지 다 알게 됐잖아! 부대표님이 비밀 지 키랬는데.

나래   내가 뭐 그 자리에 연우님이 있을 줄 알았나? (하다) 그냥 모른 척해. 부대표님한테 안 걸리면 되지. 어차피 지금 당장 볼 것 도 아닌데.

하는데 이때, 문이 벌컥 열리며 '홍비서!' 하고 태하가 들어온다. 나래와 성표, 헉!! 놀라서 보면… 태하, 헉헉… 거친 숨을 몰아쉬며 쳐다본다.

⌒ S#58. 성표 동네 버스정류장 일각 / 낮

연우, 빠르게 걸어가고 있는데 투둑! 비가 떨어진다. 연우, '비?' 하며 하늘을 보는데 이때 연우 뒤쪽에서 숨을 헐떡이며 뛰었다 걸었다를 반복하며 오는 태하가 보인다. 태하, 숨이 찬 듯 헉헉거리며 고개를 드는데 좀 떨어진 앞쪽에 연우를 발견한다! 연우, 떨어지는 비를 보는데 문득 태하와의 추억이 떠오른다.

〈플래시컷// 5부 S#29. 스프링클러를 보며 좋아하는 연우를 보면서 환히 웃는 태하.〉

연우, 손을 들어 비를 맞는데 이때, 뒤에서 태하가 나타나 연우의 손을 잡고 앞쪽의 버스정류장으로 달린다! 태하와 연우, 비를 피해 버스정류장으로 들어온다.

태하	왜 비를 맞고 서 있어요! 감기 들면 어쩌려고. (하면서 헉헉! 몰아쉬는)
연우	! (태하를 보며) 뛰어온 거요?! 미쳤소?! 그러다 큰일 나면 어쩌려구요!
태하	(숨 가다듬으며 연우 보는) ….
연우	(속상해서 못 보겠다, 돌아서며) 싫다고 할 땐 언제고… (하는데)

태하, 그대로 연우 뒤로 가서는 백허그를 한다! 연우, 놀라서 눈 커지는데!

태하	(백허그) 큰일 나도 괜찮아요, 이제. 연우씨만 곁에 있어주면.
연우	…….
태하	좋아해요. 좋아하고, 또 좋아하고… 좋아해요.
연우	(!) … (태하 쪽으로 몸 돌려 보며) 또 도망칠 거요? (눈가가 붉어지

며) 바보처럼 아픈 거 숨기고, 힘든 거 말 안 하고 또 그럴 거냐구요.

| 태하 | (연우 손잡아 자기 심장에 올리며) 여기가 고장 나서, 그래서 연우씨한테 너무 미안한데… 나, 못된 놈 할게요.

| 연우 | (보는)

| 태하 | 그러니까 (연우 보며) 나 좀… 다시 좋아해 주면 안 돼요?

| 연우 | (보다가, 와락! 태하 안으며) 벌써 잊은 거요? 내 거 하자고, 그랬잖소.

| 태하 | (양팔로 힘줘서 연우를 꼭 끌어안는다)

〰 S#59. 태하 집, 연우 방 / 다음날, 아침

침대에서 옆으로 누워 자고 있던 연우, 햇살에 잠에서 깨고 으으~ 기지개를 켜며 고개 돌리는데 태하가 침대 맡에 앉아 있다.

| 태하 | (웃으며) 잘 잤어요? (하는데)

| 연우 | !! (놀라서) 으악!! (하며 베개 들어 냅다 태하 얼굴 갈긴다!)

| 태하 | (얼굴 잡고) 아!!

| 연우 | (헉! 베개 던지고) 미안하오! 내 너무 깜짝 놀라서. (살피며) 괜찮아요?

| 태하 | 아… 괜찮아요, 괜찮아.

| 연우 | (미안한) 기척이나 좀 하고 들어오지. (하다가) 언제부터 와 있던 거요?

| 태하 | (장난) 연우씨가 코를 드르렁~ 골다가 멈췄을 때쯤?!

| 연우 | (헉!) 코?! 내가 또 코를 골았소?!!

태하	글쎄요~ (손으로 툭! 연우 코를 치고) 씻고 내려와요. 갈 데가 있어요.
연우	(자기 코 가린 채로 보는) ?

∽ S#60. 태하 집, 거실 / 아침

연우, 태하를 따라가는데 뭔가 발을 툭— 건드리자 놀라서 '으악!' 하며 태하 목을 끌어안고 매달린다! 보면, 바닥을 청소 중인 새 로봇청소기! 연우, 엥? 해서 태하 보면.

태하	새돌쇠예요. 청소도 해야 하고, (진실은) 연우씨 없으니까 좀 허전해서.
연우	새식구를 들였단 거요? (태하 안고 있던 거 풀고 새돌쇠를 살펴보는데)

새돌쇠가 거치대로 복귀하자 물걸레용 청소기(*마당쇠)가 걸레질을 시작한다!

연우	(오!) 요놈들 각자 일도 잘하는구나?! 좋아! 앞으로 넌 (흡입용) 새돌쇠! 넌 (물걸레용)마당쇠다!! (헤헤— 하다가) 아! 얘들하고 그 뭐더라? (컬링 스위핑 흉내내며) 이거, 이거 해봐도 되겠소?
태하	(흠…) 그거라면 다른 데서 해도 될 것 같은데. (빙긋)
연우(E)	이게 다 뭐요?!!

S#61. 컬링장 안 / 낮

연우, 태하와 컬링장에 와 있다. 연우, 우와~ 놀란 눈이다.

연우 (발로 얼음을 문지르며) 전부 얼음이요? (주변 보며) 설국도 아니
    고, 겨울도 아닌데 춥고 온통 얼음인 게 정말 신기해요!

태하 아직 놀라긴 일렀거든요?! (하자)

컬링장 안으로 컬링 선수들이 스톤과 브러시를 들고 온다. 연우, 놀라서 태
하 보는.

(CUT TO) 연우와 태하, 신나게 컬링하는 몽타주. (*연우 팀 VS 태하 팀)
선수가 스톤을 던지자 연우, 돌쉬!!를 외치며 신나게 브러시를 움직인다.
연우 팀 스톤이 태하 팀 스톤을 밀어내자, 아싸! 하며 좋아하는 연우 컷 /
태하, 리드가 돼서 스톤 던지려다가 미끄러지자 연우, 그 모습에 깔깔 컷 /
연우가 던진 스톤이 곧게 뻗어나가자 슬쩍 다가와 발로 툭! 진로 방해하는
태하! 연우, 헐! 해서 태하 잡으려고 달려가고 태하, 그런 연우 피해서 도
망치는 컷

S#62. 컬링장 일각 벤치 / 낮

연우, 초코맛 소프트아이스크림을 먹고 있고, 태하 그 옆에 있다.

연우 정말 재밌었소. 다음에 또 하러 와도 돼요?

태하 (웃으며) 그럼요, 언제든지. (하다) 아예 팀박연우, 컬링팀을 만

들까요? 아니다, 그냥 빙상장을 하나 지을까?

연우 빙상장, 거 얼마나 하오? 괜찮으면 하나 지읍시다!

태하 글쎄요, 임금님 사는 궁궐만큼 비싸려나?

연우 그렇게 비싸요?! (하는데 들고 있는 아이스크림이 녹아서 떨어질 것 같다)

태하 어! (아이스크림 가리키며) 아이스크림!

연우 (헉! 해서 아이스크림 먹으려는데)

태하 (고개 숙여서 아이스크림 먹는 척하며 연우 입술에 입을 맞춘다)

연우 (!, 놀라서 고개 드는데 입술에 아이스크림 묻은)

태하 (연우 보더니) 이쪽이 더 달콤하려나? (연우 입술에 키스하는)

연우, 눈이 커지고! 툭— 바닥으로 들고 있던 아이스크림이 떨어진다!

∼ S#63. 성표 집, 성표 방 / 낮

사월과 성표, 쇼핑백에 연우 짐을 챙기고 있다. 삐죽거리는 사월과 신난 성표.

사월 집 나와서 꼴랑 며칠 버티지도 못 하고 고새 쪼르르 들어가냐?

성표 에이~ 두 분 화해해서 얼마나 좋아요~! 다시 내 방도 생기고. (헤헤) 다행이에요. 난 연우님이 독하게 맘 먹으셨을까 봐 진짜 걱정했잖아요.

사월 (치!) 독하기는! 울 애기씨가 마음이 얼마나 약한데.

성표 에이~ 열녀까지 되신 분이 보통은 아니겠죠!

사월 (헐) 밥 잘 먹고 왜 입으로 똥을 싼대? 열녀요? 누가 열녀예요?

128

성표   아니에요? 난, 부대표님이 우물 어쩌고 하시길래. (하다) 어쩐
      지 이상하다 싶었어요. 연우님하고 열녀는 싱크로율이 좀~ (웃
      으며 짐 챙긴다)
사월   (중얼거리듯) 열녀는 무슨… (하면서도 뭔가 이상하게 찜찜하다)

〰 S#64. 태하 집, 거실 / 저녁

연우, 소파에 등 기대고 앉아 TV를 보고 있는데 태하가 소파로 와 앉는다.

태하   (양손 등 뒤로 돌리며) 오른쪽이 좋아요? 왼쪽이 좋아요?
연우   뭐가요?
태하   대답해봐요, 오른쪽 아님 왼쪽?
연우   (소파 위로 올라와 앉으며) 그럼 왼쪽 하겠소.
태하   (왼쪽 손을 펼치는데 연우가 두고 간 토끼키링이다) 정답!
연우   (키링 받아 들고 와~ 하며 좋아하는데)
태하   (키링 든 연우 손을 꼭 잡더니 잠시 눈을 감았다가 뜬다) 소원 빌었
      어요, 이제 다 잘 되게 해달라고.
연우   (태하 손과 키링을 함께 꼭 잡고 눈 감았다 뜨며) 그 소원 꼭 이루어
      달라고 빌었소. 뭐든지 겁내 잘 될 거요! (웃는)
태하   (웃으며) 내일 할아버지 뵈러 갈래요?
연우   (끄덕이며) 그래요.

S#65. SH서울, 마케팅팀 사무실 / 아침

현정과 하나, 심각한 표정으로 인트라넷을 보고 있는데 석주가 후다닥 뛰어 들어온다.

석주　　　비상! 비상! 그 얘기 들으셨어요? 부대표님 해임안!!

현정　　　안 그래도 인트라넷 섬세하게 쑥대밭이야. 이게 웬 앞통수야?!
　　　　　1주년 행사도 잘 끝나고, 이제 뉴욕지점 오픈만 남았는데.

하나　　　(차분한) 주식 시장에서 부대표님 건강에 문제 있단 소문이 돌
　　　　　고 있대요.

석주　　　(그 말에 휴대폰 주식앱 보다가) 헐!! 우리 회사 주식 완전 혼파망
　　　　　떡락인데요? 근데 부대표님 진짜 어디 아파요? 설마, 불치병?!

현정　　　(석주 때리며) 그 입! 입!! (하다가) 아니지, 하나씨? 그냥 소문이
　　　　　지?

하나　　　(흠… 더는 말 안 하는)

S#66. SH서울, 회의실 / 아침

혜숙과 임원들 모두 모여 있다. 혜숙, 상석에 앉아 있다 일어서며.

혜숙　　　다들 모이셨으니 강태하 부대표 해임안 관련해서 투표를 시
　　　　　작, (하는데)

이때, 다급히 최비서가 들어오더니 혜숙에게 귓속말로 뭐라고 한다. 임원
들, '무슨 일이지?' '갑자기 이게 또 뭐야!' 뭔가 이상해 웅성거리는데.

혜숙	뭐?! 정말이야?!
최비서	네. (하더니 리모컨 들어 TV를 켜자 태하의 모습이 보인다)
임원들	(다들 이게 뭐야? 싶은데)

〈인서트// TV화면.

태하	임직원 여러분께 그간 하지 못 했던 말씀을 드리려고 이 자리에 섰습니다. 전, 오래전부터 심장에 인공박동 조율기를 이식한 채 살아왔습니다.〉

혜숙, 태하의 말에 놀란 눈으로 쳐다보는!

⌒ S#67. SH서울, 복도 어딘가 (*혹은 커뮤니티 공간) / 아침

현정, 석주, 하나와 다른 직원들 잔뜩 모여서 대형 TV를 보고 있다. 직원들은 '심장?' '뭔 소리야?' '강태하 부대표 아파?' '그럼 회사는?' 다들 웅성거리느라 정신이 없고!

〈인서트// TV 화면, S#66 이어서.

태하	제 건강 문제가 회사의 짐이 될 수도 있다는 점 알고 있습니다. 그래서 더는 이런 일이 생기지 않게 구조적 변화가 필요하다 생각했습니다.〉

S#68. SH서울, 사내 스튜디오 / 아침

태하, 카메라 화면을 바라보고 앉아 있다.

태하   이제 SH는 오너일가가 아니라도 검증된 전문경영인이라면 누
       구든 경영에 참여할 수 있는 회사가 돼야 합니다. 이번 주총에
       서 이와 관련된 안건을 건의하겠습니다. 제 해임안 역시 그때
       함께 표결에 부쳐주시길 바랍니다.

S#69. SH서울, 혜숙 사무실 / 아침

혜숙, 쾅! 책상을 내리치더니 위의 모든 걸 쓸어버리고는 아아악!! 소리를
지른다!

S#70. 강회장 집, 주방 / 낮

사월, 씻어 둔 그릇들을 정리하고 있는데 머릿속이 복잡하다.

성표   (E) 에이~ 열녀까지 되신 분이 보통은 아니겠죠!
사월   아닐 거야, 아냐! 애기씨가 분명히 보쌈당한 거라고 하셨잖아.
       (하다가)

〈인서트// 우물 앞에 가지런히 놓여 있던 연우의 고무신.〉

사월   (?!) 근데 보쌈을 했으면 그냥 데려가지 왜 우물에 던지고, 그 앞에 신발까지 둔 거지? 꼭 나 여기서 죽었소~ 하는 것처럼! 무슨 열녀를 만들려고 작정한 것도 아니고, (하다가 헉!!)

사월, 들고 있던 접시를 바닥에 떨어트린다. 쨍그랑 사방으로 튀는 유리 조각들. 잠시 멍하니 있던 사월, 깨진 유리를 그대로 밟고 후다닥 튀어 나간다!

～ S#71. 강회장 집, 서재 앞 + 안 / 낮

사월, 손에 열쇠를 들고 문 앞에 서 있다. 뭔가 결심한 듯 문을 따고 들어가는데!

서재 안/ 사월, 수납장 여기저기를 뒤지고 있다.

사월   (뒤지며) 내가 본 그 시계가 진짜 애기씨 거면 분명 뭐가 있는 거야. 그게 강씨 집안에 있을 이유가 없잖아!

사월, 서랍장에도 없자 방 안을 둘러보는데 한쪽에 낡고 오래된 작은 화초장이 보인다. 뭔가에 이끌리듯 화초장 앞으로 가서 문을 열어 보는데 그 안에 시계 상자가 있다! 사월, 상자를 열어 회중시계를 꺼내서 보는데 눈이 커진다! 이때,

연우   (E) 사월아, 여기서 뭐 해?
사월   (헉! 놀라서 상자를 떨어트리곤 뒤를 돌아보면 연우다, !!) 애기씨…!
연우   청소 중이었어? (떨어진 상자 보며) 그건 뭐야? (하는데)

사월	(회중시계 쥐고 연우 앞으로 와서 연우 손잡고, 화가 난) 가요, 애기 씨! 이 집서 당장 나가요!
연우	왜 그래? 나 여기서 태하씨 보기로 했는데.
사월	이것 좀 보세요! (손을 펴는데 연우의 회중시계가 들려 있다!)
연우	(?, 시계 보다가) … (!) 이거…? (뭔가 이상해 사월을 본다)
사월	(연우에게 시계 쥐여주며) 제가 그날 밤, 우물에서 이걸 봤어요. 애기씨 회중시계요! 근데 이게 여기 있었어요, 여기요!
연우	(시계 보는데, 무슨 소리지?) 그게… 무슨…?
사월	(답답한) 애기씨를 우물에 던지다가 떨어진 걸 챙긴 거지 뭐예요!
연우	! (멍해져서) … 던져…? 왜….
사월	진짜 모르시겠어요? (돌겠다) 강씨 집안에서 애기씰, (경악) 죽였다구요!!
연우	!!! (놀란 눈으로 시계를 보는데)

순간, 시공간이 멈추더니 회중시계의 나비문양에서 초록나비가 튀어나와 날아간다!

S#72. SH서울, 복도 / 낮

태하와 성표, 걸어가고 있다. 복도의 직원들, 태하를 보면서 꾸벅 인사를 하면서도 자기들끼리 쑥덕거리고, 일각에 서 있는 직원들도 다들 기웃거리 며 태하를 본다.

| 성표 | (주변 분위기 보며) 폭탄, 제대로 던지셨는데요? 반응이 핫합니다~ |

태하	(홀가분해진) 상관없어요. 그러라고 던진 거니까.
성표	(역시!!, 살짝 기대하며) 그럼 이젠 어디로 가십니까?
태하	(연우에게 간다!, 웃으며 걸어가는)

⌒ S#73. 강회장 집, 뒷산 열녀비 일각 / 낮

초록나비 뒤를 연우가 정신없이 쫓아간다. (*연우만 나비 보이는) 그 뒤를 사월이가 '애기씨! 어디 가세요! 애기씨!' 하면서 쫓아가는데 연우의 모습이 점점 멀어진다! 그러다 연우가 사라지고! 사월, 놀라서 멈칫! 하며 '애기씨!!' 하고 주변 둘러보는!

열녀비 일각/ 연우, 나비를 쫓아서 오는데 이내 눈앞에서 사라진다. 연우, 어디 갔지? 하며 주변 살피는데 열녀비 앞에 서 있는 천명이 보인다!! 천명, 꾸벅 인사를 하는.

연우	!! (열녀비를 보는) 그게… 뭐야?! (느낌이 안 좋다) 뭐냐니까!
천명	애기씨가 생각하는 그겁니다.
연우	(도리질) 말도 안 돼…! 나한테 왜 이래?! 뭘 하려는 거냐구!!
천명	그저 보여드리려는 겁니다. 애기씨가 궁금해 하는 걸.

순간 시공간이 멈추며 초록나비가 연우를 향해 날아들고! 연우, 환상을 보는데!!

〈1. 조선/ 윤씨부인, 탈을 쓴 덕구에게 비상을 건넨다.

 2. 조선/ 조선태하, 피를 토하고 쓰러지고.

135

3. 조선/ 탈 쓴 덕구, 연우를 우물에 던지고 돌아서며 탈을 벗는데 황명수 얼굴이다!

4. 조선/ 덕구, 윤씨부인에게 회중시계를 건네고.〉

현실. 다시 시공간이 움직이고. 환상에서 빠져나온 연우가 놀란 얼굴로 천명을 보는데 천명 앞 열녀비에 세월의 흔적으로 흐릿해진 글자들(*앞면: 烈女朴氏之閭, 뒷면: 感慕朴才源之女聯遇)이 진하게 새겨지기 시작한다.

S#74. SH서울, 복도 / 낮

혜숙, 싸늘한 표정으로 걸어가는데 그 뒤로 전생의 덕구였던 황명수가 보인다!

S#75. 강회장 집, 뒷산 열녀비 앞 + 강회장 서재 / 낮

열녀비 글자가 선명해지자 연우의 시선에 '열녀박씨'가 보인다. 연우, 하ㅡ! 격한 숨을 몰아쉬며 그대로 스르르 쓰러지는데!

강회장 서재/ 바닥에 떨어진 회중시계 바늘이 틱ㅡ 틱ㅡ 틱ㅡ 움직이기 시작한다. 쓰러진 연우와, 움직이기 시작한 회중시계의 모습이 한 화면에 잡히며.

(엔딩)

9부

—

끊어진
연의 고리

S#1. 호은당, 우물가 / 낮 - 조선시대

우물 앞에 물에 젖은 연우의 가짜 시체(*천으로 덮어놓은)가 바닥에 누워 있고. 하인들, 고개 숙이고 서 있고…. 연우부, 시체를 향해 가려는 연우모를 붙들고 있다.

연우모   놔요! 놓으세요! 우리 연우 아닙니다! 제가 직접 봐야겠습니다!

연우부   (연우모 붙들며, 참담한) 얼굴이 엉망이 돼 알아볼 수 없다지 않소!

연우모   제가 보면 압니다! 애미니까 안다구요! (연우부 보며, 애처롭게) 이리 허망하게 갈 애가 아니잖습니까! 그러니 제발… 제발 얼굴이라도…. (혼절하는)

연우부   (쓰러지는 연우모 붙들며) 부인!!

S#2. 호은당, 연우 방 / 낮 - 조선시대

연우모, 연우 배냇저고리를 품에 안고 숨을 몰아쉬며 누워 있다. 방 문이 열리고 연우부가 쟁반에 약그릇을 들고 와 앉으며 '부인'하는데 연우모의 손 하나가 툭! 방바닥으로 떨어진다. 놀란 연우부, 쟁반을 떨어트리고 숨진 아내의 손을 잡고 오열하는데!

138

⌒ S#3. 연우 열녀비 앞 / 저녁 - 조선시대

연우부　　(눈물이 가득, 열녀비 쓰다듬으며) 연우 네가 열녀라니…. 그럴 리 없어! 분명 뭔가 있는 게야! 내 너를 이리 만든 자를 기필코 찾 아내서,

덕구(*탈 쓴)　(슬그머니 뒤에서 나타나 밧줄로 연우부의 목을 감아쥔다!)

연우부　　!! (밧줄을 잡고 버둥거리다가 그대로 바닥에 쓰러져 죽는다!)

⌒ S#4. 강회장 집, 뒷산 열녀비 앞 / 낮 - 8부 S#75 이후

연우　　(쓰러진 채 눈물 흘리며) 어머니… 아버님… (시야가 흐려지는데)

연우, 흐릿해지는 시선 끝에 '애기씨' 외치며 달려오는 사월과 태하, 성표 가 보인다. 연우 시선 태하를 향하다가 블랙아웃! 달려온 태하, 연우를 안 고 '연우씨!' 외치는.

⌒ S#5. 미담 작업실 / 저녁

미담, 책꽂이에서 책을 꺼내려고 하는데 뒤에서 툭— 뭔가 떨어지는 소리 가 들린다. 보면, 바닥에 연우모 일기(*낡은 서책)가 떨어져 있다. 미담, 원 래 책이 꽂혀 있던 곳을 보고 (*책이 떨어져 비어 있는) 바닥에 떨어진 서책 을 주워 다시 책꽂이에 꽂으려다가 뭔가 이상한 느낌에 책을 펼친다. 그렇 게 몇 장 넘기다가 빈 페이지가 나오는데 갑자기 비어 있던 종이에 언문들 이 써진다! (*CG) 미담, 놀란 눈으로 서책을 보는데!

⌒ S#6. 강회장 집, 서재 / 저녁

바닥에 떨어져 째깍째깍 움직이는 시계 앞으로 오는 누군가의 발. 보면, 강회장이다. 강회장, 시계를 집어 들고 놀란 표정으로 보는.

TITLE : 끊어진 연의 고리

⌒ S#7. 서연대학 병원, VIP룸 / 저녁

연우, 자는 듯 누워 있고 사월이 옆에서 걱정스레 지켜보고 있는데 태하가 들어온다.

사월	! (태하 보고, 막아서는) 나가세요, 좋은 말로 할 때.
태하	(보다가) … 사월씨. (하는데)
사월	울 애기씨, 도련님 집안에서 죽이려고 했잖아요! 근데 무슨 염치로 여길 오세요?! (태하 밀며) 나가요! 나가라구요!
성표	(안으로 들어오다 사월을 보고) !! (다가와) 사월씨, 왜 이래요!
사월	(태하 잡고 흔들며) 강씨 집안이 열녀비를 왜 받았겠어, 왜!!
태하	(대체 무슨 일인지 모르겠다) ….
성표	(사월 잡고) 이러지 말고 나랑 나가요, 얼른! (데리고 나가는데)
사월	(끌려가면서도) 악연도 이런 악연이 없다구!

혼자 남은 태하, 침대로 와 연우를 보다가 이불 밖으로 나온 연우의 손을 잡으려는데,

사월   (E) 도련님 집안에서 죽이려고 했잖아요!

태하   ! (손 잡으려던 거 멈칫하고 연우를 본다)

연우   (스륵ㅡ눈을 뜬다)

태하   (!) 연우씨, 정신이 들어요?

연우   (태하를 보며, 천천히 고개를 끄덕이는)

이때, 노크와 함께 문이 열린다. 태하, 돌아보면 가방을 든 미담이 서 있다.

～ S#8. 서연대학 병원, 보호자 대기실 / 저녁

사월, 벤치에 앉아서 휴지로 코 팽! 풀고 있고 그 옆에 성표가 앉아 있다.

성표   (믿기 힘들다) 그러니까 200년 전에 부대표님 집안에서 연우님
       을 죽이고 그 열녀비를 받았단 거예요?!

사월   (속상한) 그렇다니깐요! 대체 몇 번을 말해요!! (울먹이며) 나쁜
       놈들! 짐승만도 못한 것들!! 어떻게 사람을…. (엉엉 운다)

성표   (일단 사월을 토닥이며) 울지 마요, 사월씨~ 그만 뚝!! 응? (달래
       며 혼잣말처럼) 대체 이게 무슨 일이래? (하…)

～ S#9. 서연대학 병원, VIP룸 / 저녁

연우, 보자기 액자를 만지고 있고 그 앞에 미담과 태하가 앉아 있다.

미담   외가댁에서 내려오는 자수 보자기예요, 200년 정도 된.

연우	(액자 만지며) 혼례 전에 어머님께 만들어 드렸던 거예요.
태하	(그랬구나… 싶어 연우를 보는)
미담	설마설마했는데…. 서찰과 일기 속 호접이 연우씨였네요, 역시.
연우	(?!) 일기라뇨?
미담	실은 그거 때문에 온 거예요. (가방에서 서책 꺼내며) 원랜 혼례 전날까지 일기만 있었는데 오늘 갑자기 그다음 얘기가 새로 채워졌어요.
태하	(?!) 서책에 글이 저절로 써졌단 말씀이세요?
미담	(태하 보며) 맞아요. (하고는 연우에게 서책을 건네는)

연우, 미담이 건네준 서책을 받아 보는데 표지에 〈영수(*연우모 이름) 일기〉라고 써 있다. 어머니의 이름을 확인하고 서책을 넘겨가며 눈으로 빠르게 읽는데.

연우모	(E) 열녀비 덕에 강씨 일가가 벼슬을 받았다. 윤씨부인 그 여자가 연우에게 몹쓸 짓을 한 게 분명하다.
연우	(! 서책 보는 손이 벌벌 떨린다) … (서책을 덮어버리는, 괴로운) … 내가 본 게 맞았어. 어머니가… 아버지께서….
미담	(재빨리 연우를 품에 안으며) 괜찮아요. 괜찮아요, 연우씨.
연우	(미담에게 안긴겨 눈가가 붉어지며) 나 때문에 두 분이 돌아가셨어요.
태하	?! (놀란 눈으로 연우를 보는)

S#10. 서연대학 병원, 옥상 / 저녁

태하, 혼란스러움에 머리를 쓸어 넘기며 생각에 빠져 있는데 뒤에서 인기척이 들린다. 돌아보면, 천명이 서 있다! 태하, 놀라서 보는데 그 앞으로 다가와 서는 천명.

태하	당신, 대체 누굽니까?!
천명	그게 중요한가요? 궁금한 건 따로 있을 텐데.
태하	왜 그런 환상을 보여주는 겁니까? 내 전생이라서? 그게 나랑 연우씨한테 무슨 상관인데요!
천명	(보는) …….
태하	원하는 게 뭐냐구요!
천명	원하는 건 없습니다. (손을 펼치자 초록나비가 태하 주변을 돈다 *CG)
태하	(!, 놀란 듯 나비를 보는)
천명	(나비가 다시 손으로 날아와 사라지며 *CG) 그저 제 일을 할 뿐이죠.
태하	… 연우씰 데려가려고 온 건가요?
천명	그건 내가 결정할 일이 아니에요. 다만, 한 가진 확실해요. (지그시 태하 보며) 애기씨와 함께 있으면 당신은 전생에서처럼,
태하	(O.L) 전생의 나처럼 죽게 될 거다? 반복되는 운명이니까? (잠시 생각하다) … 다행이네요.

〈플래시컷// 2부 S#14. 물속에서 연우를 마주하는 태하.

태하	(E) 내 심장이 갑자기 나빠진 게, 그 운명 때문이라면.〉

태하	(천명을 보며) 적어도 벌은 받을 모양이니까.
천명	죽어도 괜찮다?
태하	그게 연우씰 위한 거라면, 그렇게라도 그 사람 지킬 겁니다.
	(단호한)

～ S#11. 서연대학 병원 야외 일각 / 저녁

연우, 벤치에 앉아 있는데 태하가 옆으로 와 앉는다. 말없이 앉아 있는 두 사람.

연우	… 처음엔 다 우연이라 생각했소. 서방님이 돌아가신 것도 내가 보쌈을 당해 우물에 빠진 것도. (하…) 헌데 그게 아니었네요. (서글픈) 나와 서방님 모두 열녀비 때문에 죽임을 당했으니.
태하	! (연우 보며) 모두…? 그게 무슨 말이에요?
연우	(태하 보며) 서방님께선 독살당하셨어요, 계모였던 윤씨부인 손에.
태하	(?!!) 계모…?! 설마…!
연우	(끄덕) 지금 민대표가 그 윤씨부인이에요. 사람의 욕심이 뭐길래 그런 짓을 할 수 있는 건지.
태하	(그랬구나…) 미안해요. (괴롭다) 그냥… 그냥 다 미안해요.
연우	우리 잘못이 아니에요, 그저 얄궂은 운명에 갇힌 거니까. (사이) 헌데… (괴롭다) 부모님까지 그리 되실 줄은…. (눈가가 붉어지는) 나 때문에… 내가,
태하	(연우 와락 안으며, O.L) 그만! 그만 해요! (연우가 안쓰럽다) 아무

말도, 아무것도 생각하지 말고 그냥… 가만히 있어요.

연우   (안겨, 눈물이 맺히며) 왜 내게… 우리에게 이런 일이 생긴 건지, 어째서 운명이 이리도 가혹한지 모르겠소.

태하   (연우를 더 꼭 끌어안는다)

연우, 그제야 서러운 울음을 터트린다. 연우를 꼭 안고 있는 태하의 눈가도 붉어지고.

〜 S#12. 강회장 집, 다이닝룸 / 다음날, 아침

아무도 없는 식탁에 강회장이 앉아서 양념장만 두고 잔치국수를 먹고 있다. 혜숙, 들어오는데 아무도 없는 걸 보고 대충 분위기 감지한 채 자리로 와 앉는다.

강회장   (국수 국물을 마시곤) 요샌 국수가 흔하디흔하지만, 옛날엔 진짜 귀했어. 그래서 잔칫날엔 이걸 꼭 먹었었지. 국물이 깔끔한 게 맛이 좋아, 이게.

혜숙   하시고 싶은 말씀하세요, 빙빙 돌리시지 마시고.

강회장   언제였더라? 윤희 죽던 날 하고, (혜숙 보며) 민사장, 너희 아버지 발인하고 먹은 국수도 꽤 맛있었는데.

혜숙   (벌떡 일어서며) 뭐 하시는 거예요, 지금!!!

강회장   내 집, 내 회사에서 그만 나가.

혜숙   (하!) 그런 유치한 협박 저한텐 안 통해요, 아버님.

강회장   (주머니에서 USB 꺼내 식탁 위에 올려놓으며) 그간 니가 회삿돈으로 장난친 증거들이야. 것도 아주 일부분.

혜숙	!! (USB 보는)
강회장	(일어서며) 알아들었으면 조용히 정리해. (돌아서려는데)
혜숙	(분노 참으며) 그 잘난 회사 지키려면 손자부터 정리하셔야죠. 태하가 대표되고 죽기라도 하면, 전문경영인 손에 넘어갈 테니까.
강회장	(보다가) 충고, 고맙구나. (돌아서서 나가는, 표정이 싸늘하다)
혜숙	(쾅! 테이블을 손으로 집는다)

⌒ S#13. 강회장 집, 서재 / 아침

강회장, 노트북으로 태하 영상(*8부 S#68)을 보고 있다.

⟨인서트// 노트북화면.

태하	이제 SH는 오너일가가 아니라도 검증된 전문경영인이라면 누구든 경영에 참여할 수 있는 회사가…⟩

강회장, 노트북을 덮고 태하에게 전화를 거는데 안내멘트로 넘어간다.

안내음	(E) 연결이 되지 않아 소리샘으로…

강회장, 휴대폰을 끊고 테이블 위에 올려놓은 회중시계를 들어 빤히 보다가 고개를 돌린다. 보면, 밀실 문이 열려 있고 그 안의 어린 연우 그림이 보이는데!

∽ S#14. 태하 집, 전경 / 낮

∽ S#15. 태하 집, 거실 / 낮

장바구니 든 사월과 캐리어(*사월 짐)를 든 성표가 서 있다.

사월   내가 데려와 달라고 했어요. 울 언니 밥은 드시나 걱정도 되고,
             징글징글한 강씨 집안에 더 있기 싫어서.

성표   (사월 옆구리 쿡! 찌르며) 사월씨! (눈짓)

사월   (큼) 어젠… 죄송했네요.

태하   아니에요. 와줘서 고마워요, 연우씨가 좋아할 거예요.

사월   (2층 보며, 걱정스레) 언닌 어쩌고 계세요?

태하   방에서 쉬고 있어요.

사월   그럼 뭐 드실 거나 해놔야겠네. (장바구니 들고 주방으로 가는)

태하   (사월 캐리어 보는데)

성표   하도 난리쳐서 데려왔는데 걱정 마십시오. 사월씬 제가 데려
             가겠습니다.

태하   고마워요. 그리고 오늘 일정 전부 취소해주세요. (표정)

∽ S#16. SH서울, 마케팅팀 탕비실 / 낮

현정, 석주, 하나가 커피를 마시고 있다.

현정   뭔가 섬세하게 불안해. 완전 폭풍전야, 딱 그 느낌이야.

석주	(해맑게) 왜요, 어디서 태풍 온대요?
현정	(헐!) 부대표님 말이야!! 자기 심장병 터트리고 전문경영인 어쩌고 하면서 폭탄도 던졌는데 오늘 회사까지 안 나왔잖아! 아~ 이 찜찜한 스멜~!
석주	아~ 그러네. (하다가) 연우씨도 연락 안 되더라고요. 팝업스토어 회의도 해야 하는데. (헉!) 설마 둘 다 짤렸나?
현정	오너일가가 퍽이나 짤렸겠다! (쩝) 돈, 능력, 비주얼 다 있음 뭐 해~ (심장 톡톡 치며) 요게 꽝인데. (하다가) 근데 하나씬 알았어? 부대표님 심장병.
하나	(진짜 몰랐다) 아뇨, 저도 몰랐어요. (마음이 쓰이는)
현정	어쨌든 우리 일개미들은 일해야 밥을 먹으니까~ 그만 섬세하게 컴백?!

현정이 나가자 석주도 따라 나가는데 하나, 태하가 걱정되는 얼굴로 커피 잔을 보는.

〰 S#17. 강회장 집, 뒷산 열녀비 앞 / 낮

태하와 성표, 열녀비에 새겨진 연우 이름을 보고 있다.

| 성표 | (연우의 이름 보며) 정말 '연우'라고 써 있네요. 무슨 로미오와 줄리엣도 아니고. (하… 하다가) 근데 그 일기 말입니다~ 이상해서요. 제가 찾은 자료에선 연우님 부모님 모두 별탈 없이 돌아가셨다고 했는데. |
| 태하 | … 역사가 바뀐 거겠죠, 아마도. |

성표	! (크게) 예?!! (했다가 입 다물고, 다시 작게) 정말요? 왜요?
태하	연우씨와 내가 숨겨진 진실을 알았으니까요.
성표	그럼 이제 어쩌죠?
태하	다시 되돌릴 방법, 찾을 겁니다. 그래서 여기 온 거구요. (표정)

⌒ S#18. 강회장 집, 서재 안 + 앞 / 낮

강회장, 태하와 마주 앉아 있다.

태하	이번 주총에서 민대표, 꼭 몰아낼 겁니다.
강회장	(끄덕) 그래야지! 다 제자리로 돌려놓자꾸나, 너랑 나랑.
태하	그 후에 전문경영인 체제 의논하고, 상황 정리되면 저도 부대표 사임할 겁니다.
강회장	(!!) 뭐?! 뭘 해? 사임?!!
태하	이젠 연우씨랑 제 생각만 하려구요.
강회장	(!!) 연우??! 계약결혼 정리하겠다면서?!
태하	아뇨, 그 사람 곁에 둘 겁니다. 무슨 일이 있어도.
강회장	안 돼!! 연우, 허락 못 한다!
태하	(!) 할아버지?!
강회장	미친놈! 고작 여자 때문에 회살 그만둬? 왜! 연우가 그러라든?!
태하	연우씬 상관없어요. (진심) SH를 지킬 이유가 없어졌을 뿐이에요.
강회장	(버럭) 이유가 없어?! 그게 이 할애비 앞에서 할 말이야?! 정훈이랑 윤희 죽고 내가 널 어떻게 키웠는데!

태하	(무릎을 꿇는다)
강회장	(벌떡 일어서며) 강태하!!!
태하	더는! 쓸데없는 욕심으로 누군가 다치는 거 원치 않아요. 과거에 얽매여서 소중한 걸 놓치고 싶지 않습니다.
강회장	(하! 하며 보는데)
태하	할아버지껜 평생 죄송한 마음으로 살게요.
강회장	이이이ー! (지팡이로 태하 팔뚝을 후려친다!) 나가! 당장 나가!!!
태하	(아픈 거 참고) … (일어서는) 정말… 죄송해요. (나가는)

태하 나가고. 강회장, 분이 안 풀리는 듯 바닥에 지팡이를 세게 내던진다!

서재 앞/ 태하, 우당탕! 소리에 돌아본다. 강회장이 걱정돼 서재로 다시 들어갈까 하다가 이내 발걸음을 돌려 갈 길을 간다.

⌒ S#19. 태하 집, 주방 / 낮

사월, 냄비에서 보글보글 끓고 있는 잣죽을 퍼 그릇에 담고 있다. 옆에 있는 명란도 용기에서 꺼내 접시에 가지런히 옮겨 담는다. 곧이어 사월이 음식이 담긴 쟁반을 들고 주방을 나선다.

⌒ S#20. 태하 집, 연우 방 / 낮

연우, 테이블에 앉아 있는데 사월이 죽과 명란, 물컵이 담긴 쟁반을 들고 들어온다.

사월	언니~ (테이블에 쟁반 올려놓으며) 잣죽이랑 명란 좀 가져왔어요. 아플 때 늘 드셨던 거잖아요.
연우	…….
사월	어제부터 빈속이시죠? (젓가락으로 명란 집어 죽에 올리며) 요 명란은 조선에서 먹던 거랑 다르니까 함 드셔보세요.
연우	(순가락으로 죽과 명란을 함께 먹고) 맛있다. (사월 보며) 고마워.
사월	그런 말씀 마세요, 우리 사이에. 제가 이제부터 언니 옆에 꼭~ 붙어 있을 테니까 걱정 마시고, (하는데)
연우	(O.L) 괜찮아, 안 그래도 돼.
사월	(서운한) 왜요, 난 그러고 싶은데.
연우	그냥… 생각할 시간이 좀 필요해서. 부탁할게.
사월	(흠…) 알겠어요. 대신 그 죽 다 드세요, 그럼 갈게요.
연우	(애써 웃어 보이며) 응, 그렇게. (죽을 먹기 시작한다)
사월	(그런 연우를 안쓰럽게 보는)

～ S#21. 성표 집, 거실 / 낮

사월, 소파에 쪼그리고 앉아 있다. 이때, 성표가 헐레벌떡 안으로 뛰어 들어온다.

성표	(사월에게 와) 에이프릴! 왜 벌써 온 거예요? 내가 데리러 간다니까.
사월	애기씨가 그만 가보라고 해서요.
성표	연우님이요? (하다가) 근데 왜 그리 울상이에요? 무슨 일 있어요?
사월	… 내가 참 쓸모없다 싶어서요. (하…) 애기씬 저렇게 힘든데

몸종이 돼서 아무것도 못해 드리고. (하는데)

성표   (양손으로 사월의 볼을 잡아 옆으로 늘린다)

사월   (!, 성표에게 볼 잡힌 채로) 뭐 하는 거예요!!

성표   누가 몸종이에요?!

사월   ?! (보면)

성표   (사월 볼 놔주고) 연우님 생각하는 마음은 예쁘지만, 여긴 새조 선이에요. 사월씬 더는 몸종이 아니라 그냥 사월이라구요! 나 의 사랑스런 에이프릴!

사월   … (울컥하는) 성표씨….

성표   잊지 마요, 이제 몸종은 딱 한 명뿐이에요! 바로 나, 사월씨의 영원한 종, 홍.성.표! (하더니 사월을 끈적하게 보며 입술을 쭉― 내 밀며 다가간다)

사월, 부끄러운 척 은근 좋아하는데 이때, 벌컥! 문을 열고 방에서 나래가 나온다! 놀란 사월, 헉! 해서 성표를 밀어버리고 그대로 소파 아래로 굴러 떨어지는 성표!

성표   (재빨리 옆으로 누운 포즈) 우리 나래 있었구나! 집에 있었어! 아 하하하!

나래   (차!) 이런 게 바로, 딱! 놀구 자빠진 거지. (쯧!) 나 알바 가! (나 가고)

성표/사월 (다시 서로를 보더니 이내 눈빛, 손짓으로 사랑의 화살 쏘고 난리!)

나래   (E, 문 밖에서) 그만해라, 쫌!!!

성표   (갸웃) 요새 왜 저렇게 짜증이 늘었대~?

사월   (뭔가 마음에 걸리는 듯 문 쪽을 쳐다보는)

152

⌒ S#22. 태하 집, 연우 방 / 낮

연우, 테이블 앞에 앉아서 어머니의 서책을 보고 있다.

연우   (E) … 모르겠어요. 왜 이런 일이 생긴 건지.

⌒ S#23. 서연대학 병원, VIP룸 / 저녁 – 연우 회상, S#9 이후

연우와 미담만 병실에 있다.

연우   (답답하다) 왜… 사람이 사람을 죽이고, 상처 주고 아프게 하는 지.

미담   (연우의 손을 잡으며) 연우씨.

연우   … 그게 다 허망한 욕심 때문이라니 더 괴롭고, 화가 나요.

미담   고통스럽겠지만, 그래도 난 연우씨가 지금 여기 있어줘서 고마 워요. 아프고 힘든 시간을 건너 끝까지 살아줬잖아요.

연우   (미담 보면)

미담   (따뜻하게 바라보며) 어머님도 분명 기뻐하실 거예요.

⌒ S#24. 태하 집, 연우 방 / 낮 – 현재

연우, 서책의 맨 마지막 장을 펼친다.

〈인서트// 연우 방에서 일기를 쓰는 연우모의 모습이 보이고.

연우모   (E) 오늘도 기도한다. 연우가 포기하지 않길, 두려움과 고통 속에서도 자신을 지켜내길. 그래서 다시 돌아오길… 바라고 바란다.〉

연우   예, 어머니…. 꼭 그리 할게요. (어머니의 글씨를 매만져본다)

～ S#25. 태하 집, 거실 / 저녁

태하, 거실로 들어온다. 2층으로 가볼까? 싶어 잠시 쳐다보다 이내 그만두는데 이때, 연우가 계단 쪽으로 나온다. 태하, 연우를 보고 연우도 그런 태하를 말없이 본다.

～ S#26. 태하 동네 일각 / 저녁 (*6부 S#14과 같은 장소)

연우와 태하, 야경을 보며 서 있다.

태하   할아버지 뵙고 왔어요, 부대표 자리 내려놓으려구요.
연우   (!, 놀라서 보는)
태하   한번도 내가 뭘 원하는지 생각해본 적 없었어요. 할아버지 꿈이 늘 내 꿈이었으니까. (사이) 처음이었어요, 다른 인생을 꿈꿔본 건.
연우   …….
태하   내가… 우리 집이 싫으면 도망쳐도 돼요, 어떻게든 쫓아갈 거

154

니까. 때리면 맞고, 욕하면 듣고, 화내도 버틸 거예요. (연우를 안으며) 절대, 연우씨… 놓지 않을 거라구요.

연우   (잠시 안겨 있다가) … 내가 우습소?

태하   (?!, 그 소리에 안았던 거 풀고 연우를 본다)

연우   나, 박연우요. 우물에 던져져도, 낯선 새조선에서도 꿋꿋하게 버틴. (흠…) 계속 생각했어요. 왜, 대체 왜 이렇게 된 걸까? 헌데 중요한 건 '왜'가 아니라 지금, 이 시간을 살아가야만 하는 나란 걸 깨달았소.

태하   (보는)

연우   운명? 도망? 그런 건 내 취향엔 안 맞소. 내가, 이번엔 반드시 우릴 지킬 거니까.

태하   (보다가) 아뇨. (연우 손잡고) 이젠 나랑 같이 해요. (미소 짓는)

연우   (태하를 보는) … (끄덕이며 미소 짓는다)

〜 S#27. 편의점 앞 / 저녁

나래, 테이블에 손님들이 두고 간 쓰레기를 치우고 빗자루질을 하려는데 이때, 사월이 와서는 나래 손에 든 빗자루를 뺏어간다.

사월   비질은 내가 할 테니까, (다른 테이블 가리키며) 마저 치워요.

나래   ! (괜히) 뭐 하는 거예요? 줘요, 내 일이니까. (빗자루 잡는데)

사월   (빗자루 등 뒤로 빼며) 밥값 정돈해야죠, 얹혀 사는데. (비질하며) 나 너무 미워하지 말아요. 나래씨 오빠 뺏을 생각 없으니까.

나래   ! (들켰다, 당황) 뭐, 뭐래~ 내가 무슨 초딩인가? 이상한 소릴 하고 있어.

사월	사실 나도 나래씨, 쬐금 미워요. 성표씨가 젤 아끼는 사람이니까.
나래	(보는) ….
사월	(나래 보며) 이제 서로 비겼죠? 그러니까 사이좋게 지내요! (웃는)
나래	(보다가, 획─ 뒤돌아서더니) … 김치볶음밥.
사월	(?) 응? 뭐라구요?
나래	요리 잘한다면서요. 난 김치볶음밥 좋아하니까 밥값 하라구요. (하는데)
사월	(!, 나래에게 와 팔짱 끼며) 또 뭐 좋아하는데요? 응? 응?

일각에서 그런 두 사람의 모습 보고 있는 성표. 감동의 눈물을 훔치고.

～ S#28. 태하 동네 거리 / 저녁

태하와 연우, 손을 잡고 걸어가고 있다.

연우	(슬쩍) 근데 할아버님은 뭐라고 하셨소?
태하	엄청 화내셨어요. 연우씨한테도 한소리 하실지 몰라요.
연우	괜찮소! 다 태하씨 걱정해서 그러시는 거니. 게다가 할아버님은 태하씨한테 가장 소중한 분 아니오.
태하	고마워요. (하다가) 그리고 그 천명이란 사람 내 앞에도 나타났었어요.
연우	! (멈춰 서며) 정말이요? 천명이 뭔가 말했소?!
태하	(연우 보는) …….

천명	(E) 애기씨와 함께 있으면 당신이 죽을지도 몰라요.
태하	… 연우씨 곁에 있으라구요, 무슨 일이 있어도. (하면서 앞으로 가는)
연우	걱정 마시오! 이번엔 그냥 당하진 않을 거요. 내가 꼭 지킬 거니까.
태하	(훗! 웃으며) 보디가드처럼요?
연우	보디…? 그게 뭐요?
태하	(큭!, 장난) 몸에도 마음에도 아주 좋은 거예요.
연우	(오!) 촉호보다 더 좋소?
태하	뭐… 그럴 수도?
연우	(!) 그럼 갑시다! 당장 가서 사주시오, 보디가드~! (태하 끌고 가는)
태하	(끌려가며) 어어!! 잠깐만요! 잠깐만요, 연우씨!! (하는데)

이때, 일각에서 연우와 태하를 지켜보는 후드맨이 보인다.

〰 S#29. 강회장 집, 다이닝룸 / 다음날, 아침

강회장과 해령, 식사 중인데 태민이 들어와 자리에 앉는다.

태민	(강회장 보며) 잘 주무셨어요? 고모도 안녕~!
도우미	(태민 테이블 세팅하는데)
강회장	태민이, 애미한테 얘기 못 들었니?
태민	네? 무슨 얘기요.
강회장	너랑 애미, 내보낼 생각이다.

태민/해령	(!, 보는) / 아부지? 진짜??!!
강회장	애미 곧 회사 그만둘 거고, 그럼 니가 엄말 보살펴야지. 한번 나가서 지내봐, 그래야 사는 법도 배우니까. (밥 먹는)
해령	(태민 보며, 입 모양으로) 뭐야? 왜? 왜?
태민	……. (당황스럽고, 난감하고, 화도 난다)

〜 S#30. 강회장 집, 혜숙 방 / 아침

혜숙, 거울을 보며 출근 준비 중이다. 그 옆에 태민이 서 있고.

혜숙	신경쓰지 마, 여기서 나갈 일 없어.
태민	강태하 심장병, 민대표가 건드린 거야? 그래서 나한테 본부장 준비해라 어쩌고 한 거냐고!
혜숙	그게 뭐? 오너의 건강은 회사의 이익과 결부된 중요한 사안이야.
태민	(절망스러운) 병이잖아, 아픈 거잖아! 그걸 어떻게 이용할 생각을,
혜숙	(O.L) SH를 위해 필요한 조치였어. (가방 챙겨 나가려는데)
태민	그 결과가 이거야? 할아버지, 완전히 돌아섰어. 이제 끝이라고.
혜숙	끝인지 아닌진 가봐야 알겠지. 어차피 더 물러설 곳도 없어. (가려는데)
태민	(혜숙 손목 잡고) 민대표! (하다) 엄마!!! (하…) 그만 해요, 제발!
혜숙	(보다가) …. (태민 손 떼어내고 가버린다)
태민	(하… 미치겠다!)

⌒ S#31. SH서울, 마케팅팀 회의실 / 낮

현정과 석주, 태민이 연우가 가져온 디자인을 보고 있다.

현정   연우씨, 언제 이걸 다 했어요?! (디자인들 보며) 엄청 많은데?

석주   (오~) 혹시… 분신술?! (머리카락 뽑아서 후~ 날리는 손오공 흉내)

현정   (석주 고개 옆으로 돌리며) 석주씨, 벽 보고 반성. 10분!!!!

연우   (웃으며) 행사 준비할 때 조금씩 해놨던 거예요.

현정   (디자인 보며) 태민씨, 팝업스토어 스타일도 연우씨 의상 컨셉 맞춰서 하면 좋겠다. 통일감 있게.

태민   (딴생각 중, 아침 일로 머리가 복잡하다)

석주   (휙! 태민 쪽을 보더니, 톡톡! 책상 치며) 태민 후배!

태민   네? 아… 네. (하며 그제야 현정 보며) 어떻게 할까요?

연우   (태민이 뭔가 이상한)

⌒ S#32. SH서울, 옥상 / 낮

태민, 생각 많은 얼굴로 서 있는데 다가와 서는 연우. 태민, 그저 앞만 보고 있다.

연우   (슬쩍) 무슨 일 있어요?

태민   (평소처럼) 왜? 사연 있는 남자처럼 보여? (오!) 이게 더 매력적 인가?

연우   (하!) 농담은 듣는 사람도 재미있어야 농담입니다.

태민   (피식―) 강태하 집으로 다시 간 거지? (했다가 연우 보며) 후회 안 해?

연우   (단호박) 네. 그런 거 안 해요, 난.

태민   (훗) 역시 소복이 답네. (하다가, 하…) 난 우리 집에서 태어난 거
늘 후회했는데.

연우   ?! (보는) ……

태민   늘 잘난 형이랑 세상 무서운 엄마, 그리고 형밖에 모르는 할아
버지. (진심) … 내가 그 집에 있어도 되나 늘 의문이었거든. (연
우 보며) 그래서 니가 걱정됐던 거야, 나처럼 망가질까 봐.

연우   (그랬구나… 싶은)

태민   근데 넌 다르더라. 늘 씩씩하고, 언제나 웃고 있었으니까. (하
다가) 아, 뭐, 그냥 그게 좋았어. 부럽기도 하고. (흠) 그래서 자
꾸 너한테 눈이 갔나 봐.

연우   (뭔가 이상한) 갑자기 왜 그런 말을 하는 거예요? (걱정) 정말 무
슨 일 있어요?

태민   말했잖아, 니가 그냥 걱정된다고. 그러니까 다음부터 힘들거
나 아플 땐, 무조건 나한테 와, 알았지?

연우   (바로) 걱정 말아요. 내 일은 내가 알아서 할 테니까.

태민   (역시, 큭) 단호박이네. (하다) 그만 갈까? 가서 일해야지. (하고
가는)

연우   (가는 태민을 본다, 정말 무슨 일이지? 싶고)

～ S#33. SH서울, 태하 사무실 / 낮

태하, 서류 보고 있는데 태민이 들어온다. 태하 앞으로 와 서는 태민.

태하	(서류 보며) 여기 니 마음대로 들락날락 할 수 있는 곳 아냐.
태민	(바로) 할아버지가 민대표랑 나, 나가래.
태하	! (태민 보는)
태민	난 상관없는데 민대푠 또 뭔가 꾸미겠지. 알고는 있으라고.
태하	왜 나한테 알려주는 건데.
태민	(피식—) 요새 심심해서 싸움 좀 붙이려고. 대신! 소복인 알아서 챙겨라. 할아버지랑 민대표, SH라면 무슨 짓이라도 할 사람들이니까. 뭐, 버거우면 나한테 맡기든지.
태하	됐어. 우리 일은 우리가 알아서 해.
태민	(도리질) 역시 재수 없다니까. (쳇! 하며 나가는)

혼자 남은 태하 생각이 많은 얼굴인데.

〈플래시컷// S#18. 강회장, 연우는 안 된다며 연우 때문에 그만두냐 묻는.〉

| 태하 | (잠시 생각) … (미담에게 전화 거는) 안녕하세요, 이대표님. 지난번에 말씀하셨던 미국 의원 관련해서 말인데요. (표정) |

〰 S#34. SH서울, 매장 일각 / 저녁

태하, 매장을 지나가고 있는데 맞은편에서 걸어가는 연우가 보인다. 태하, '연우씨!' 하고 부르려는데 연우가 멈춰 서더니 휴대폰을 꺼내 전화를 건다. 동시에 태하 휴대폰 진동이 울리고! 태하, 전화 받는.

| 연우 | (태하가 받자) 태하씨, 지금 어디에요?! |

태하	(장난기가 발동해서) 연우씬 어딘데요?
연우	난… (시침 뚝) 집 앞이요.
태하	?! (뭐지? 해서 연우 보며) 집이라구요?
연우	그렇소! 어쨌든 아직 회사라니 열심히 일하시오! (전화 끊고 어딘가 가는)
태하	(뭐지? 싶어 연우를 쫓아간다)

〜 S#35. SH서울, 태하 사무실 앞 복도 + 사무실 안 / 저녁

연우, 슬그머니 태하 사무실 앞으로 와서는 심호흡 하더니 문을 잡고 열려는데 뒤에서 태하가 나타나 문고리를 잡은 연우의 손을 잡고 그대로 문을 열고 안으로 들어간다!

사무실 안/
태하, 벽치기 하듯 연우를 벽으로 밀어 세운다. 연우, 놀라서 보면.

태하	(장난) 여기가 우리 집인가?
연우	(!) 그게… 태하씨 놀래켜주려고… (하다가) 설마, 날 따라온 거요?
태하	(능청) 그러게요. 내 발이 자꾸 연우씨만 쫓아다니는데요?
연우	(좋은, 큭—) 그 발 좀 혼내줘야겠소. (발로 태하 발 툭— 치는데)
태하	(연우 볼에 쪽! 뽀뽀하고) 이젠 입술까지 그러네. 어쩌죠?
연우	어쩌긴, 혼납시다! (하면서 태하에게 뽀뽀할 듯 다가가는데)

이때, 태하 책상 쪽에서 휴대폰 벨이 요란하게 울렸다 꺼진다! 화들짝 놀

란 연우와 태하, 서로 확! 떨어지고는 쳐다본다.

책상 아래/ 성표, 휴대폰 끄고는 오만상을 쓰는데. 이때, 쑥— 태하와 연우의 얼굴이 들어온다. 으악! 놀라서 튀어나오는 성표와 똑같이 으아아! 소리치는 태하와 연우!

태하   (!) 홍비서! 여기서 뭐 하는 겁니까?!
성표   아니… 급히 보고드릴 게 있어서 기다리고 있었는데 두 분이
         갑자기 들어오셔서는 놀래켜준다, 혼내준다 그러시니까,
연우   (장씨한, 성표 입 막으며) 그 입 다무시오!!
성표   아니, 전… (하는데)
연우   어허!!!! (하며 더 강하게 성표 입 틀어막는)

∼ S#36. 태하 집, 거실 / 저녁

연우, 태하, 성표, 사월이 노트북으로 CCTV(*S#28) 영상을 보고 있다. 연우와 태하 뒤를 쫓아가는 후드맨이 보이자 성표가 영상을 일시 정지한다.

연우   이 자가 우리 뒤를 밟고 있었단 거요?
성표   네. 부대표님 말씀이 맞았습니다.

⟨인서트// 8부 S#68 이후 상황. 스튜디오에서 발표 끝낸 태하 옆에 성표 서 있다.
태하   민대표가 나하고 연우씨한테 사람을 붙였을 겁니다. 내 심장
         병도 그래서 알게 된 거겠죠. 그 사람, 잡아야겠어요. (표정)⟩

사월	(벌떡 일어서며) 내 이놈의 자식을 그냥! (하는데)
성표	(사월 붙들고) 워워~ 사월씨. 이럴 땐 주먹보다 머릴 써야죠.
사월	머리? (아~!) 박치기! 그러네, 박치기로 머리통을 아주!
성표/대하	(헐! 해서 사월 보는데) / (큭— 웃음 터지는)
연우	(사월이 잡아당기며) 그냥 앉자, 사월아. 얼른!
사월	(앉으며, 연우에게) 그 머리… 아닌가? (큼…) 아, 그럼 어쩔 건데요!
대하	홍비서, 이 남자 신변부터 확보해요.
성표	걱정 마십시오! 다~ 계획이 있습니다.

〰 S#37. 건물 주차장 / 다른 날, 낮

후드맨, 차를 주차하고 차에서 내려 승강기 쪽으로 간다. 잠시 후, 일각에서 빼꼼 나타나는 성표의 오토바이. 뒷좌석에 사월이 타고 있다. 두 사람 내려서 헬멧 벗고.

| 사월 | (오~) 이러고 있으니 꼭 영화 속 주인공 같아요! |
| 성표 | 금방 올 테니까 여기 가만히 있어요. |

성표, 후드맨 차로 가서 뒤편에 GPS를 달려고 하는데 이때, 후드맨이 다시 차로 오는 게 사월의 눈에 보인다. (*성표 못 본) 사월, 작게 '성표씨!' 불러보지만 소용없다.

| 사월 | (!, 후드맨 앞으로 뛰어가 시야 가리며) 태민 오빠~! 오빠 맞죠?! |
| 후드맨 | (멈칫! 해서 사월을 본다) |

성표	(헉! 그제야 후드맨을 발견하고 차 뒤로 몸이 안 보이게 숨는)
후드맨	(사월 피하며) 사람 잘못 봤거든요?.
사월	(후드맨 막으며) 맞는데~ 철딱서니 태민 오빠! (하다가) 아, 그럼 해맑은 백치 석주 오빠가?
후드맨	(살짝 짜증) 사람 잘못 봤다고! (하면서 차로 가는)
사월	(돌아보며) 아니에요, 진짜? (하면서 후드맨 차 보는데 성표가 없자, 휴~)

잠시 후, 후드맨 차 주차장을 빠져나가는데 차 아래쪽에 GPS가 깜빡인다.

성표	(사월에게 오며) 와~ 사월씨 나이스! 이뻐 죽겠다니까요!
사월	GP…? 지피지기? 여튼 그거 붙였어요?
성표	GPS요?! 물론이죠~! 이제 감시만 하면 돼요. (하다가 슬쩍) 근데 사월씨. 난… 무슨 오빠예요? (헤헤)
사월	(삐죽) 오빠는 무슨. (하다가) 내 가슴에 불 지른 뜨거운 사.내.지!
성표	!! (사월 손 잡고) 갑시다! 불 지르러!! (사월 끌고 가면)
사월	왐마~ 왜 이래요! 대낮부터 타 죽겠네! (하면서 따라가는)

〰 S#38. 미담 쇼룸 / 낮

연우와 미담이 테이블에 앉아 있다. 연우, 긴장한 표정인데.

미담	(연우 보며) 왜, 긴장돼요?
연우	네, 제 첫 번째 손님이잖아요. 게다가 엄청 큰 나라의 높은 분이라니까, 혹시 실수할까 봐 좀 떨려요.

미담   걱정 마요, 의원님 좋은 분이세요.

이때, 누군가 직원의 안내를 받고 들어온다. 미담과 연우, 자리에서 일어서
는데 놀라는 연우! 보면, 조상궁(*미 하원의원)과 옹주(*의원의 딸)다!

〈플래시컷// 1부 S#2. 설마… 호접선생이시오? 하던 조상궁!〉

조상궁   (미담에게 목례) 잘 지내셨죠? (하더니 연우 보며) 박연우씨? 드디
           어 만났네요. (악수 청하는) 반가워요.

연우   (멍해서 보다가, 아! 싫어, 악수하며) 네…. 안녕하세요.

미담   (조상궁에게 자리 안내하며) 앉으세요, 의원님. (연우 보며, 앉자고
           눈짓)

연우   (자리에 앉아 조상궁을 보는데)

조상궁   (자리에 앉고) 우리 딸이 연우씨 옷이 갖고 싶다고 얼마나 조르
           던지.

옹주   SNS에서 보고 완전 반했어요. 옷이 너무 예쁘더라구요~

연우   감사합니다.

조상궁   근데… 우리 어디서 본 적 있어요? 낯이 익어서.

연우   … 저도 어디선가 꼭 뵌 것 같아요.

미담   연우씨랑 인연이 있으신가 봐요.

조상궁   (웃으며) 그러게요. (하다가) 그럼 이제 뭐부터 하면 되는 거죠?

연우   (옛날 생각도 나고, 신난) 벌리셔야죠, 치수 재려면.

조상궁/옹주   !! (벌… 벌려?! 살짝 흠칫!)

S#39. SH서울, 마케팅팀 사무실 / 낮

현정, 석주, 태민이 조상궁의 프로필(*조상궁과 옹주가 찍은 사진과 조상궁의 약력이 간략하게 적혀 있음)을 보고 있다.

석주	(오~) 미국 하원의원이 연우씨 옷을 입는다니~ 대박. 완전 초초대박!
현정	연우씨 팝업 오픈 전에 좋은 홍보가 될 거야. 의원님이랑 인터뷰 준비는 하나씨가 할 거니까, 석주씨랑 태민씬 의전 쪽 신경 써줘.
석주	(옹주 사진 보며) 네! 의원님 따님 의전은 비주얼 담당인 제가 맡겠습니다. (태민 보며) 태민씬, 의원님을 부탁해.
현정	(헐!, 석주 보며) 웬 비주얼 담당?! 지금 아이돌 센터 뽑니?
태민	다 괜찮은데 비주얼 담당은 저, 아니었나요?
현정	(헐!, 태민 보며) 그새 바보 병이 옮은 거야?! 그래?!!
석주/태민	(하이파이브 하며 서로를 향해 윙크하는)

S#40. 프라이빗룸 / 낮

강회장과 최이사, 고이사와 임원들 두 명이 앉아 있다.

강회장	이번 주총에서 민대표 치워.
고이사	치우다뇨?! 회장님, 강부대표 문제로 시끄러웠다가 이제 겨우 조용해졌습니다. 그리고 대표를 해임하는 문젤 이렇게 쉽게 말씀하시면,

강회장	(O.L) 그래? 알았어. 최이사, 고이사 사표 받아와.
고/최이사	!! / (당황, 말리듯) 회장님.
강회장	(한 명씩 쏘아보며) 고흥순, 최주명, 박진호, 유병철! 니들 이사,
	상무, 전무 달 때 그거 누구 입에서 나왔어? 근데 뭐가 어째?
다들	(입 꾹 다물고 말 못 한다)
고이사	(그래도 할 말 하는) 회장님 뜻 알겠습니다. 그럼 강부대표가 제
	안한 전문경영인 체제 도입은 어쩌실 생각입니까.
최이사	(눈치 보며) 고이사, 일단 그 얘긴 나중에 하고,
고이사	(O.L) 전 사원 앞에서 한 얘길 모른 척하잔 말씀이세요?
강회장	그럴 수야 없지. 안건으로 올려, 그게 뭐 어렵다고. (표정)

〰 S#41. SH서울, 혜숙 사무실 / 낮

혜숙, 황명수와 마주 앉아 있다.

황명수	(호들갑) 이제 어쩌실 겁니까? 회장님께서 대표님 몰아내겠다
	고 불호령을 내렸다는데!
혜숙	(여유 부리며) 괜찮아요, 예상했던 일이니까. (하면서도 팔걸이를
	꼭 쥐는)
황명수	(눈치채고, 부러 더) 이번만큼은 뭔가 심상치 않으니까 그러죠~
	(부아 돋우며) 혹시 다음 카드, 있으십니까?
혜숙	그걸 지금 말이라고 해요?! 대책은 당신이 가져왔어야지!
황명수	(삐죽) 제가 뭘 압니까? 그저 대표님께서 시키는 일만 했는데요.
혜숙	(쾅! 팔걸이 내리치는) 황명수 이사! (하는데)
황명수	(깨갱하는 척) 죄송합니다. (하다가 부러) 강태하 그놈은 심장도

168

안 좋다면서 티도 안 나요~ 왜 쓰러지지도 않아?!

혜숙   (한심하다는 듯 보는)

황명수   (슬쩍) 강부대표가 먹는 그 약이요~ 심부전도 막아주고 그렇다

          네요. 아~ 그 약만 없으면 강부대표도 산송장인데.

혜숙   (잠시 생각하다가) … 됐으니까 그만 나가봐요.

황명수   예, 나가보겠습니다. (일어서며 꾸벅 인사하고 나간다)

혜숙   (머리가 아픈 듯 미간을 만지면서 뭔가 골똘히 생각하는) …….

〜 S#42. 강회장 집, 거실 / 저녁

서준, 콜록콜록— 기침을 하고 있다. 해령 그런 서준에게 도라지 음료수 건네며.

해령   엄마가 더워도 이불은 꼭~ 목까지 덮고 자랬지? (뚜껑 따주며)

          마셔봐.

서준   쓴 거 아니에요? (음료 한번 마시고는) 우와~ 맛있다!

해령   그치? (웃으며) 엄마가 물 좀 가져다줄게! (하고 주방으로 가는)

강회장, 거실로 들어온다. 서준, 음료수 든 채로 강회장 앞으로 와 인사하는.

서준   할아버지! 다녀오셨어요?

강회장   어, 그래~! (하다가) 근데 그 손에 든 건 뭐야?

서준   엄마가 목 아프다니까 줬어요.

강회장   그럼 천천히 쭉~ 다 마셔! (서준 손잡고 소파로 가며) 약이든 사

          람이든 필요한 건 쏙 빼먹어야 해. 그래야 원하는 걸 얻을 수

있거든. 알겠니?

서준   (해맑게) 네!! (하면서 쭉! 음료를 먹는데)

강회장   (엷게 비릿한 웃음을 짓는다)

〰 S#43. 태하 동네 일각 / 저녁

연우, 기분 좋은 얼굴로 걸어오는데 휴대폰이 울린다. 보면, 태하다.

연우   (받으며) 여보세요?

태하   (F) 어디에요? 아직 미담?

연우   (흠) 태하씬 어딘데요?

태하   (F) 난, 집이에요.

연우   아~ 집?! (하며 획— 뒤돌아보는데)

태하(*모자 쓴)가 뒤쪽에 서 있다가 놀라서 쳐다본다. 연우, 전화 끊고.

연우   (태하 앞으로 와) 두 번이나 속을 줄 알았소? 누굴 바보로 아나.

태하   (웃으며) 어땠어요? 의원님 잘 만났어요?

연우   (끄덕) 겁~내 좋았소! 막 여기저기 뛰어다니고 싶을 정도로.

태하   (보다가) 그럼, (연우 손잡더니) 나랑 어디 좀 갈래요?

연우   (응? 보는데)

연우   (E) 여기가 어디요?!

170

∿ S#44. 학교 운동장 / 저녁

잔디밭이 깔린 학교 운동장이다. 태하, 연우와 함께 걸어오고 있다.

태하	뛰고 싶다면서요. 마음껏 해보라구요.

연우, 빙긋 웃더니 팔을 벌리고 와~ 하며 달려본다. 그러더니 다시 태하에게 달려 주변을 빙글빙글 돌며 아이처럼 신나게 웃는다. 태하, 그런 연우를 사랑스럽게 보는.

(CUT TO) 연우와 태하, 잔디밭에 앉아 있다.

연우	간만에 달렸더니 겁내 좋소!
태하	(연우 보다가) 어때요? 뛰는 느낌은?
연우	?! (보면)
태하	가끔 여기서 달리는 사람들을 구경했거든요. 숨이 턱까지 차면 심장에선 어떤 소리가 날까. 아플까? 좋을까? 그런 생각 하면서. (연우 보는데)
연우	……. (태하 손을 잡더니 손바닥에 입을 맞추는)
태하	?!!
연우	(태하 보며) 뛰고 나면 그래요. (심장 가리키며) 여기가 콩닥콩닥.
태하	(손바닥 보다가) 잘 모르겠는데.
연우	(응? 해서 보면)
태하	(연우 보며) 다시 가르쳐줄래요? (연우에게 입 맞추려고 한다)
연우	! (뒤로 피하며) 누가 보면 어쩌려구요! (하며 주변 살피는데)
태하	(모자를 벗어 연우와 자기 얼굴 가리며) 이러면 되잖아요. (입을 맞

춘다)

연우   !! (눈 땡그래져서 보는)

모자로 얼굴을 가린 채 입을 맞추는 두 사람의 모습이 보이고.

태하   (연우 보며) 나쁘지 않네, 이런 게 뛰는 느낌이라면. (웃는)

연우   그럼… 한번 더 뛰어보겠소?! 이번엔 전력 질주로! (하며 눈 깜

       박이는)

태하   ?! (전력 질주?? 댕! 해서 보다가, 풋! 웃음 터지는) 하하하하!

연우   (부끄러워서 괜히) 왜 웃는 거요?! 남은 기껏 용기 내서 말했는데.

태하, 그런 연우가 귀여워 백허그하며 와락 꺼안는다. 연우, 괜히 흥! 하며
몸을 돌리는 척 하지만 이내 태하의 손을 잡고 웃는다. 행복해 하는 두 사
람의 모습 보이고.

⌣ S#45. SH서울, 혜숙 사무실 / 다른 날, 낮

혜숙, 어이없는 얼굴로 책상에 앉아 있고 옆에 서 있는 황명수.

혜숙   미국 하원의원? 태하가 그런 라인을 잡았다구요?!

황명수   한국계 의원이라던데 이미담 대표가 줄을 놔준 모양입니다.

혜숙   (하!) 이미담 그 여자, 정말 하나부터 열까지 맘에 안 드네.

황명수   어쩌죠? 강부대표 이대로 두면 안 될 것 같은데.

혜숙   (일어서서 창밖을 쳐다본다) …….

황명수   (슬쩍) 저 대표님. (하는데)

혜숙	(뒤돌아보며) 이대론 안 되겠어요. 태하를 옴짝달싹 못하게 확실히 처리해야겠어요. 어떻게 해서든.
황명수	(떠보듯) 어떻게 해서든… 말이지요? (하며 혜숙을 보는데)
혜숙	(생각에 빠져 황명수의 물음에 대답하지 않는)

〜 S#46. SH서울, 마케팅팀 사무실 / 낮

하나, 혼자서 컴퓨터 작업 중인데 현정이 들어온다.

현정	(자리로 와서 자료 챙기며) 유대리, 의원님 인터뷰할 거 다 정리했지?
하나	네. 프린트해서 드릴까요?
현정	(자료 들고) 유대리가 알아서 잘했겠지. 나 지금 부서장 회의 가야 하니까 연우씨한텐 하나씨가 대신 전해줘.
하나	(!) 제가요?
현정	응. 좀 있으면 연우씨 올 거야, 부탁해! (나가는)
하나	(잠시 생각) … (휴대폰으로 전화 거는) 박연우씨? 잠깐 시간 괜찮아요?

〜 S#47. 카페 / 낮

연우와 하나, 마주 앉아 있다.

하나	(인터뷰지 주며) 미리 받은 인터뷰 내용이에요. 읽어보면 될 거

173

예요.

연우 (인터뷰지 받고) 감사해요. 근데 왜… 여기서 보자고 한 건지.

하나 (말하자) 1주년 행사 때 박연우씨 옷 그렇게 만든 거 나예요. 디자인 유출도 모델 건도 전부 내가 했어요.

연우 (!!) 정말이요? (당황) 왜… 왜요?

하나 강태하 부대표님 곁에 서고 싶었어요. 열심히 일했고 자신 있었어요, 박연우씨가 나타나기 전까진.

연우 고작 질투 때문에 그런 거예요?

하나 … 사람 마음이 고작 그런 걸로도 지옥이 되는 걸요.

연우 태하씨는요? 알고 있어요?

하나 그럼요, 부대표님이신데요.

연우 …….

하나 미안했어요. 용서해달란 건 아니에요, 그게 내 몫은 아니니까. 이렇게 볼 일도 더 없을 거예요. 곧, 회사 그만둘 거라서. (…) 그럼. (일어서는데)

연우 그렇게 도망치게요? 다른 사람들한텐 안 미안해요?

하나 ! (보는)

연우 하나씰 믿어준 사람들이잖아요, 같은 팀이잖아요. 정말 괜찮겠어요?

하나 …. (눈가가 붉어지는)

연우 여기 남아서 갚아요, 하나씨가 할 수 있는 모든 걸 다 해서요. 그럼 나도 용서할지 안 할지 고민해볼게요. (잠시 하나 보다가 일어서서 나가는)

하나 (뚝— 떨어지는 눈물)

S#48. 태하 집, 전경 / 저녁

S#49. 태하 집, 거실 / 저녁

연우, 인터뷰지 들고 연습 중이다.

연우	(인터뷰지 보며) 이번 의상의 컨셉은 한국계이신 의원님께서 어릴 때 입었던 한복을 떠올릴 수 있게, (하는데)
태하	(주스 들고 와 테이블 위에 두고) 이거 마시고 해요. (옆에 앉는)
연우	(인터뷰지만 보며) 고맙소. (하고 다시) 어릴 때 입었던 한복을 떠올릴 수,
태하	(연우 보며) 그만 보고 주스 좀 마셔요.
연우	(인터뷰지만 보며) 알았소. (하는데)
태하	(삐죽, 연우 무릎에 갑자기 눕는다)
연우	?! (태하 보며) 뭐 하는 거요?
태하	(삐죽) 이제야 쳐다보네. 그 종이 그만 보고 나 좀 보라구요!
연우	(태하 뚫어지게 보며) 봤소, 됐소?! (다시 인터뷰지 보는데)
태하	(몸 일으켜 인터뷰지 뺏으며) 아뇨! 안 됐어요.
연우	왜 자꾸 방해하는 거요?! 내가 잘해야 우리한테도 좋잖아요. 할아버님 화도 풀어드리고.
태하	(지그시 보며) 괜찮아요, 연우씬 그 자체로 완벽하니까. 존재만으로도 나한텐 제일, 사랑스러운 걸요.
연우	(가만히 태하 보다가, 엑!! 표정 바꾸며) 새조선에선 그런 미끄덩한 말 가르쳐주는 학당이라도 있는 거요?
태하	(댕!! 해서 보면)

175

연우	난 할 땐 하는 사람이요! 방해 말고 저리 가요! (태하 밀며) 휘이 ~ 휘이~
태하	(안 밀리려고 버티며, 불쌍하게) 아~ 연우씨ㅡ! 일 좀 그만해요~!

'저리 가라'며 난리치는 연우랑 '싫다'며 버티는 태하. 둘이 귀엽게 투닥거리고.

⌐ S#50. 간담회장 안 / 다른 날, 아침

〈우수기업인 초청간담회, 미국 하원의원 메이 현 킴 특별 강연〉이란 현수막이 무대 쪽에 보이고. 현정, 석주, 태민이 진행 요원들과 테이블 세팅하는 중이다.

현정	(박수 치며) 자자! 빨리 좀 정리해주세요. 시간 얼마 안 남았어요.
석주	(현정에게 와서) 좀 있으면 부대표님 도착하신대요.
현정	오케이~ 태민씨, 인터뷰 중에 마실 생수는?
태민	좀 있다 비품실에서 가져오면 됩니다.
현정	그럼 이제 주인공들만 오면 되는 건가?! (흠~ 하며 둘러보는)

⌐ S#51. 미용실, VIP 대기실 / 아침

메이크업을 끝낸 태하가 연우를 기다리고 있다. 문이 열리고 메이크업을 끝낸 화사한 연우가 들어온다. 태하, 그런 연우를 빤히 보는.

연우	(부끄러운) 뭘 그리 보는 거요?
태하	(연우 앞으로 와 서며) 예뻐서요.
연우	(으쓱해서) 거야 뭐, 한양에서도 워낙 알아주던 미모라. (하는데)
태하	(연우 귓가에 대고) 연우씨 말고, 옷이요.
연우	(!) 뭐라구요?! (하며 입을 삐죽! 내미는데)
태하	(큭큭! 그런 연우가 귀여워 웃는)

～ S#52. 간담회장 비품실 앞 / 낮

남직원이 생수가 든 상자를 손수레로 끌고 오는데 이때 뒤에서 후드맨이 나타나 남직원의 목덜미를 가격한다! 쓰러지는 남직원을 부축해서 어디론가 끌고 가는 후드맨!

～ S#53. 간담회장 창고 / 낮

남직원(*상의 벗겨진), 입에 재갈이 물린 채 양손과 양발이 묶여 쓰러져 있다. 후드맨, 남직원이 입고 있었던 셔츠와 조끼로 갈아입고는 창고 밖을 나선다!

～ S#54. 간담회장 비품실 안 / 낮

남직원으로 변장한 후드맨이 생수를 들고 들어와 테이블 위에 〈강태하〉〈박연우) 〈메이 현 킴〉 이름에 맞춰 세팅한다. 그러더니 바지 주머니에서 주사기를 꺼내 태하의 생수병 뚜껑에 주삿바늘을 꽂고 어떤 액체를 집어넣더니 조용히 빠져나간다.

⌒ S#55. SH서울, 사무실 / 낮

혜숙, 놀란 얼굴로 돌아보면 황명수가 서 있다.

혜숙	(!) 그게 무슨 소리예요? 태하가 끝났다뇨?
황명수	말 그대롭니다. 원하시는 대로 강부대표 처리할 거라구요. 옴짝달싹 못하게 확실하게요. (씩- 웃는)
혜숙	(뭔가 불길한 얼굴로 황명수를 보는)

⌒ S#56. 간담회장 안 / 낮

연우와 태하, 기다리고 있는데 조상궁(*연우 옷 입은)과 옹주, 미담이 들어온다.

태하	(조상궁에게 인사하며) 처음 뵙겠습니다. SH서울 강태하라고 합니다.
조상궁	얘긴 많이 들었어요. 뉴욕지점도 곧 오픈이죠?
태하	네. 오픈 때 초청장 보내드리겠습니다. (인터뷰 자리로 안내하며) 가시죠.

태하와 연우, 인터뷰 자리로 가고. 조상궁과 미담도 가려는데 옹주가 조상궁 붙들며.

옹주	(조상궁 붙잡고, 영어) 엄마, 저 남자 완전 멋져. 대놓고 내 타입.
조상궁	(영어) 그만, 안 돼! 그러는 거 아니야~ (하곤 미담 보며) 갈까요? (호호)
미담	(웃으며) 예, 가시죠.

(CUT TO) 기자가 태하와 연우, 미담, 조상궁과 이야기 중이다.

기자	인터뷰 내용 미리 받으셨죠? 답변 편하게 해주시고, 사진도 찍을 거니까 최대한 자연스럽게 부탁드릴게요. 그럼 3분 후에 시작할게요. (가고)
태하	(현정을 보며) 오팀장, 거기 생수 좀 가져다줄래요?
현정	아, 네! (태하 이름 뒤에 생수 챙겨서 태하에게 가져다주는) 여깄습니다.
태하	고마워요. (생수 뚜껑을 열고 마시는데)

이때, 간담회장 문 쪽에서 쓱ㅡ 모습을 드러내는 후드맨. 태하가 물을 마시는 걸 확인하고는 홋! 웃으며 돌아선다!

⌒ S#57. 간담회장 복도 / 낮

후드맨, 고개를 푹 숙인 채 빠르게 걸어오며 휴지통에 주사기를 버리려는데 그 앞으로 생수병 하나가 데구루루 굴러온다. 후드맨, 뭐지? 해서 보는데 성표가 서 있다.

성표   약은 약사에게 물어봐야지. 물에 타는 게 아니라! (하면서 달려
         든다!)

성표와 후드맨, 서로 합을 주고받다가 결국 성표가 후드맨을 제압해 바닥
에 눕힌다. 잠시 후, 태하가 나타나 후드맨이 바닥에 떨어트린 주사기를 손
수건으로 집어 들고는 후드맨을 차갑게 내려다본다.

◠ S#58. SH서울, 혜숙 사무실 / 낮

혜숙   (당황한 얼굴로) 처리라니? 뭘 처리해요?!
황명수   ……
혜숙   (이상한) 황이사! (하는데)

이때, 태하가 들어오고 그 뒤로 성표가 후드맨을 끌고 들어온다! 혜숙, 놀
라서 보는!

태하   (혜숙 보며) 놀라신 모양이네요. 제가 멀쩡하게 걸어 들어와서.

◠ S#59. 골목 어딘가 / 저녁 - 회상

황명수, 후드맨에게 약통을 건넨다. 좀 떨어진 곳에서 성표가 그 모습을 촬
영 중이다.

～ S#60. 태하 집, 거실 / 저녁 – 회상

태하와 연우, 성표가 모여서 S#59에서 찍은 사진을 보고 있다. 황명수 손에 들린 약통이 클로즈업된 사진을 연우가 보며.

연우   황명수 그 자가 준 약이라면 분명 태하씨한테 먹이려고 할 거예요. (태하 보며) 예전에 서방님께 그랬듯이요.

성표   ! (놀라) 약이요?! 그럼 이제 어쩝니까?

태하   원하는 대로 해줘야죠. (담담하게 약통이 클로즈업된 사진을 들고 보는)

～ S#61. SH서울, 혜숙 사무실 / 낮 – 현재

태하   약으로 장난치는 것 정돈 우리도 할 수 있으니까요.

〈플래시컷// S#54. 생수에 약을 넣고 떠나는 후드맨. 잠시 후, 성표가 들어와서 약을 넣은 생수와 멀쩡한 생수통을 바꿔치기 한다.〉

혜숙   그게 뭐?! 나랑은 상관없는 일이야!

태하   (비닐 안에 든 주사기 보여주며) 주사기 안에 남은 약 성분을 분석해보면 알겠죠. 상관 있을지 없을지는. (황명수 보며) 안 그래요? 황이사님?!

황명수   (무릎을 꿇으며) 죄송합니다! 민대표님께서 어떻게든 처리하라고 해서.

혜숙   (!, 황명수 보며) 황명수!! 미쳤어?!

황명수	(태하 앞으로 기어가듯 하며) 한번만! 제발 한번만 봐주십시오!!
태하	(품에서 휴대폰 꺼내) 지금 하는 얘기 녹음 중입니다. 그래도 (황명수 보며) 인정하세요? 황명수 이사님?!
황명수	네!! 인정하고 말고요!! 전 정말 민대표님이 시키는 대로만 했을 뿐입니다!
혜숙	(태하 보며) 아냐!! 난 몰라, 모른다고!
태하	그건 경찰서 가서 말씀하시죠. 아, 그리고 대표이사 직무 정지 가처분도 요청했으니 그런 줄 아십시오. (돌아서서 나가고)
성표	(후드맨을 끌고 태하를 따라간다)
혜숙	… 직무정지 가처분…? (망연자실하게 서 있다가) ! (황명수의 멱살을 잡아 일으킨다) 너 뭐야…! 내가 언제 그런 일을 시켰어, 언제! (하는데)
황명수	(불쌍한 척) 어떻게든 하라고 하셨잖습니까. 대표님이.
혜숙	(하!) 뭐?!
황명수	처리하라면서요. 저 그게 그런 뜻인 줄 알고….
혜숙	… 미친 자식! (하더니 황명수 멱살을 내던지듯 하고 밖으로 뛰쳐나간다)
황명수	(싸늘한 얼굴로 옷매무시 가다듬으며) 민혜숙도 여기까진가? 시시하네.

황명수, 혜숙의 명패 앞으로 와서 SH란 글자를 만지는데.

〈인서트// 병실. 흰 천에 덮인 아내의 시신 앞에서 울부짖는 젊은 황명수!〉

| 황명수 | ! (분노에 차 명패를 바닥으로 집어던진다) … (명패의 SH 글자를 발로 밟으며) 강회장…. 이제 진짜 당신 차례야. |

S#62. 강회장 집, 서재 / 낮

강회장, 의자에 앉아 태하와 연우를 어떻게 할까… 고민하고 있다.

S#63. SH서울, 태하 사무실 / 낮

연우, 사무실 소파에 앉아서 태하를 기다리고 있는데 태하가 들어온다.

연우   ! (일어나서) 어떻게 됐소?

태하   (연우에게 다가와) 이제 다 끝났어요. 민대표, 곧 경찰 소환 될 겁니다.

연우   (안도) 다행이오. 그럼 모두 다 제자리로 돌아오겠네요. 어머님 일기도 과거의 악연들도 전부 끊어지구요.

태하   (연우 어깨 잡고) 그럴 거예요.

연우와 태하, 다행이다 싶은 얼굴로 서로를 쳐다보고 있는데 벌컥! 문이 열리며 혜숙이 들어온다. 놀라서 돌아보는 연우와 태하.

태하   (!) 뭐 하는 겁니까!

혜숙   (연우와 태하 앞으로 다가와) 니들이 다 이긴 것 같아? 그래?!!

연우   그만 하세요. 죄를 지었으면 응당 죗값을 받으셔야죠.

혜숙   죄? 내가 뭘 그렇게 잘못했는데!

태하   23년 전 별채에서 당신이 했던 짓, 벌써 잊었어?

혜숙   ?! (하! 하더니, 미친 듯 웃는) 하하하! 하하하하! 내가, 정말 서윤희를 죽였다고 생각해?!

태하	(분노를 겨우 참으며 혜숙을 보는데)
혜숙	(태하 앞으로 다가와 서며) 어쩌지? 그거… 나 아닌데.
태하/연우	?! (보는)
혜숙	서윤희를 죽인 건, (보는 표정) 니 할아버지야.
태하	!!
연우	(!!) 어찌 그런 말도 안 되는 소릴 하십니까?!
혜숙	(태하에게) 니 엄말 별채에 가둔 것도, 그 안에서 죽게 만든 것도 다 강회장이라고!!!
태하	(분노) 민혜숙!! 미쳤어? (하는데)
혜숙	정훈씨랑 거랠 했거든. 나랑 재혼하는 대신 서윤희 심장병 고쳐주겠다고!! SH를 위해서 내가, 우리 아버지 회사가 필요했으니까!

〈인서트// 별채 윤희 방, 윤희 침대에 홀로 멍하니 앉아 있다.

혜숙	(E) 빛도 잘 안 들어오는 그 방에서 서윤희 혼자 몇 달이나 있었던 거야.〉

혜숙	(태하에게) 그리고 그날, 넌 니 엄마가 별채에 갇혀 있었단 걸 알았어.
태하	!!
혜숙	그런데 몰래 엄마를 보러 갔다가 그 일이 터진 거지. (표정)

⌒ S#64. 별채, 윤희 방 앞 / 밤 – 23년전 사건 혜숙 회상

복도로 슬그머니 걸어오는 혜숙. 이때, 뒤에서 누군가 다가오는 인기척이

들린다. 혜숙, 벽 뒤로 빠르게 숨는데 보면, 김 간호사와 오박사다! (*두 사
람 낮은 목소리로)

김간호사 (오박사 붙잡고) 문을 잠그라뇨? 오늘 종일 윤희씨 상태가 안 좋
         았어요.

오박사   어쩌겠어. 회장님 명령이야.

혜숙   (!, 작게, 입모양으로) 아버님…? (하고 다시 오박사와 김간호사 보
         는)

김간호사 안 됩니다. 그냥 두면 죽을지도 몰라(요, 하는데)

오박사   (O.L) 회장님 지시라고! 무슨 뜻인지 모르겠어?

김간호사 (그제야) !!!

오박사, 김간호사를 보다 가버린다. 잠시 망설이던 김간호사, 윤희 방으로
와 선다. 떨리는 손으로 문을 잠그고는 도망치듯 가버린다!

〰 S#65. SH서울. 태하 사무실 / 낮

혜숙   그 방은 밖에서 잠그면 안에선 열 수가 없었어. 근데 그 방에
         태하 니가 있는 줄은 다들 몰랐던 거지.

태하   (!!)

〈플래시컷// 4부 S#21. 어린태하, 윤희의 침대 옆에 몸을 낮춰 앉아 있다.

어린태하 (윤희 옆에 기대어) 엄마… 괜찮아? 아직도 많이 아파?

윤희, 힘들어 하는데 딸깍! 문 잠기는 소리. 태하, 문으로 걸어가는데 윤희 발작하고!)

태하   (그날 기억이 떠올라, 괴롭다) ….
혜숙   어린 넌… 살려달라고 문을 두들겼지.

～ S#66. 강회장 집 별채, 윤희 방 안 + 방 앞 / 밤 - 23년 전 사건 혜숙 회상

방 안/ 윤희, 격하게 발작을 하고 있고, 어린태하, 문을 두들기며 '도와주세요! 누구 없어요!' 외치는. (*4부 S#21)

방 앞/ 혜숙, 문을 열려고 하는데 잘 안 된다! 그러다 혜숙의 진주 팔찌가 끊어지면서 문틈 아래로 진주알이 들어간다. 혜숙, 어쩌지! 싶은데 이때 뒤쪽에서 '그래서 죽었단 거야, 뭐야!!' 하는 강회장의 목소리가 들려온다. 놀란 혜숙, 다시 벽 뒤로 가는데.

방 안/ 어린태하, 문틈으로 들어오는 진주알을 보고 문에 있는 작은 창을 보는데 혜숙이 지나가는 게 보인다! (*4부 S#21)

～ S#67. SH서울, 태하 사무실 + 강회장 집, 서재 / 낮

혜숙   그래놓고 나한테 뒤집어씌운 거야. 태하 니가 내 얼굴을 봤으니까! (비아냥) 그래도 난, 널 꺼내주려고 했어.

태하	!! (숨이 가빠오는 것 같고, 심장이 조여오는 느낌, 살짝 비틀거리는)
혜숙	잘 알지? 강회장이 널 어떻게 키웠는지. 죽은 아들 대신 제 손 아귀에 넣고 입맛대로, 마치 인형처럼 그랬잖아. 안 그래?
연우	(태하를 막아주듯 앞으로 나와 서며, O.L) 그만 하세요! 태하씨도 나도, 당신 말 안 믿으니까. (단호하게) 나가요, 당장!! 끌려 나가기 싫으면.

혜숙, 연우 보다가 휙— 뒤돌아서 나간다. 연우, 혜숙이 나가자 태하를 보며 '태하씨…' 하는데 태하, 휘청 다리에 힘이 풀려 비틀거리자 그런 태하를 끌어안는 연우!

강회장 집 서재/ 강회장, 누군가와 통화 중이다.

강회장	아무래도 하나 더 처리해줘야겠어. (표정)

태하를 품에 안은 연우와 강회장의 모습 한 화면에 잡히며.

(엔딩)

187

10부

—

진실의 그늘

S#1. SH서울, 태하 사무실 / 낮 – 9부 S#67 이어서

태하가 휘청이자 그런 태하를 끌어안는 연우.

연우　　… 태하씨….
태하　　(연우 어깨에 기댄 채) 잠깐만… 잠깐만 이대로 있을게요.
연우　　(태하를 안은 채로 가만히 있는다)

TITLE : 진실의 그늘

S#2. 성표 집, 거실 / 저녁

사월, 주방에서 김치볶음밥을 만들고 있고, 그 옆에 성표가 숟가락 들고 서 있고.

사월　　(주걱으로 밥 볶으며) 그 나쁜놈 잡혔으면 다 끝난 거예요?
성표　　그렇죠~! 민대표님도 곧 조사받을 걸요? (숟가락으로 볶음밥 뜨려는데)
사월　　(주걱으로 성표 숟가락 밀어내며) 근데 왜 자꾸 콤콤한~ 구린내가 나지?
성표　　구린내요? (볶음밥 보며) 완전 냄새 죽이는데. (다시 볶음밥 뜨려는데)
사월　　(프라이팬 들어 흔들면서 볶는, 또 성표 방해) 흐음~
성표　　(또 실패!, 숟가락 들고 기회 노리면서) 왜요, 왜 그러는데요~ (하는데)

이때, 문이 열리며 나래가 '다녀왔습니다!' 하고 들어온다. 사월, 프라이팬을 들고 식탁으로 가자 뒤따라가 가는 성표.

사월	(나래 보며) 알바 힘들었죠? 얼른 손 씻고 와서 먹어요!
나래	오~ 김치볶음밥이네요?! (신나서 화장실로 가며) 씻고 언능 나올게요! (성표 보며) 먼저 먹지 마, 알았지?! (하더니 화장실로 가는)
성표	(슬쩍 숟가락으로 김치볶음밥 떠 먹으려는데)
사월	(주걱으로 성표 숟가락 툭— 치며) 암만 생각해도 이상한데~
성표	(하…, 완전 포기하고 숟가락 식탁에 탁— 내려놓고) 그니까, 뭐가요!
사월	그놈이 너무 쉽게 잡힌 것 같아서요. 보란 듯이 행사장에 딱! 나타나서 나 여깄소~! 하는 그런 느낌? 아~ 뭔가 콤콤하고 찜찜해.
성표	(사월 어깨 딱! 잡고) 스타압~! 자꾸 그런 생각하면 더 찜찜해진다니깐요? 이제 진짜 다 끝났으니까 걱정 말아요, 네?
사월	알겠어요. (하면서도 뭔가 찜찜~ 하다)

⌇ S#3. 태하 집, 전경 / 저녁

⌇ S#4. 태하 집, 거실 / 저녁

태하와 연우가 들어온다. 연우, 기운 없는 태하가 마음에 걸리고.

연우	(애써 밝게) 저녁 먹어야죠? 내가 뭐든 만들어 줄 테니 말만 하

191

시오!

태하   … 미안해요. 오늘은 그냥 좀 쉬고 싶어요. (하며 방으로 가는)

연우   (걱정스럽게 가는 태하를 보는)

〰 S#5. 태하 집, 연우 방 / 밤

연우, 침대에 누워 아까 있었던 일을 떠올린다.

〈플래시컷// S#1. 연우 어깨에 기대는 태하.〉

연우, 답답한 듯 몸을 이리저리 뒤척이다가 자리에서 일어나 화장대로 간다. 화장대 서랍에서 상자를 하나 꺼내 열어본다. 보면, 조개팔찌(*6부 S#74)가 있고. 연우, 가만히 조개팔찌를 꼭 손에 쥐어보는.

〰 S#6. 태하 집, 서재 / 밤

태하, 강회장과 함께 찍은 사진 액자(*원 팀 스티커 붙은)를 쳐다본다.

혜숙   (E) 잘 알지? 강회장이 널 어떻게 키웠는지. 죽은 아들 대신 제
           손아귀에 넣고 입맛대로, 마치 인형처럼 그랬잖아. 안 그래?

태하   (생각이 많아진다) …. (하… 마른세수하는)

⌒ S#7. 태하 집, 거실 / 밤

태하, 거실로 나오는데 2층 계단에서 상자(*S#5)를 든 연우가 내려오고 있
다. 태하, 말없이 연우를 보는데 그 앞으로 다가와 서는 연우.

연우	(상자 주며) 그때 별채에서 주운 거요. 혹시 아는 물건인가 해서.
태하	(상자를 여는데 조개팔찌다, !) ….
연우	(태하 반응에) … 어머님 거요?
태히	(끄딕) 네. (팔찌 만지작) 잃어버린 줄 알았는데, 고마워요. (그리운) 부모님 물건은 거의 안 남았거든요.
연우	(보다가) …. (태하 손을 잡는데)
태하	연우씨, 확인하고 싶은 게 있어요.
연우	? (보는)

⌒ S#8. 태하 집, 태하 방 / 밤

태하와 연우, 테이블 앞에 앉아 연우모의 일기(*서책)를 보고 있다.

연우	(당황) 서책 내용이 그대로예요. 민대표 일만 해결 되면 원래대로 돌아올 줄 알았는데.
태하	(보다가) 아직 해결 못한 게 있는 거겠죠.
연우	(?!) 설마 그게 할아버님 일이라고 생각하는 거요?
태하	(바로 말 못하고 망설인다)
연우	(보다가, 태하의 손을 잡는다)

태하	… 부모님이 돌아가시고 내 탓 같아서 너무 괴로웠어요. 근데 할아버지 말대로 민대표 때문이라 생각하니 좀 편해지더라구요. 그때부터였어요, 모든 걸 머리로만 이해하고 내 마음이나 감정 따윈 무시했던 게.
연우	(조심스럽게) 지금은 어떤데요? 진실이 알고 싶소?
태하	… 솔직히 무서워요. 할아버지한테 사실을 확인하는 것도 그냥 이대로 모르는 척 지나가는 것도.
연우	(태하 보며) 두렵겠지만 그게 뭐든 난, 태하씨 결정 믿어요.
태하	(보는)
연우	대신, (태하 보며) 더는 태하씨 마음 외면하지 말아요. 뭘 원하는지, 어떻게 하고 싶은지, 시간이 걸려도 괜찮으니까 도망치지 말라구요. (태하 뺨에 손 올리며) 내가 곁에 있으니까.
태하	(끄덕) … (자기 뺨 위의 연우 손 맞잡으며) … 고마워요.
연우	(끄덕이며 따뜻한 시선으로 태하를 바라본다)

두 사람을 비추던 화면, 테이블 위에 있는 서책을 보여주고.

〰 S#9. 강회장 집, 주방 / 다른 날, 아침

혜숙, 주방에서 물을 마시고 있는데 강회장이 들어온다. 잠시 멈칫했다가 나가려는데.

강회장	무슨 생각인진 몰라도 여기서 빨리 나가는 게 너한테 좋을 거다.
혜숙	(태하한테 아직 얘기 못 들은 건가?) …. (보면)

강회장	그나마 태민이 몫 조금이라도 챙겨가려면 눈치껏 하란 말이야.
혜숙	(하!) 태민이 몫도 챙겨주시게요?
강회장	어찌됐든 정훈이 아들이니까. 지 애비 얼굴도 못 보고, 사랑 한 번 못 받아 봤지만.
혜숙	(보며) 다 아버님 때문이죠.
강회장	나 때문이라고? (허허) 잊었어? 난 분명히 아이 필요 없다고 했다. 손주는 태하 하나면 족하다고. 멋대로 태민일 낳은 건 너잖니.
혜숙	! (화 참고) 그러셨죠. (비아냥) 근데 속상하시겠어요. 너무 귀해서 아버님 입맛대로 키운 그 손주가 요새 제멋대로 굴어서.
강회장	!! (보는)
혜숙	벌써부터 너무 마음 상해 마세요. 앞으로 무슨 일 있을지 또 모르잖아요.

혜숙, 빙긋 웃어 보이더니 나간다. 강회장, 혜숙의 마지막 말이 신경 쓰이는데.

⌒ S#10. 강회장 집, 거실 / 아침

혜숙, 거실로 나와 주방 쪽을 돌아본다. 뭔가 생각하는 표정이고.

⌒ S#11. SH서울, 태하 사무실 / 낮

태하와 연우, 현정이 앉아서 얘기 중이다. 태하, 강회장 일로 생각이 많은.

현정   (서류 건네며) 박연우씨 브랜드 런칭 팝업 일정과 세부 사항입
         니다. 미담에선 런칭 전에 따로 방송 협찬도 협의할 예정이라
         고 합니다.

연우   방송이요? TV에 나간단 말씀이세요?

현정   미담 쪽에 들어 온 의상 협찬인데, 연우씨 옷도 함께 협의하신
         대요. (태하 보며) 일정 확인하고, 홍보 진행할까요?

태하   (할아버지 생각 중) …….

현정   (왜 저러지? 싶은데)

연우   (태하 보며) 태하씨? (하자)

태하   (그제야) 아, 미안합니다. 뭐라고 했죠?

현정   박연우씨 팝업 관련해서 (서류 태하에게 살짝 밀며) 체크 부탁드
         립니다.

태하   (서류 보며) 알겠습니다, 확인해볼게요.

연우   (그런 태하를 걱정스레 보는)

태하, 아무렇지 않게 서류를 보는데 연우, 그런 태하를 물끄러미 본다.

⌒ S#12. SH서울, 마케팅 사무실 / 낮

태민, 자리에 있는데 석주가 휴대폰을 들고 태민 옆으로 와서 보여주며.

석주	(신나서) 태민씨. 이 영상 봤어요? 완전 웃긴 건데, (하는데)
현정	(사무실로 들어오며, 갸웃) 이상하단 말이지….
석주	(헉! 휴대폰 내려두고 일하는 척, 괜히 태민보며 오버하는) 태민씨! 내가 몇 번 말했어요! 제안서는 이렇게 쓰면 안 된다니까?!
태민	(석주 보며, 댕!) 예?
석주	(근엄한 척) 앞으론 모르겠으면 물어봐요, 응?! 이렇게 융통성 없이 어쩌려고 그래~ 승진 안 할 거예요?
태민	(석주가 오버하는 게 웃겨서 안 보이게 큭― 웃는데)
현정	(태민을 보며) 저기 태민씨. 혹시 부대표님 무슨 일 있어요?
태민	글쎄요…. 잘 모르겠는데 왜 그러세요?
현정	회의하는데 뭔가 이상해서. 섬세하게 살~짝 넋이 나갔다고 해야 하나? 평소랑 느낌이 완전 달라. 뭐가 있긴 있는 것 같은데…. (흠)
태민	(뭐지? 무슨 일이 또 생긴 건가? 싶은데)
석주	에이~ 팀장님도 모르시는데 태민씨가 어떻게 알겠어요~ (하는데)

이때, 최비서가 들어와 태민 앞으로 와서 선다. 현정, 석주 무슨 일이지? 해서 보는.

최비서	대표님께서 찾으십니다.
태민	(?) … 그래요? 알겠어요. (하고 일어나 최비서와 나가는)
석주	(?, 현정 보며) 민대표님 비서가 왜 태민씰 데려가지?
현정	(대수롭지 않게) 뭐, 자기 아들한테 할 말 있나 보지.
석주	(!) 아들이요?! 태민씨가 최비서님 아들이었어요?
현정	(헐!) 석주씨, 진짜 일부러 그러니? (하…) 정말 몰라? 강태민씨

197

민대표님 아들이잖아~ 강태하 부대표 동생이고!

석주 (아~) 그럼 그렇지! 최비서님 나이가 있는,(하다) 에?! 강태민 강태하요?!! (잠시 계산) …. (헐! 그대로 풀썩 기절)

현정 (!, 벌떡 일어나 석주에게 와) 석주씨! 정신 차려! 석주씨이—!

석주 (눈 스륵— 뜨며, 울먹) 이거… 몰카예요? 나… 승진 못 해요?

～ S#13. SH서울, 혜숙 사무실 / 낮

태민과 혜숙 마주 앉아 있다.

태민 (!) 뭐라구?? 할아버지가… 뭘 해?

혜숙 …….

태민 (못 믿겠다) 강태하 엄마한테… (하다) 아니지? 거짓말이지?

혜숙 그런 거짓말해서 내가 얻는 게 뭔데.

태민 … 그 얘길… 정말 강태하한테 한 거야? 이제 와서?!! 왜!!!

혜숙 이런 건 적당한 타이밍에 쓰는 거야. 예상보나 빨랐지만.

태민 타이밍…? (하!) 미쳤어. 민대표도 할아버지도, 제정신 아냐! 미쳤다고! 어떻게 그래? 언제든 강태하한테 알려줄 수 있었잖아!

혜숙 얘기했잖아. 말할 때를 기다렸다(고, 하는데)

태민 (절망스럽다, O.L) 이깟 빌어먹을 회사 때문에?! 그게 그렇게 중요해?

혜숙 당연하지. 나한텐 SH를 빼면 아무것도 없으니까.

태민 (!) … (서글픈) 아무것도 없어? (하… 일어서며) 됐다, 그만 얘기하자.

혜숙 한동안 시끄러울 테니 호텔에서 지내.

태민	(보며) 싫어, 내가 왜.
혜숙	태하, 곧 강회장 만날 거야. 그럼 어떻게든 불똥이 튀겠지.
태민	(비아냥) 걱정하는 척 하지 마, 안 어울리니까. (하고 가려다가) 진짜 궁금한데 난 왜 낳았어? 회사 뺏을 때 써먹으려고?
혜숙	…….
태민	(가만히 보다가 돌아서서 가는)
혜숙	(일어서며, 태민 보는) 잔말 말고 호텔로 가. 주총 전에 니 주식 넘겨받으려면 너도 무사해야지.
태민	! (멈춰 서는, 뒤돌아선 채로) … 알아? 민대표 더럽게 잔인한 거. (눈가 붉어지지만 참고 나가버린다)

혜숙, 태민이 나가는 모습을 빤히 보다가.

혜숙	(혼잣말처럼) 잘 알지. 근데 그게 너한테도 좋을 거야. (아픈 마음 감추는)

◠ S#14. SH서울, 승강기 안 + 앞 / 낮

승강기 안/ 태하, 머리가 아픈지 손으로 미간을 만진다. 연우, 옆에서 보다가 태하 손을 잡는다. 태하, 쳐다보면 연우가 태하를 자기 쪽으로 잡아당기며.

연우	(부러) 사기꾼 양반이 너~무 멋져서 보쌈 좀 할까 하는데, 괜찮겠소?
태하	(?, 당황) 네? 보쌈이요?!

연우   (시침 뚝) 그렇게 왜 그리 잘났소? 요 눈, 코, 입 하나하나 꼭 빚
       은 것처럼! (흠~) 내 지금 당장 보쌈해서 집에 데려갈 테니, 오
       늘은 아~무 생각 말고 푹 쉬는 거요, 알았소?

태하   (그제야 연우 맘 알고, 고마운) … 그럴까요, 그럼? (하는데)

이때, 승강기가 도착하고 문이 열린다. 문 앞에 하나가 서 있다. 하나, 태
하와 연우를 보고는 꾸벅 인사만 하고 가만히 있는다. 이내 문이 닫히려는
데,

연우   (열림버튼을 누르고) 타세요.

하나   (잠시 망설이다 일단 올라탄다) …….

연우   (하나에게 말 걸어주는) 팀장님께서 팝업스토어 도면 보여주셨
       는데 되게 깔끔하더라구요. 유대리님께서 애 많이 쓰셨다면서
       요, 감사합니다.

하나   아니에요. 제 일인데요, 뭘.

연우   (태하 옆구리 콕— 찌르며, 말하라고 눈짓)

태하   … (마지못해) 수고했습니다.

하나   (목례로 답하는)

다시 승강기가 도착하고 문이 열리자 태하와 연우가 내린다. 연우, 하나에
게 목례하고 나가는데 문이 닫히려는 순간 이번엔 하나가 열림버튼을 누른
다. 연우가 돌아보면.

하나   … 두 분께 따로 드릴 말씀이 있습니다.

태하/연우   (뭐지? 해서 보는)

～ S#15. SH서울, 태하 사무실 / 낮

태하와 연우, 하나가 소파에 앉아 있다. 하나, 결심한 듯 말을 시작한다.

하나	마케팅팀에 들어간 이후로, 회장님 명령으로 줄곧 부대표님을 감시하고 있었습니다.
태하/연우	(!!) 뭐라구요? / (놀라는)
하나	(휴대폰*강회장이 하나에게 따로 준*을 내밀며) 그 안에 회장님과 나눈 모든 대화가 들어 있습니다, 제가 보낸 박연우씨 사진두요.
연우	! (당황) 유대리님, 대체 이게…?
하나	두 분 계약결혼도 다 알고 계셨어요. 결혼 당일 신부가 안 온 것도 회장님이 손 쓰신 겁니다. 그리고… 미국에서 수술받는다는 것도 다 거짓말,
태하	(O.L) 그만! 그만 해요. 됐습니다.
하나	(고개 숙이며) 정말… 죄송합니다.
태하	(하…) 왜, 인제 와서 이런 얘길 하는 거죠?
하나	… 부끄러웠습니다. 절 믿어준 사람들을 그동안 속여왔다는 게. (태하와 연우 보며) 제가 저지른 일에 대한 책임은 어떤 방식으로든 지겠습니다.
태하	…….
연우	(말이 없는 태하를 걱정스럽게 보는데)
태하	(차분한) 알겠어요. 유대린 그만 돌아가봐요.
하나	… (자리에서 일어나 꾸벅 인사하고 나간다)
태하	(뭔가 생각하는) …… (그러다) 할아버지 봬야겠어요.
연우	(!) 지금 말이요? 그러지 말고 일단 생각 좀 정리하고, (하는데)

태하	(일어서며, O.L) 아뇨. 지금 가야 정리할 수 있을 것 같아요.
연우	(일어서는) 그럼 나도 같이 가겠소.
태하	(연우 보며) 이건 내가 해결할 문제예요. 연우씬 먼저 집에 가 있어요.
연우	(걱정스럽게 태하를 보는)

⌒ S#16. 강회장 집 전경 / 낮

⌒ S#17. 강회장 집, 서재 / 낮

강회장, 테이블에 앉아서 회중시계를 쳐다보고 있는데 문이 열리고 태하가 들어온다.

강회장	(?!) 무슨 일이야? 연락도 없이.
태하	(강회장 앞으로 다가와 쳐다보는) …….
강회장	왜? 문제라도 생긴 거야? 하원의원 일도 잘 끝났다며. (하는데)
태하	… 할아버지, 연우씨랑 저 계약결혼인 거 첨부터 알고 계셨어요?
강회장	(!) …… (일어서는) 점심 전이면 밥이나 먹자꾸나. (태하 옆을 지나가는데)
태하	(괴롭지만) 그날… 별채에서 엄말 그렇게 만든 것도 할아버지세요?
강회장	!!! (보는)

⌒ S#18. SH서울, 태하 사무실 / 낮

연우, 휴대폰을 들고 안절부절 왔다갔다 하다가 밖으로 나가려는데 성표가
들어온다.

성표   (나가려던 연우 보고) 어디 가세요? 부대표님이 댁에 모셔다드
             리랬는데?
연우   할아버님댁에 가야겠소.
성표   회장님댁이요? 거긴 왜… (하는데)
연우   (O.L) 시간 없으니 빨리 갑시다. (하더니 먼저 나간다)
성표   (!, 쫓아가며) 같이 가요, 연우님!!

⌒ S#19. 강회장 집, 서재 / 낮

강회장, 태하를 마주 보고 서 있다.

강회장   누가 그런 소릴 하든? … 민대표니?
태하   (보면)
강회장   (고개 돌리며) 니 엄마, 심장병이었어. 너도 알잖아.
태하   그날 분명히 누군가 밖에서 문을 잠갔어요. (괴로운) 말해주세
             요. 엄말 별채에 방치해 놓고 그걸 다 민대표 탓이라고 거짓말
             하신 거 맞냐구요!
강회장   …….
태하   (강회장 앞으로 다가서며) 할아버지!!!
강회장   그게 뭐! (태하 보며) 내가 내 아들 위해서 그런 게, 왜.

태하	!!! (충격)
강회장	윤희 그것만 아녔어도 정훈이 그렇게 안 됐어. 내가 뭐든 다 줄 거였다고, 내가! 근데 어디 그딴 가당찮은 게 들러붙어서 감히, (하는데)
태하	(O.L) 어떻게 그러실 수가 있어요!
강회장	내 아들이니까! 세상에 자식 잘못되란 부몬 없어!!
태하	그래서 저한테도 그러신 거예요? 거짓말까지 하면서?
강회장	당연하지! 너도 내 새끼니까. 잊었어? 혼자 남은 널 여태껏 품고 키운 게 나야, 내가 널 살렸다고!
태하	아뇨!! 절 지옥으로 밀어 넣으셨어요!
강회장	(!, 보는)
태하	(서글픈) 마지막까지 내 손을 잡던 엄말 뿌리치고 죄책감에 평생 괴로웠어요. (하⋯) 민대풀 원망하고 증오하느라 내 마음은 온통 엉망이었다구요!
강회장	그래서 회사고 뭐고 다 주겠다잖아! 니 결혼도 내가 하란 대로 했음 됐어! 근데 그런 근본도 모르는 애 때문에 다 포기해? (하!) 너도 니 애비랑 똑같은 실패작이야! 내가 연우 그 앨 용서할 것 같아?!
태하	(!) ⋯ (보다가, 차갑게) 그 사람 건들지 마세요. 아무것도 하지 말라구요. (결심한 듯) 이제 저, 할아버지 손자 아니니까.
강회장	뭐?!
태하	엄말 죽게 내버려 둔 것도 절대 용서 안 할 겁니다. (하는데)
강회장	(태하 뺨을 때린다) 마음대로 해. 이 배은망덕한 놈!
태하	(아무렇지 않은 얼굴로 강회장 보는) ⋯.
강회장	가진 거 다 뺏기고도 그런 소리가 나올 것 같아? 니 애비도 결국 나한테 돌아와 손 벌렸어, 윤희 그거 살려 달라고!

| 태하 | 그런 일 없을 테니 걱정 마세요. (보다가 돌아서서 나간다) |
| 강회장 | ! (지팡이를 꼭 쥔 손이 부들부들 떨린다!) |

∿ S#20. 강회장 집, 앞 + 성표 차 안 / 낮

성표 차 안 / 연우와 성표가 차 안에 앉아 있다. 연우, 불안한 듯 창밖을 보는.

| 성표 | (백미러로 연우 보다가) 저라도 안에 들어가볼까요? |
| 연우 | (잠시 생각) … 아니오, 내가 들어가보는 게, (하며 나가려는데) ! |

차창 밖으로 태하가 문 밖으로 나오는 게 보인다. 연우, 차 문을 열고 뛰어나가는.

강회장 집 앞/ 태하, 천천히 걸음을 옮기려다 다리에 힘이 풀린 듯 무릎을 꿇으며 앉는다. 이때, 연우가 다가와 태하를 끌어안는데 태하의 숨소리가 이상해 쳐다보는데. 태하, 심장이 아픈 듯 가슴을 꼭 쥐면서 거칠게 숨을 몰아쉰다!

| 연우 | ! (놀라서 보며) 태하씨!!! |

∿ S#21. 성표 집, 거실 / 저녁

사월, 소파에 앉아 놀란 얼굴로 성표를 보고 있다. 성표, 참담한 얼굴이고.

사월	말도 안 돼요… 회장님이… (하…, 벌떡 일어서는)
성표	(!, 따라 일어서며) 왜요? 어딜 가려구요?!
사월	애기씨한테 가봐야죠! (속상한) 도련님도 쓰러지셨다는데 얼마나 놀라셨겠어요. 나라도 가서, 어… 죽이라도 챙겨드리고, (하는데)
성표	(사월 손잡으며) 사월씨, 지금은 아니에요.
사월	아니긴 뭐가 아니에요!
성표	사월씨만큼 나도 속상하고, 화나고, 부대표님 생각하면 너무 안쓰러워요. 근데… 우리가 나설 일은 아닌 것 같아요.
사월	(보는) ….
성표	두 분이 먼저 우리 찾을 때까지 기다려줍시다. 응?
사월	하기야 힘든 사람한테 중뿔나게 이러쿵저러쿵… 그게 젤 나쁘네요. 그 타는 속을 어찌 다 안다고.
성표	그러니까 그냥 곁에서 묵묵히 지켜봐 주자구요.
사월	(끄덕이며) 그럴게요.
성표	(사월 안아주며) 우리 에이프릴, 진짜 예쁘다. (토닥토닥 해주는)

⌒ S#22. 태하 집, 태하 방 / 저녁

태하, 누워 있고. 현욱, 태하의 상태를 살피고 있다. 연우, 그 옆에 있고.

현욱	(연우 보며) 약 기운 때문에 계속 잘 겁니다. 너무 걱정 마세요. (하다가) 최근에 스트레스 받는 일 많았나요?
연우	……. (말은 못 하고, 걱정스레 태하를 보는)

⌒ S#23. 태하 집, 거실 / 저녁

연우와 현욱, 마주 앉아 있다. 놀란 눈으로 현욱을 보는 연우.

연우   입원을 하라뇨? 그런 얘긴 못 들었는데… (하는데)

현욱   역시 얘기 안 했나보네요. (흠…) 태하 심장, 계속 이렇게 두면 얼마 못 버틸 겁니다.

연우   (!!) 네?? 못 버틴다뇨? (하다, !) 설마… (죽는다고?)

현욱   당장 입원부터 해야 합니다. 최근까진 괜찮았는데 석 달 전부터 갑자기 안 좋아졌어요, 대체 무슨 일이 있었던 건지.

연우   … 석 달 전이요? (뭔가 생각하다가, !)

현욱   뭐 짐작 가는 거라도 있어요?

연우   아뇨, 아니에요. (머릿속이 복잡한)

현욱   (보는데)

연우   제가 알고 있다는 거 태하씨한텐 일단 비밀로 해주세요, 부탁드릴게요.

현욱   알겠습니다. 대신 태하 입원 서둘러 주세요.

연우   네. 그럴게요. (마음이 무겁다)

⌒ S#24. 태하 집, 연우 방 / 저녁

연우, 뭔가 복잡한 얼굴로 배롱꽃을 쳐다보고 있다.

현욱   (E) 석 달 전부터 갑자기 안 좋아졌어요.

연우   … 석 달 전이면 내가 여기 오고 나서부터란 소린데. (하다) 아

냐, 그럴 리 없어, 말도 안 돼. (하면서 배롱꽃을 보는데)

배롱꽃 하나가 툭— 하고 떨어지더니 창가 쪽으로 재가 돼 날아간다. 연우, 재가 된 배롱꽃을 따라 창가로 시선을 옮기는데 창틀 위로 초록나비가 날아와 앉는다. 연우, 놀란 눈으로 쳐다보고!

〜 S#25. 태하 동네 일각 / 저녁 (*6부 S#14과 같은 장소)

초록나비가 날아가고 그 뒤를 쫓아가는 연우. 그러다 뭔가를 보고 멈춰 선다. 보면, 천명이 야경을 보며 서 있다. 연우, 천천히 천명 옆으로 다가가 서는.

천명 (야경을 보며) 배롱꽃이 왜, 배롱꽃인 줄 아세요?

연우 (?) … 그야 백일동안 꽃을 피운다고 해서, (하다가, !, 천명을 보며) 갑자기 그건 왜 묻는 건데?

천명 애기씨가 여기 온 지 백일이 되면 마지막 배롱꽃이 질 겁니다. 그날, 조선으로 돌아가는 마지막 시간의 문이 열릴 겁니다.

연우 (!) 조선에 돌아갈 수 있단 거야?

천명 물론 돌아가지 않아도 괜찮아요. 하지만, (연우를 보며) 만약 애기씨가 이곳에 머문다면 강태하씨의 심장은 멈추게 될 겁니다, 전생에서처럼.

연우 (!!!!!)

천명 (보는) 과거가 변하지 않으면, 현재도 바꿀 수 없는 법이니까요.

연우 … 돌아갈지, 남을지 선택하라고? (하…) 돌아가면 모든 게 그

냥 꿈처럼 끝날 거고, 여기 남으면 그 사람이 죽는 거잖아. 그
게 내 운명이란 거야?

천명   어떤 운명이든 선택의 순간은 늘 있죠.

연우   (원망스런) 나한테 왜 이러는 거야?

천명   그저 빚을 갚는 겁니다. 오래전 누군가와 했던 약속을 지키려
구요. (표정)

〰 S#26. 조선시대, 숲속 / 낮 - 천명 회상

색목인 꼬마천명(*10세)에게 '저 눈 좀 봐!' '괴물이다!' '저리 가!' 돌을
던지는 서너 명의 아이들. 꼬마천명, 머리에 돌을 맞아 피가 흐르는데 이
때, 호은이 나타나 ' 네, 이놈들!' 소리치고는 쫓아낸다.

호은   (꼬마천명에게 와) 괜찮니? 어디 다치진 않았어? (바닥에 떨어져
있는 회중시계*연우 것* 주워 주며) 이거 네 거 맞지?

꼬마천명   (회중시계 받아서 보다가, 다시 호은에게 준다) 받으세요, 드릴게
요.

호은   나한테? 아니야, 안 그래도 돼. (머리를 쓰다듬고) 대신 너도 곤
경에 처한 사람을 보면 그때 꼭 도와주렴, 그거면 돼.

꼬마천명   그래서 드리는 거예요. 그 약속, 꼭 지키겠단 의미로.

꼬마천명, 호은 손에 회중시계를 쥐여 준다. 호은, 가만히 시계를 보는.

⌒ S#27. 태하 동네 일각 / 저녁 – 현재

연우   … 그래서 우물에 빠진 날 구해준 거야?

천명   누군가의 작은 선의가 때론 사람을 살리기도 하니까요. 제가
할 수 있는 건 애기씨의 시간을 움직이는 것 뿐이에요. 그 시간
속에서 뭘 할 건진 스스로 정하세요, 늘 그랬듯이.

연우   (천명을 보는) …. (생각이 많아진다)

⌒ S#28. 강회장 집, 혜숙 방 / 저녁

혜숙, 테이블에 앉아 황명수에게 전화 거는데 〈전화기가 꺼져 있어…〉 안
내음.

혜숙   (전화 끊고) 황명수… 대체 무슨 생각인 거야?! (하는데)

문이 열리고 강회장이 들어온다. 혜숙, 놀라 일어서는데 앞으로 다가와 서
는 강회장.

강회장   선물 잘 받았다, 제법이더구나.

혜숙   태하도 알아야죠, 이제 다 컸으니까.

강회장   (혜숙의 손목을 꽉 잡더니 위협하듯 자기 쪽으로 당긴다)

혜숙   ! (그래도 차분하게) 뭐 하시는 거예요, 지금.

강회장   왜, 겁은 나? 애미 년, 아직 멀었어. 네가 한 짓은 잃을 게 없을
때나 하는 거야. (손목 탁! 놓으며) 건방지게, 어딜!

혜숙   저보단 아버님께서 잃을 게 더 많은 것 같은데. (훗!) 연우가 있

는 한 태하, 절대로 안 돌아와요. 어쩌죠? 서윤희처럼 아픈 몸도 아니라.

강회장   이젠 정말 눈에 뵈는 게 없는 모양이구나.

혜숙   협박 그만 하세요. 아버님과 제가 한 짓, 사람들이 좋아하는 재벌가 가십으론 충분한데 괜찮으시겠어요?

강회장   (!!)

혜숙   요즘 인터넷이 그렇게 무서워요. 아버님도 아직 멀었네요.

강회장   (웃는) 그래, 그 정돈 돼야 내가 상대하지. 덕분에 뭘 해야 할지 더 확실해졌어. (혜숙 어깨 툭툭─ 치고) 고맙다, 애미야.

강회장, 홋! 웃으며 돌아서 나간다. 혜숙, 긴장이 풀린 듯 털썩! 의자에 앉는다!

◟ S#29. 태하 집, 태하 방 / 밤

문이 열리고 연우가 들어온다. 연우, 태하 옆으로 와 침대에 조용히 앉는다.

연우   (태하를 보며) 어머님의 서책이 왜 그대로였는지, 왜 내가 여기 온 건지… 이제야 조금 알 것 같소. (잠든 태하의 머리카락을 넘겨주며) 걱정 마요. 다… 잘 될 거니까. (슬픈 미소를 짓는)

~ S#30. 태하 집, 전경 / 다음날, 아침

~ S#31. 태하 집, 태하방 / 아침

태하, 아침 햇빛에 부스스 눈을 뜨는데 연우가 옆에 누워서 말똥말똥한 눈으로 태하를 보고 있다. 태하, 헉! 해서 벌떡 일어나 앉으며,

태하   (!) 여… 여기서 뭐 해요?!

연우   (일어나 앉으며, 일부러 능청) 뭐 하다뇨? 기억 안 나요? 어젯밤에
         제발 내 옆에 있어 달라고 그렇게 난리를 쳐놓고.

태하   (?, 무슨 소리지? 보면)

연우   (태하 톤으로) 연우씨~ 너무 좋아요. 제발 가지 마요~~ 옆에 있
         어요! (다시 자기 톤으로) 이러면서 잠꼬대 했잖소.

태하   … 잠꼬대…? 내가요??

연우   (끄덕이며) 막 뽀뽀도 해달라고 이렇게 입술도 내밀고, (하는데)

태하   ! (O.L, 손으로 연우 입술 막으며) 지금 나 놀리는 거 맞죠.

연우   (태하 손잡아 내리며) 눈치 챘소? (큭ー) 에이~ 재미없게. (웃는데)

태하   (연우를 말없이 보는)

연우   (?, 살짝 뜨끔) 왜, 장난쳐서 화났소? (하는데)

태하   (연우를 끌어안는다)

연우   (!)

태하   많이 놀랐죠, 미안해요. 이제 다신 연우씨 걱정시키지 않을게요.

연우   … 정말 괜찮은 거요?

태하   (안은 거 풀고, 연우 보며) 이렇게 애써주는 사람이 있는데 어떻
         게 안 괜찮겠어요.

연우   (보는, 자기가 왜 장난쳤는지 알아주는 게 고맙다)

태하   (잠시 보다가) 연우씨, 오늘 나랑 어디 좀 갈래요?

∼ S#32. 성표 집, 거실 / 낮

사월, 소파에 앉아 지갑(*귀여운 천지갑)을 열어 보고 있다. 보면, 천 원짜리 두세 장, 동전 몇 개가 전부다.

사월   그지도 이런 상그지가 없네. (하…) 나중에 애기씨한테 갈 때 뭐라도 사가려고 했더니. (집 둘러보며, 하…) 뭐라도 내다 팔까?

나래   (방에서 나오며) 언니~ 나 알바가요. 오늘 두 탕이라 좀 늦어요.

사월   (알바?, 벌떡 일어나 나래에게 와) 나도 알바하고 싶은데. 소개 좀 해줄 수 있어요?

나래   오빠가 알면 화낼 텐데, 괜찮겠어요?

사월   비밀로 하면 되지~! 소개만 해주면 그 담은 내가 다~ 알아서 할게요. 응?

나래   (흠… 고민하는)

∼ S#33. 전집 안 + 앞 / 낮

여주인, 놀란 눈으로 쳐다보고 있다. 보면, 사월 엄청난 속도로 재료(야채, 고기 등) 자르고 → 밀가루 묻히고 → 전 부치고 → 그릇에 가지런히 쌓이는 전들!

사월	(휴~ 하며 땀 한번 닦고 쓱— 주인 쳐다보면)
전집주인	(사월 손잡으며) 일합시다, 오늘부터 당장!
사월	저 꽤 비싼데. 돈은 많이 주실 거죠?
전집주인	아, 그럼~! (웃으며) 통장사본, 보건증, 그리고 신분증 챙겨와요.
사월	신… 신분증이요? (눈 굴리다가) 제 얼굴이 완전 신분증인데.
전집주인	(엥? 뭐래는 거야, 보는)

전집 앞/ 사월, 한숨을 쉬며 전집에서 나온다. 걸어가며.

사월	염병~! 뭔 일 하나 하는데 가져오란 게 그렇게 많아! 됐어! 안해! (멈춰 서서 돌아보며) 나도… 새조선에서 사는 사람인데. (속상한)

〰 S#34. 납골당 안 / 낮

연우와 태하, 윤희와 정훈의 납골함(*둘이 같이 있음) 앞에 서 있다.

연우	(윤희와 정훈 사진 보며) 태하씨가 부모님을 많이 닮은 것 같소.
태하	(연우 보며) 미안해요, 더 빨리 데려왔어야 했는데.
연우	(태하 보며) … 어떤 분들이셨소? 물어봐도 돼요?
태하	엄만 연우씨처럼 따뜻하고 강한 분이셨어요. 아버진… 그런 엄말 많이 사랑하셨구요. (연우 손잡고) 두 분 다 연우씨 보면 참 좋아하셨을 텐데. (부모님 사진 보며) 이 사람이에요, 평생 내 곁에 있어 줄 사람. 잘됐죠?

연우   (평생이란 말에 마음이 무겁다) ….

⌒ S#35. SH서울, 혜숙 사무실 / 낮

혜숙, 책상 앞에 앉아 있고 옆에 최비서가 서 있다.

최비서   경찰에서 참고인 조사 때문에 계속 연락이 오는데 이떡힐까
           요?
혜숙   황이사는? 아직도 연락이 안 돼?
최비서   네. 며칠째 출근도 안 하고 있습니다.
혜숙   (뭔가 생각하다가) 황명수 인사기록 뒤져서 전부 연락해봐. 무
           조건 내 앞에 데려오라고, 알겠어?
최비서   네! 알겠습니다. (꾸벅 인사하고 나가는)
혜숙   (이상한) 황명수… 분명 뭔가 있어…. (하… 골치가 아픈)

⌒ S#36. 납골당 복도 + 납골당 안 / 낮

꽃을 들고 걸어가는 누군가의 뒷모습이 보인다. 보면, 황명수다. 한편, 건
너편 좀 떨어진 곳에서 연우와 태하가 걸어 나오는데, 황명수가 벽 뒤로 사
라지기 직전 고개를 돌리던 연우가 언뜻 황명수를 본다! 연우, 응? 해서
잠시 멈춰 서는데.

태하   왜 그래요?
연우   … 누굴 좀 본 것 같아서요.

215

태하	누구요? (하며 주변을 살피는데 아무도 없다)
연우	아니오, 내 잘못 본 모양이오.

납골당 안/ 황명수, 윤희 정훈의 납골함 앞에 서 있다. 정훈이 죽은 날짜 〈2000.09.02〉를 빤히 쳐다보다가 몇 발자국 옆으로 이동해서 〈구지은 (1975.04.12~2000.09.02)〉이란 이름의 납골함 앞으로 와 선다. 납골함 옆엔 결혼반지와 애기 신발, 사진이 있다. 황명수, 말없이 납골함을 보고 있는데.

〈회상 인서트// *9부 S#61 인서트 이후 상황. 병원, 황명수(*26세)가 의사1의 멱살을 잡고 있다.

황명수	수술해준다고 했잖아! 살려준다며!! 근데 왜 그랬어, 왜!!〉

다시, 납골함을 보고 있는 황명수의 얼굴로 디졸브.

황명수	걱정 마, 이제 다 끝나가니까. (슬픈 미소)

⌢ S#37. 납골당 인근 강가(혹은 호수) / 낮

태하와 연우, 강을 보며 벤치에 앉아 있다.

연우	(조심스럽게) 할아버님과는 정말 연을 끊을 생각이오?
태하	(강을 보며) … 잘 모르겠어요, 나한테 가족은 할아버지뿐이었으니까. 그냥 다 원망스러워요. 날 속인 것도, 끝까지 잘못을

인정 안 하시는 것도.

연우　(태하 보다가, 강을 보며) 그때 그랬죠? 할아버님 뜻대로만 살았다고.

태하　(연우 보는)

연우　그건 그냥 할아버님을 아끼는 태하씨 마음이었던 거예요. (태하 보며) 잘못했다거나 후회할 일이 아니라.

태하　… 용서가 안 돼요. 할아버지도 나도.

연우　괜찮아요, 용서가 전부는 아니니까. 중요한 건, (태하 가슴에 손 올리고) 여기서 하는 소릴 제대로 듣는 거요, 그게 어떤 마음이든.

태하　(제 가슴의 연우 손잡아 내리고, 주변을 보다가) 우리 이런 데서 살까요? 다 잊고 조용한 곳에서 아무도 모르게.

연우　좋소, 그게 태하씨가 원하는 거라면. 근데 도망치는 거면 혼자 가요. 알죠? 내가 누군지.

태하　(웃으며) 금쪽 같은 애기씨요?

연우　알면 됐소. (웃는)

∿ S#38. 성표 집 일각, 편의점 / 저녁

사월, 야외 의자에 앉아 안주 없이 캔맥주를 마시고 있다.

사월　크~ 쓰다. 인생처럼 쓰다! (맥주를 툭— 치며) 야! 넌 그래도 좋겠다, 씁쓸해도 쓸 만은 하잖아. 난 여기서 아무것도 아닌데, 쓸모도 없고.

이때, 퇴근하던 성표가 그런 사월을 발견하곤 응? 하더니 다가와 선다.

성표   사월씨! 여기서 뭐 해요?

사월   그냥요, 좀 답답해서. (하…)

성표   … (사월 옆에 앉으며) 나 때문이죠? 내가 싫어져서… 괴로운 거
죠?

사월   ?! (엥? 해서 보는)

성표   나래한테 들었어요, 알바 구한다고. 우리 집에서 나갈 생각이
에요?

사월   아니, 그게 아니라, (하는데)

성표   (오버, O.L) 그럼 왜 이러는데요?! 왜 깡맥주를 까고 있냐구요!

사월   그냥… (우씨!) 내가 새조선에선 반푼이 같아서 그래요!

성표   (엥?) 반,푼이…?

사월   (울먹) 있는 거라곤 달랑 촌스런 이름 하나뿐이잖아요! 애기씨
한테 도움이 되길 하나, 일을 해서 돈을 벌길 하나, 성표씨 집
에 얹혀살기나 하고!

성표   (검지로 사월 입술을 막으며) 사월씬 그래도 돼요. 나한테 얹혀살
아도 되니까 (가만히 보다가) 그냥 나랑, 결혼해요!

사월   (?!!) 뭐… 뭐요?!!! (하는데)

성표   (맥주 캔고리를 똑! 따더니) 나 홍성표, (사월 손을 잡아 약지에 고리
를 살짝 걸치며) 사월씨를 아내로 맞고 싶어요. 허락해 줄래요?

사월   (약지에 걸쳐진 캔고리 보는) ……. (그러다 딸꾹?!)

성표   (?!, 보는데)

사월   (딸꾹!) 할게요! (딸꾹!) 무조건 할래요! (또 딸꾹! 하는데)

성표   (웃더니 그대로 사월을 잡아당겨 입을 맞춘다)

사월   (성표와 입 맞춘 상태로 또 딸꾹! 하면서도 빙긋 웃는)

S#39. 태하 집, 전경 / 저녁

S#40. 태하 집, 거실 + 서재 앞 + 서재 안/ 저녁

불이 꺼진 거실. 연우, 거실로 내려와 주방으로 가려다가 서재에서 살짝 빛이 새어 나오는 걸 발견한다. 다가가 보면 문이 살짝 열려 있는데 그 사이로 태하가 보인다.

서재 안/ 태하, 강회장과 찍은 사진이 담긴 액자를 가만히 보고 있다가 서랍을 열고 액자를 안에 넣으려는데 잠시 머뭇거린다. 그러다 이내, 액자를 집어넣는. 무거운 얼굴이다.

서재 앞/ 연우, 그런 태하를 보다가 돌아선다. 생각이 많은 얼굴이고.

S#41. 태하 집, 연우 방 / 저녁

연우, 침대에 앉아 뭔가 생각한다.

〈플래시컷//
S#37.

태하　　　잘 모르겠어요. 나한테 가족은 할아버지뿐이었으니까.

S#40. 무거운 얼굴로 액자를 서랍에 집어넣는 태하.〉

219

연우   (결심하고, 강회장에게 전화 거는) 할아버님, 저 연웁니다. 내일
          좀 뵙고 싶은데요. (사이) 아뇨, 제가 댁으로 가겠습니다. (표정)

⌒ S#42. 강회장 집, 서재 / 저녁

강회장   (통화) 그래, 알았다. (전화 끊고, 뭔가를 생각하다가 어디론가 전화
          를 거는) 어, 나야. 지난번에 말했던 그 일, 진행해야겠어. (표정)

⌒ S#43. SH서울, 마케팅팀 사무실 / 다음 날, 아침

연우, 현정, 태민이 테이블에 앉아 브랜드 〈연우〉의 로고 시안들을 보고 있
다.

현정   (시안 보며) 이것도 좋고… 얘도 깔끔하다. (연우 보며) 연우씬
          어때요?
연우   모양새도 그렇고 색깔도 다 맘에 들어서 뭘 골라야 할지 모르
          겠어요.
현정   나도 그런데. (흠…) 로고 시안 준비한 태민씨가 고르자, 그럼.
연우   (!, 분대꾼이 했다고? 해서 보는)
태민   (시안1 가리키며) 이거 어떠세요? 박연우씨 옷에서 느껴지는 따
          뜻함과 자유로움? 뭐 그런 거랑 잘 어울리는 거 같은데.
현정   (흠~) 괜찮은 거 같은데? (문자가 오는, 확인하고) 미안, 마무린
          둘이 좀 해야겠다. 나 홍보팀에 다녀올게. (하고 나가는)
태민   (연우 보며) 시안 다시 보고 의견 있음 얘기해 줘.

연우	… 고마워요. 이런 것도 다 준비해주고.
태민	일인데, 뭘. (하다가, 조심스럽게) … 강태하 어때? 괜찮아?
연우	! (보는) … 알고 있었어요?
태민	민대표한테 들었어. (하…) 정말 최악이지? 우리 집. 괜히 내가 미안하네.
연우	그럴 필요 없어요. 나 괜찮으니까. (하다가) 그리고 내가 아니 잖아요, 태민씨가 진짜 걱정하는 사람.
태민	(!) ….
연우	분대꾼은 분대꾼답게 굴면 돼요. 태하씨한테도 어머니한테도 할 말 있음 솔직하게 하라구요. 그게 강태민 아닌가?
태민	(피식―) 그런가? (하다) 근데 그 분대꾼이 뭐야?
연우	그게 뭐… 분란 일으키고, 사고치고…. (큼… 시선 피하면)
태민	뭐? (푸하! 웃다가) 정말 딱이긴 하네. (하다가) 근데 하나 틀렸어. 난, 너도 걱정되거든? 할아버지 이대로 포기할 분 아냐.
연우	그래서 생각 중이에요, 나랑 태하씰 위해서 뭘 해야 할지.

〰 S#44. SH서울, 매장 / 낮

태하와 성표 걸어가고 있다.

성표	아무래도 황이사가 자취를 감춘 것 같습니다.
태하	아직도 무단결근 중입니까?
성표	경찰에서 지난번 사건 참고인 조사 때문에 계속 연락 중인데, 연결이 안 된답니다. 민대표랑 뭔가 있는 걸까요?
태하	민대표 쪽에서 뭔가 새로운 일을 꾸미는 건 아닐 겁니다. 이미

보여줄 패는 다 보여줬으니까요.

성표 　(조심스럽게) 회장님과 관련 있는 건 아니겠죠? 느낌이 안 좋아서요.

태하 　(!, 멈춰 서서 보는)

성표 　한 가지만 더 말씀드리겠습니다. 필요하다면 회장님과도 맞서세요. 누가 뭐래도 여기까지 오신 거 부대표님 힘입니다. 그러니 물러서지 마십시오. (꾸벅) 주제 넘는 참견, 죄송합니다.

태하 　괜찮아요, 늘 주제 넘었잖아요.

성표 　! (당황) 아니… 그게 전… 어쨌든 부대표님 편이니까, (하는데)

태하 　그래서 고맙다구요, 늘. (미소 짓고, 다시 가려는데) !

앞에서 태민이가 다가와 태하 앞에 선다. 태하, 그런 태민을 보는.

〜 S#45. SH서울, 옥상 / 낮

태하와 태민, 옥상 끝에 서서 밖을 보고 있다.

태민 　(말없이 보다가) 민대표가 한 모든 일, 대신 사과할게. 미안해.

태하 　(!, 보는) 니가 왜, 그럴 이유 없어.

태민 　그래도 엄마니까 이 정돈해야지. 나도 내가 할 일은 해야겠다 싶어서. (하다가) 근데 지난번 그 약 사건은 다시 한번 잘 알아봐.

태하 　무슨 의미야?

태민 　(앞을 보며) 그냥 느낌이 그래. 민대표 그렇게 바보 아니잖아. 그리고… 그 정도로 엉망은 아니라고 믿고 싶어.

태하	(앞을 보는) …….
태민	할아버지, 어쩔 거야?
태하	생각 중이야, 내가 뭘 원하는지 제대로 보려고. 그럼 답이 나오겠지.
태민	(훗!) 그래. 알아서 잘하겠지, 그게 뭐든. (태하 보며) 너무 애쓰진 말고. 어차피 이제 시작이잖아. (태하 어깨 툭— 치며 간다)
태하	(가는 태민의 등을 가만히 쳐다본다)

〜 S#46. 강회장 집, 앞 / 늦은 오후

연우, 가만히 강회장 집을 올려다보고 있다.

〜 S#47. 강회장 집, 서재 + 밀실 / 늦은 오후

비어 있는 서재. 똑똑 노크와 함께 연우가 안으로 들어온다. 연우, 강회장이 안 보이자 주변을 둘러보는데 이때,

강회장	(E) 이리 와 보렴. 보여줄 게 있어.

연우, 돌아보면 밀실 문이 조금 열려 있고 그 안에 서 있는 강회장이 보인다. 밀실로 다가가 문을 열고 들어가는 연우. 안을 살피다가 뭔가를 보고 놀란다. 보면, 중앙에 어린 연우 그림이 걸려 있다. 연우, 놀라서 보다가 강회장을 보는데.

강회장	너랑 참 닮았지? 어릴 때 아버지 화랑에서 보고 한눈에 반했었어.
연우	(강회장 보는)
강회장	내가 가질 수 없는 그림이었거든.
강회장부	(E) 그만 욕심부려!

⌢ S#48. 화랑 내실 / 낮 - 강회장 회상

젊은 강회장(*20대 중반) 아버지 앞에 무릎 꿇고 앉아 있다. 뒤에 연우 그림 걸려 있고.

젊은강	왜 안 되는데요! 형보다 더 화랑 운영 잘할 수 있어요. 여기 있는 거, 아버지 따라다니면서 제가 다 찾은 거잖아요! 저한테도 지분이 있다구요!
강회장부	여기 이것들, 우리 거 아냐. 말했잖니, 언젠가 다 사회에 환원할 거라고.
젊은강	(벌떡 일어서며) 그게 말이 돼요? 대체 왜 그래야 하는데요!
강회장부	그래서 너한테 여길 맡길 수 없는 거야, 그 욕심 때문에. 알겠니?
젊은강	아버지!!!
강회장부	이 얘긴 여기서 끝내자. (하더니 돌아서서 간다)
젊은강	(하!, 연우 그림을 돌아본다) … (다가와 서는) 아뇨? 난 다 가질 거예요. 원하는 건 어떻게든 다 손에 넣을 거라구요! (표정)

그림을 보는 강회장의 얼굴로 디졸브.

강회장   (흠…) 결국 화랑에 불이 나서 형님이 돌아가신 후에야 내 차지가 됐지. (빙긋, 사이)… 근데 이게 내 발목을 잡을 줄이야. (연우 보며) 저 그림 때문이었거든, 내가 널 그냥 두고 봤던 건. 귀한 손주, 갚아먹는지도 모르고 말아.

연우   … 귀하다 하셨습니까?

강회장   (보면)

연우   그럼 태하씨한테 용서를 비세요. (강회장 똑바로 보며) 잘못했다고, 그동안 속여서 미안하다구요.

강회장   그래, 그 눈이야. 기분 나쁠 정도로 똑같아, 윤희 그 애랑.

강회장, 연우를 잠시 보다가 서재 쪽으로 걸어가 소파에 앉더니 테이블 위에 있던 상자에서 회중시계를 꺼내 본다.

강회장   여태 움직이지도 않던 게 연우 네가 오고 나서 움직이더구나. (연우 보며) 넌, 불길한 것도 윤희랑 똑같아. 그러니 내가 널 어떻게 두고 보겠니.

연우   그만 하세요. 할아버님의 삐뚤어진 마음을, 그간의 잘못을, 누군가의 탓으로 돌린다고 달라지는 건 없어요.

강회장   (가소롭다는 듯 보는)

연우   그러니 사과하세요. 죄를 지었다면 용서를 구해야 사람입니다.

강회장   용서를 빌라고? 내가 왜?!

연우   세상을 잃은 그 사람한테 할아버님이 전부였으니까요! (슬픈)

	믿고, 사랑하는 마음을 이용하셨잖아요!
강회장	아니! 난 그저 그 애한테 다 주고 싶었을 뿐이야.
연우	그 헛된 욕심이 태하씰 아프게 했다는 거 정말 모르세요?
강회장	니가 뭘 알아! (부르르) 너만 아녔어도 아무 문제 없었어!
연우	… 제 탓을 해서 마음이 편해지신다면 하세요. 하지만 태하씨 한텐 더는 상처주지 마세요.
강회장	(대꾸 없이 차가운 얼굴로 앞만 본다)
연우	(무릎 꿇으며) … 부탁드려요. (눈물 참고) 할아버님 아끼는 그 사람 마음, 조금이라도 아신다면 태하씨에게 용서할 기회, 주세요. (간절히) 제발… 더는 아프지 않게 한번만 제발… (하는데)
강회장	(차갑게, O.L) 됐으니 그만 하거라. (일어서는) 더는 그런 소리 듣고 싶지 않아. (문 앞으로 걸어간다, 문을 잡고 서서) 다신 찾아 오지 마. (나가는)

쾅! 닫히는 서재 문. 연우, 참담한 얼굴로 있다가 몸을 일으켜 문 앞으로 와 문을 여는데 누군가 서 있다. 누구지? 해서 보는데 연우의 입을 틀어 막는 누군가의 손! 동시에 바닥으로 연우 휴대폰이 떨어진다. 잠시 후, 지 잉— 진동벨이 울리는데 태하! 이내 화면 블랙아웃 되고!

〰 S#50. SH서울, 태하 사무실 / 늦은 오후

태하, 연우에게 전화를 걸고 있다. 〈고객께서 전화를 받지 않아…〉 안내음 이 나오자 뭔가 이상하다. 태하, 사월에게 전화를 걸고.

태하	사월씨, 혹시 연우씨랑 같이 있어요?

사월	(F) 아니요. (하다) 왜요? 애기씨한테 뭔 일 있어요?!
태하	계속 연락이 안 돼서요. (사이) 아뇨, 일단 내가 집에 가서 확인하고 다시 전화 줄게요. (전화를 끊고, 뭔가 느낌이 안 좋은데)

태하, 안 되겠다 싶어 사월에게 전화를 걸려는데 이때, 띠링! 문자음이 울린다. 보면, 발신자 불명으로 온 문자고. 태하, 뭔가 불길한 표정으로 문자를 확인하는데

〈인서트// 휴대폰 화면. 덩치1, 2가 기절한 연우를 차에 태우는 연속 사진 세 장.〉

태하, 놀란 눈으로 쳐다보는데 또 띠링! 문자가 온다.

〈문자 내용// 박연우씨 찾고 싶으면 여기로 가봐. 거천로 37-1〉

태하	(문자가 온 번호로 전화를 건다, 누군가 전화를 받는다, 바로) 당신 누구야! 지금 연우씨, (하는데 바로 끊기는 전화) !!

태하, 다시 전화를 걸려고 하는데 문자가 온다. 커지는 태하의 눈.

〈문자 내용// 빨리 움직이는 게 좋을 거야, 살리고 싶으면.〉

〰 S#51. SH서울 주차장 / 늦은 오후

태하, 다급히 차 앞으로 와서 올라탄다. 잠시 후, 태하의 차가 빠르게 주차

장을 빠져나가고!

⌒ S#52. 폐창고 / 저녁

연우, 의자에 묶여 있고. 해결사는 휴대폰으로 게임 중이고, 덩치1, 2는 과도로 사과를 먹고 있다.

연우   대체 누가 시킨 거요? … 할아버님이요?
해결사   (휴대폰만 보면서) 알면서 뭐 하러 물어. 맘 상하게.
연우   그래서 날 어쩜 셈이오!
해결사   (게임에 진) 에이씨! 죽었네. (휴대폰 내려놓고 연우 보며) 글쎄,
           어떻게 해줄까? 그 영감은 그냥 배 태워서 어디 보내라고 했거
           든.
연우   …….
해결사   근데 좀 고민은 되네. 꽤 반반한 게 돈 좀 될 것 같거든. (큭! 웃
           더니 다시 휴대폰 게임을 한다)

연우, 주변을 살펴보다가 문이 살짝 열려 있는 걸 눈으로 확인하고.

연우   (뭔가 생각 하다) … 배가 아프니 화장실에 좀 보내주시오. 어디
           내다 팔 거면 깨끗하게 팔아야 할 거 아니오!
해결사   (연우를 빤히 쳐다본다) …….
연우   싫다면 여기서 보겠소. 좋은 구경들 하겠네.
해결사   (큭) 이 아가씨 말 참 재밌게 하네. (덩치1에게) 야!!
덩치1   (과도 들고 와서 연우 묶은 거 끊고는 팔 붙잡고 일으켜 세운다)

228

⌒ S#53. 폐창고 앞 / 저녁

덩치1, 연우 팔을 붙잡고 나오는데 연우, 아! 하며 배를 움켜잡는다.

덩치1   야! 뭐 하는 거야?

연우   (몸을 웅크리고 배를 잡으며) 아… 배가… 배가 너무 아프오.

덩치1   뭐? (하며 연우 쪽으로 몸을 숙이는데)

그 순간! 머리로 덩치1의 턱을 올려치는 연우! 덩치1, 억! 하면서 바닥에 주저앉는다! 연우, 이때다 싶어 냅다 도망을 친다.

덩치1   (턱을 잡고) 야!! 너 거기 안 서!! (창고 쪽을 쳐다보며) 형님!!

⌒ S#54. 폐창고 일각 / 저녁

연우, 정신없이 도망을 치고 있고 그 뒤를 덩치1, 2가 쫓아오고 있다. 코너를 돌아 도망가던 연우, 한쪽에 세워놓은 드럼통들이 보이자 그 뒤로 가 숨는다. 잠시 후, 쫓아오던 덩치1, 2가 그대로 드럼통을 지나쳐 가자 슬그머니 드럼통 뒤에서 연우가 나온다. 연우, 덩치1, 2가 사라진 걸 확인하고 반대쪽으로 가려는데 어느새 그 앞에 해결사가 서 있다. 놀란 연우, 멈칫하는데 연우 앞으로 다가오는 해결사. 연우, 슬금슬금 뒷걸음질 치다가 뭔가에 발이 걸린다. 보면, 기다란 나무 막대고.

연우   (날래게 막대를 잡고 검처럼 해결사 앞에 들이민다)

해결사   (푸핫!) 말만 재밌게 하는 줄 알았더니, 하는 짓도 재밌네. (다가

가는데)

연우	저리 가! (재빨리 나무로 해결사의 어깨를 후려치는데)
해결사	(나무를 피하며) 제법이네? 뭘 좀 배웠어?
연우	가라고 했지! (하면서 다시 나무를 휘두르는데)

해결사, 손으로 턱! 나무를 잡더니 확! 앞으로 잡아당긴다! 그 반동으로 연우가 앞으로 넘어지고. 해결사, 피식— 웃으며 연우에게 다가가려는데 그 순간! 태하의 차가 해결사를 향해 빠르게 돌진해 당장이라도 칠 것 같다! 놀란 해결사, 다른 쪽으로 몸을 날려 피하자 끽! 멈춰 서는 태하의 차. 연우, 놀라서 보는데 차에서 태하가 뛰어내린다!

| 태하 | (연우를 붙잡아 일으키며) 연우씨! |

이때, 멀리서 삐용삐용— 소리와 함께 경찰차가 오는 게 보인다. 쓰러져 있던 해결사, '이런 씨!' 하며 재빨리 몸을 일으켜 도망을 치고. 연우, 그제야 안심한 듯 휘청인다. 태하, 그런 연우 붙들고.

태하	! (연우 살피며) 괜찮아요? 다친 데 없어요? (하는데)
연우	(끄덕이는데) 난 괜찮,(소 하려는데)
태하	(O.L, 와락 연우 끌어안고) 미안해요! 정말… 미안해요.
연우	(그런 태하를 안심시키려고 꼭 끌어안는)

⌒ S#55. 태하 집, 거실 / 밤

사월과 성표, 소파에 앉아 기다리고 있는데 연우와 태하가 들어온다.

사월	! (벌떡 일어나) 애기씨!! (연우에게 와) 괜찮으세요? 어디 다치신 덴 없어요? (하는데)
태하	(성표에게) 홍비서, 연우씨 좀 부탁해요.
연우	(!, 태하 보며) 어디 가려구요?
태하	(화난, 차갑게) 할아버지한테요. 이제 정말 끝을 내야겠어요. (나가는)
연우	(태하 쫓아가며) 태하씨! (하는데)
성표	(연우에게 와 말리며) 쫓아가서도 소용없을 겁니다.
사월	그래요, 애기씨. 그냥 여기서 기다려요.
연우	(걱정스레 문 쪽을 보는)

〜 S#56. 강회장 집, 거실 / 밤

아무도 없이 조용한 거실을 걸어가는 누군가의 그림자가 보인다.

〜 S#57. 강회장 집, 서재 / 밤

강회장, 의자에 기대듯 앉아서 눈을 감고 태하를 기다리고 있다가 인기척이 들리자.

강회장	(연우 그림만 보면서) 왔니? 생각보다 빨리 왔구나.

다가오는 발걸음 소리. 잠시 강회장의 뒤에서 모습을 드러내는 건 황명수다!

황명수	어떠십니까? 아끼는 손자한테 버림받은 기분이?
강회장	(!!, 돌아보는데, 황명수다) … (일어서며) 황명수… 니가 왜…?!
황명수	참 오래도 걸렸네요, 여기까지 오는데. (빙긋)
강회장	(무슨 소리지?) 뭐?
황명수	(강회장 앞으로 다가와 서며) 이제 좀 아시겠어요? 소중한 사람을 잃는 마음을 어떤 건지. (차갑게 보며) 당신이 나한테 한 짓이잖아, 23년 전에.
강회장	(?!)
황명수	잊었어? 니 아들이 내 아내를 죽였잖아.
강회장	!!!!!

〰 S#58. 태하 집, 거실 / 밤

연우. 잔뜩 걱정하는 얼굴로 소파에 앉아 있다. 사월과 성표 그런 연우를 보며.

사월	걱정 마세요. 그래도 피붙인데 뭔 일 있겠어요? 전 애기씨 말 짱한 걸로 됐어요. 누군지 몰라도 울 애기씨 구해준 사람 복 받을 거야.
연우	날 구해줬다고? 누가?
사월	모르셨어요? 누가 도련님한테 애기씨 붙잡혀 갔다고 연락을 했대요!
연우	(?) 홍가양반, 사월이가 뭐라는 거요?
성표	부대표님께 모르는 번호로 문자가 왔었습니다, 연우님이 거기 있다고.

연우	(!) 모르는 번호요? (뭔가 생각하는)
사월	(이상한) 애기씨, 왜 그러세요?
연우	이상해서 그래. 마치 모든 상황이 기다렸다는 듯 흘러가는 게.
성표	저도 사실 그게 좀 마음에 걸립니다. 대체 누가 그런 문잘 보낸 건지.
연우	… 지금까지 나랑 조선에서 얽혔던 사람들은 모두 여기서 그게 뭐든 하나라도 영향을 끼쳤소. 만약 이번에도 그랬다면… (한 명씩 떠올리는데 문득!)

〈인서트// 탈을 벗는 덕구! 그리고 나타나는 황명수의 얼굴.〉

〈플래시컷// S#36. 꽃을 들고 납골당을 걸어가고 있는 황명수.〉

연우, 뭔가 생각난 듯 벌떡 일어선다! 성표와 사월, 놀라서 쳐다보면,

연우	그래… 그 자야!!

⌒ S#59. 강회장 집, 서재 / 밤

강회장	(!!) 정훈이? (하다) 설마…!
황명수	그럼. 기억해야지. 당신 아들이 낸 사고로 내 가족이 죽었으니까. 아니, 그건 아니네. 죽인 건 강상모 네 놈이니까!
강회장	!!

의사1, 2 앞에 황명수(*26세)가 서 있다.

황명수	(읍소) 지은이 좀 꼭 살려주세요. 다음 달이 결혼식인데… 제발, 제발요!
의사1	교통사고가 워낙 크게 나서 장담할 순 없습니다. 게다가 임신한 상태라.
황명수	아이는! (괴롭다) 아인 포기할게요! 그니까 지은이만이라도 부탁드려요!
간호사	(황명수 눈치를 보며 의사1, 2에게 다가와) 저… 선생님, 잠시만.

의사1, 2와 간호사 뭔가 얘기를 하더니, 의사1은 가버리고 의사2가 황명수에게 온다.

황명수	(이상한) 선생님, 어디 가시는 거예요? 수술 안 합니까?!
의사2	(황명수 돌려세우며) 아… 일단 보호자실로 가시죠. (안내하는)
황명수	(따라가는데 이상한) … (!, 의사2를 밀치고 의사1이 간 곳으로 뛰어간다)
의사2	(!) 보호자분, 어디 가세요!! (하더니 쫓아가는)

황명수, 달려오는데 복도 끝에 의사1의 어깨를 두들기는 누군가(*강회장)가 보인다. 이때, 남자 간호사와 의사2가 황명수를 붙들어 끌고 간다. '이거 놔!' '놓으라고!' 하며 끌려가는 황명수의 시선 끝에 뒤를 돌아보는 강회장이 보인다!

강회장   (그제야) … 너! … 너!!

황명수   니 아들 살린다고 수술까지 바꿨는데 결국… 다 죽었지?
          (강회장 멱살 잡고) 니가 죽였어! 전부 다!!!

강회장   (훗!) 정말 내 탓 같아? 난 그냥 내 아들을 살리려고 했던 거야.

황명수   그럼 지은인? 내 아낸 죽어도 된단 거야?! (멱살 흔들며) 그게
          말이 돼!!

강회장   (여유) 억울해? 억울하면 니가 살렸어야지! (힘껏 황명수를 밀어
          낸다)

황명수   (뒤로 떠밀렸다가 강회장 노려보는)

강회장   (쯧쯧) 황이사야. 사람은 다 똑같다. 지 손에 있는 게 젤 중하
          고, 귀하지. 난 사람답게 최선을 다했고, 넌 운이 없었던 거야.

황명수   (하?!) 뭐? 운이 없어? (분노, 강회장에 달려들어 다시 멱살 잡고)
          사람이 죽었어, 사람이! 근데 그딴 소리가 나와! (치 떨리고, 서
          글픈) 미안한 마음 같은 건 없어…? 그래?!

강회장   그래서 보상했어. 원하는 거 이상으로 줬잖아. 그 여자 부모들
          은 좋다고 받아 갔는데 그러면 된 거 아냐? (하는데)

황명수   ! (분노) 그 입 다물어! (강회장을 바닥에 집어던진다!)

억! 바닥에 나자빠진 강회장 위로 황명수가 올라타 목을 조른다. 강회장,
'컥!' 하며 버둥거리는데.

황명수   (목 조르며) 그래…. 그럼 이건 어때? 내가 널 죽이고… 돈만 주
          면 되는 거야…. 그치?! 그거면 넌 되는 거잖아?! 어!

강회장   (켁켁!!) 놔… 놔…! (황명수를 때리는데 점점 손에 힘이 빠지는데)

이때, 문이 벌컥 열리며 태하가 들어온다! 태하, 놀란 얼굴로 쳐다보는데.

황명수   (태하 보며, 큭) 왔네? 이제 다 모인 건가? (강회장 목을 더 세게 조
          르는)

강회장   (괴로운, 태하 쳐다보며) 태… 태하야…!

태하, 그제야 퍼뜩! 해서 그대로 달려와 황명수를 밀쳐내고 강회장을 일으
켜 앉힌다.

태하   (강회장 살피며) 할아버지! (하는데)

강회장   (켁켁―, 황명수 가리키며) 태하야…. 다 저놈 짓이었어! 저놈이
          야!!

태하   (무슨 소리지? 싶어 황명수 보는데)

황명수   (일어나 앉아) 큭! (하더니) 저게 진짜 강상모야. 평생 남 탓만 하
          는 뻔뻔하고 추악한 늙은이. (태하 보며) 너도 잘 알잖아?

태하   ……. (강회장 보는)

강회장   아냐! 이 할애비 믿지? 황명수 저놈이랑 민혜숙, 그래! 연우 그
          것까지 다 같이 작당모의를 한 거야! 연우 그 사특한 게 널 속
          인 거라고!! (태하 붙들고) 난 그저, 널 위해서 그것들을 떼 내려
          고 했을 뿐이야!

태하   (마음이 참담한) 할아버지, 제발… (하는데)

강회장   (태하 붙들며) 나 믿지? 넌 나한테 이러면 안 돼. 내가 어떻게 했
          는데!

태하   (난감한 듯 고개 숙이자)

강회장   태하야…. 이 할애비 좀 봐, 응?! (하는데)

태하   (황명수를 돌아보며) … 나한테 연우씨 사진 보낸 것도 당신이야?

지금까지 민대표 뒤에 숨어서 모든 걸 다 한 거냐고!!!

황명수 (훗! 비릿하게 웃으며) 역시 똑똑하네. 강회장 손자다워.

태하 (매섭게 보는 표정)

〰 S#62. 태하 동네 일각 + 강회장 서재 / 밤

연우, 정신없이 죽을힘을 다해 뛰어가고 있다.

강회장 집 서재/ 태하, 강회장을 보고 있는데 황명수가 커다란 도자기를 집어 들더니 '죽어!!' 하며 강회장을 향해 내리치려고 한다! 놀란 태하, '할아버지!' 하고 강회장을 끌어 안는데!

태하 동네 일각/ 정신없이 달려가는 연우의 모습 위로.

천명 (E) 애기씨가 여기 있으면 그 사람이 죽게 될 겁니다.

강회장 집 서재/ 바닥으로 쿵— 쓰러지는 태하!

뛰어가는 연우의 얼굴과 쓰러진 태하의 모습 한 화면에 보이면서.

(엔딩)

11부

—

배롱꽃 지는 밤

S#1. 강회장 집, 서재 / 밤 - 10부 S#62 이전 상황

태하	대체 왜 그런 거냐고, 왜!!
황명수	자기 아들 살린다고 내 아낼 죽였거든. 너한테 엄말 뺏어갔듯이 말야.
태하	(!, 놀란 듯 멈칫하는데)
황명수	놀랐어? 잘 알고 있을 텐데, 니 할아버지가 어떤 인간인지. (하는데)
강회장	황명수!! (하며 달려들 듯하는데)
태하	(강회장의 팔을 탁! 잡으며) 그만!! 이제 그만 하세요! (하더니 황명수를 향해 무릎을 꿇는다)
강회장	! (돌아보며) … 태하 너, 이게 무슨 짓이야?!
태하	그게 뭐든 할아버지가 잘못한 게 있다면 내가 대신 사과할게요.
황명수	(보는)
강회장	!! (태하 붙잡고) 일어나! 일어나라고!! 저런 것한테 니가 왜 사과를 해!
태하	(꿈쩍 않고 앉아 있는데)
황명수	(보다가, 큭큭큭 미친 듯이 웃더니) 어쩌지? 난 용서 못 해. 아니, 안 할 거야. (돌변해서) 같이 죽을 거니까!!!

황명수, 커다란 도자기를 집어 들더니 '죽어!!' 하며 강회장을 향해 내리치려고 한다! 태하, '할아버지!' 하고 강회장 끌어안는데 순간 강회장, 태하를 밀쳐낸다! 그 반동으로 바닥에 쓰러지듯 눕는 태하! 황명수, 도자기로 강회장을 내려치고! 놀라서 돌아보는 태하! 강회장, 이마에서 피가 주룩— 흐른다.

강회장	(혼미한) 내 거라고 했지. 내 건 아무도… 못 건드려…. (푹─ 쓰러진다)
태하	! (강회장에게 와서 보며) 할아버지!! (하는데)
황명수	(넋이 나가 털썩─ 주저앉는) … (흐… 흐흐… 실소를 터트린다)

이때, 문이 벌컥! 열리고 연우가 안으로 뛰어 들어온다. 연우, 놀란 듯 쳐다보는데. 태하, 손에 묻은 피를 보다가 휙─ 황명수를 돌아본다. 일순 분노가 치밀어 올라 황명수에게 다가가 멱살을 잡고 일으킨다.

연우	태하씨!! (태하에게 외 말리며) 그러지 마요. 당신 그런 사람 아니잖아요.
태하	…….
황명수	(서글픈) 용서… 하지 마. 나도… 저 사람도. (눈물 뚝─) 제발… 제발 하지 마.
태하	(눈물이 뚝─ 떨어지는) …. (황명수의 멱살을 놓는다)
연우	(태하를 꼭 끌어안는다!)

〰 S#2. 태하 집, 연우 방 / 밤

배롱꽃들이 우수수 떨어지고. (*한 송이 빼고)

TITLE : 배롱꽃 지는 밤

현정, 석주, 하나가 모여 있다.

현정	회장님이 병원에 입원했으면 그룹은 누가 이끌어? 완전 피바람 불겠네~!
석주	에이~ 회장님 명예직이잖아요? 피바람까지는 오바죠.
하나	그래도 영향력은 엄청났으니까 조용히 지나가진 않을 거예요.
현정	회장님, 답정녀였잖아. 뭐든 본인 말이 다 맞고, 자기 손을 거쳐야 된다고 믿는 그런 스타일. 으~ 섬세하게 내 취향은 아냐.

이때, 석주 뒤쪽으로 태민이 들어오는데, 석주는 태민 온 거 모르고.

석주	그럼 전쟁의 서막입니까? 강태하 VS 민혜숙?! 그죠? 팀장님!
태민	(자리에 앉으며) 뭐 그렇게 되겠죠?
석주	(그제야 태민 보고, 헙!) 아니 내 말은 그게 아니라… (하다가) 미안해요.
태민	괜찮아요. 내가 전쟁하는 것도 아닌데요, 뭘.

석주, 민망하게 서 있자. 현정이 옆구리 찌르며 '반성해!' 하는데 이때, 태하와 성표가 회의실로 들어온다. 다들, 자동 척추 기립! 꼿꼿하게 몸 세우는데.

태하	(앉으며) 박연우씨 팝업스토어 내부 설치, 준비 끝나갑니까?
현정	네, 거의 (하다 헙!) 어, 71.5%… 정도 마무리했고, 디자이너 인터뷰 끝난 후에 전체 점검할 예정입니다.

| 태하 | 오팀장, 그냥 편하게 해도 됩니다. 71.5% 그런 거 빼구요. 대신 일정엔 차질 없게 해주세요. |

태하 오팀장, 그냥 편하게 해도 됩니다. 71.5% 그런 거 빼구요. 대신 일정엔 차질 없게 해주세요.

현정 네! 알겠습니다. (하나랑 석주 보며, 웬일이래? 입 모양)

태하 겨울 상반기 프로모션 준비는 어떻게 되갑니까?

태민 (아무렇지 않은 듯 일하는 태하를 말없이 본다)

〜 S#4. SH서울, 마케팅팀 앞 복도 / 낮

태하, 성표와 나오는데 뒤에서 태민이가 '강태하!' 하고 부른다. 태하, 돌아보는데 태민이가 캔커피를 던져주자 반사적으로 캔커피를 잡는다. 태민, 태하 옆으로 와.

태민 힘들면 힘든 티 좀 내지? 이제 강드로도 아니잖아? (하더니 나가는)

성표 태민이가 그래도 부대표님이 걱정되는 모양입니다. 역시, 브라더는 브라더네요.

태하 (말없이 캔커피를 보는데 휴대폰이 울린다, 보면 해령이고)

〜 S#5. 미담 작업실 / 낮

연우, 한복 천을 들고 색깔을 맞춰보고 있다가 후… 하며 자리에 앉는다. 강회장 일로 생각에 빠지는데 미담이 다가와 시원한 매실차를 주고 앉는.

미담 마시면서 해요. (하다가) 회장님은 좀 어떠세요?

연우	… 아직 깨어나진 못 하셨어요.
미담	(연우 손잡아주며) 큰일 겪느라 고생했어요. 연우씨도 강부대표도 힘들었던 만큼 얻는 것도 있을 거예요. (웃으며) 누가 들음 꼰대라 그러겠지만, 살다보니 알게 되더라구요.
연우	(잠시 생각) … 하나를 얻으면 하나를 잃는 게, 이치겠죠.
미담	(이상한) 뭐 다른 걱정이라도 있어요?
연우	(둘러대며) 아니에요. (하는데, 태하에게 전화가 온다) 잠시만요. (받는) 네, 태하씨… (사이) 정말요?! (미담 보는)
미담	(무슨 일이지? 싶고)

〰 S#6. 병원 야외 일각 / 낮

연우와 해령이 서 있다.

해령	연락할 엄두가 안 나서 못 했어. (울먹) 아부지… 머리에 문제가 생겼나봐. 다행증*인지 뭔지 세상만사 그냥 다 뒤집어지게 행복하대. 자식도 그 좋아하던 회사도 다 잃었는데 바보처럼 저러고 있어. (속상한)
연우	(마음이 무겁다) …. (고개 돌려 벤치 쪽을 쳐다보는)

벤치/ 태하와 강회장이 앉아 있다. 강회장, 애처럼 몸을 흔들흔들, 다리를 까닥까닥 움직이며 앉아 있다. 그러다가 쏙— 태하 옆으로 다가와 쳐다보

● 다행증 : 현재의 객관적인 상황과는 상관없이 심리적, 감정적으로 비정상적일 만큼 과도하게 느끼는 행복한 감정.

는 강회장.

강회장   (빙긋 웃으며) 있잖아요. 내가 울 아들한테 진~짜 잘못했는데 그놈이 용서해줄까요?

태하   (보는) … 왜요? 아드님한테 미안하세요?

강회장   (웃는) 그렇긴 한데, 평생 용서 못 받을 것 같아요. (헤헤) 우리 아들, 이미 여기 없거든. (하다가) 다행이지 뭐, 이런 꼴도 안 보고.

태하   (마음이 아픈데)

강회장   (해맑은) 아! 수수께끼 할래요? 내가 문제 낼 테니까 맞춰봐요! 사람들이 다~ 가지고 싶어 하는 건데 그게 뭘까요?

태하   … 글쎄요? 모르겠는데.

강회장   행복! 행복이에요! (헤헤) 나도 갖고 싶었던 건데 영 힘들더라구요. 그러니까, 꼭! 행복해지세요~ (두 손 모으며) 이렇게 바랄게요. (웃는)

태하   (눈물 참고 애써 웃어 보이는)

연우 쪽/ 연우, 나란히 앉아 있는 강회장과 태하의 등을 말없이 본다.

∿ S#7. 구치소 면회실 / 낮

황명수와 혜숙이 마주 앉아 있다. 혜숙, 말없이 황명수를 보고 있다.

황명수   … 듣고 싶은 말이라도 있으신 겁니까? 아님, 제게 감사 인사라도 하시려구요?

혜숙	내 옆에서 참 오랫동안 속였어, 대단해요. (하다) 아니, 어떤 의미에선 나도 황이사의 복수심을 이용한 건가?
황명수	…….
혜숙	강회장님은 스스로 만든 지옥에 빠지셨으니 그만 마음에서 놔드려요. 그리고… 아내분과 아이 일은 진심으로 미안했습니다. (고개 숙이는)
황명수	! (보는)
혜숙	나도 내가 책임질 일은 책임질 테니 걱정 말구요. (일어서서 나가려는데)
황명수	(앞만 보며) 그러지 마십시오.
혜숙	! (멈칫, 돌아보는)
황명수	(앞만 보며) 그래도 대표님껜 아들이 있잖아요. (하…) 다 잃고 나서 남은 건 허무함 뿐이니까 하나라도 지키세요.
혜숙	(보다가 돌아서서 나가는)

∼ S#8. 태하 집, 서재 / 저녁

태하, 책상 앞에 앉아 있다가 서랍을 연다. 그 안에 있는 원 팀 액자를 꺼내서 보는데.

〈플래시컷// S#6.

강회장	그렇긴 한데, 평생 …… 다행이지 뭐, 이런 꼴도 안 보고.〉

태하, 생각이 많아지는데 이때, 똑똑─ 노크소리와 함께 연우가 문을 열고 들어온다.

연우   잠깐… 괜찮겠소?

태하   (보는)

⌒ S#9. 공원 / 저녁

연우와 태하 걸어가고 있다. 연우, 태하가 걱정돼 힐끔 보는데.

태하   그날, 왜 할아버질 찾아갔던 거예요?

연우   태하씨가 계속 아파할까 봐 걱정됐어요. 누군갈 용서 못 하고
       살아가는 건 고통이니까. 할아버님이 그 마음을… 조금이라도
       어루만져주길 바랬소.

태하   (그랬구나 싶은, 사이) … 할아버지도 그만 미워하려구요. 방식
       은 틀렸지만, 날 사랑하셨던 건 아니까.

연우   … 잘 생각했소. 미움도 원망도 다 놔주고 이젠 편안했으면 좋
       겠소.

태하   (연우 보며) 그건 걱정 말아요. (연우 손잡으며) 연우씨가 옆에 있
       잖아요.

연우   (그 말에 마음이 살짝 무거워진다)

태하, 연우를 보며 미소 짓고는 시선을 돌리다가 뭔가를 가만히 바라본다.
연우, 태하 시선 따라서 보면 부모님과 손을 잡고 걸어가는 꼬마 아이다.

태하   다들 평범하게 보내는 하루를 그동안 왜 몰랐을까요? 해볼 생
       각도 못 했던 것 같아요. 그래서 (연우 보며) 이젠 연우씨랑 다
       해보려구요.

연우　　(그 말에 덜컹!, 부러 더 장난치듯) 이거야 원, 몸이 열 개라도 안
　　　　되겠네. 줄부터 좀 서시오, 내가 워낙 비싼 몸이라.

태하　　열 개까진 됐고, (연우 어깨 안으며) 연우씨만 있으면 돼요. (웃
　　　　는) 다음에 나 어렸을 때 부모님이랑 살던 곳 가볼래요?

연우　　그럽시다! 뭐 어려운 일도 아닌데. (하며 애써 웃는)

⌒ S#10. 태하 집, 연우 방 / 저녁

연우, 의자에 앉아 배롱꽃을 쳐다보고 있다. 바닥엔 새돌쇠가 있고.

연우　　(새돌쇠를 보며) 알아. 이제 며칠 안 남았다는 거.

새돌쇠　…….

연우　　태하씨한테 얘기… 해야겠지. (하…)

⌒ S#11. 강회장 집, 태민 방 / 다음날, 아침

태민, 늘어지게 자고 있는데 벌컥! 문이 열리면서 해령이 서준 손을 잡고
들어온다.

해령/서준　(동시에) 강태민! 일어나!!! / 작은 형님!! 일어나세요!!!

태민　　!! (그 소리에 헉! 하고 일어나 앉는, 눈도 못 뜬 채) 뭐야?! 왜!!

해령　　(서준 손잡고 침대 맡으로 와) 오늘 나 아부지한테 가니까, 울 쭌
　　　　이랑 좀 놀아. 알았지.

태민　　(아직도 비몽사몽) 어? 뭐?!!

해령	(서준에게) 쥰~ 형 말 잘 듣고, 밥 잘 먹고, 뒤집어지게 놀아, 알
	았지?
서준	네! 엄마!
해령	나 간다~ (태민 등 후려치며) 아, 일어나!! (하고 가는)
태민	(악! 하며 등 만지다가 서준 보며, 잠 깬) … 야, 쥰. 너 여기 왜 있
	어?
서준	(휴~ 하며 한숨 쉬며 도리질)

〰 S#12. 태하 집, 거실 / 낮

태하, 황당한 표정으로 뭔가 보고 있다. (*옆에 연우 있고) 보면, 앞에 태민
과 서준이 쿠키런 보드게임을 펼쳐 놓고 앉아 있다.

태하	이게… 다 뭐야?
태민	뭐긴. 간만에 오붓하게 형제들끼리 놀아보자는 거지.
태하	(헐) 됐거든! 내가 왜 니들하고 놀아야, (하는데)
연우	(태하 입 막으며) 그만 해요. (서준이 보라고 눈치 주는)
서준	(풀이 확— 죽어서) … 그럼 그냥 갈게요.
태하	! (아차! 싶어) 그게 아니라 서준아, (할 말이 없고) 그니까 나는….
태민	잘한다~ 애 울리겠어, 아주!
태하	(그제야, 자리에 앉으며) 이거 어떻게 하는 건데? 재밌어?
서준	네! 제가 알려줄게요!! (헤헤)
태민	그래봤자 나한테 질 걸?
태하	길고 짧은 건 대봐야 알지. 안 그래, 서준아?
서준	태민 형님 이거 엄청 잘해요. 딱 봐도 태하 형님은 못 이길 걸

요? 인정?

태하   (헐) 뭐? (하는데)

태민   (서준이 안아주며) 완전 인정!! 역시 우리 쭌이 똑똑한 건 말해 뭐해~!

태하   됐고! 일단 해! 하자고!

연우, 형제들과 왁자지껄하게 게임하는 모습을 보고 있자니 왠지 안심되는 표정이고.

〰 S#13. 태하 집 주방 / 낮

태민, 냉장고를 열어본다.

태민   뭐야, 있는 게 하나도 없네.

태하   (쫓아와, 냉장고 닫으며) 게임 끝났음 얼른 가.

태민   서준이 자잖아. 나 배고프다고.

태하   가라고 했다?

태민   싫거든?! 안 되겠다~ 먹을 것도 없고 소복이한테 가서, (하는데)

태하   (빠직) 소복이라고 하지 말랬지!

태민   (보다가, 거실 보며) 소복아!! (하는데)

태하   (태민 입 막으며) 밥줄 테니까, 조용히 먹기나 해!

(CUT TO) 태하, 식탁 위에 라면 끓인 냄비를 내려놓는다. 태민, 라면을 쳐 다만 보는.

태하	(이상한) 그게 내 최선이야. 먹기 싫음 말든지. (하는데)
태민	… 6학년 땐가… 니가 딱 한 번 라면 끓여준 적 있는데. 기억 나? 학교에서 미술상 받았는데, 민대표가 쓸데없다고 그림 찢 어버린 날이었거든.

〈인서트// 강회장 집 거실. 어린태민(*13세), 소파에 앉아서 울고 있는데
교복태하(*19세)가 라면 냄비를 테이블에 내려놓는다. 태민, 쳐다보면 태
하가 테이프로 이어 붙인 태민의 그림을 내민다. 태민, 그림을 받아들고 눈
물 닦으며 웃는.)

태민	(흠) 그리고 다음날인가 너 유학 갔더라. 난 몰랐는데. (라면 먹 으며) 여전히 맛은 없네. (그러면서도 잘 먹는다)
태하	(보는데)

〈인서트// 강회장 집 거실. 어린태민(*13세), 라면 다 먹고는 태하를 보며,

어린태민	(웃으며) 형, 내일도 라면 끓여줘. 나 또 먹고 싶어. (헤헤)〉

태하, 말없이 태민을 본다.

〰 S#14. 태하 동네 일각 / 저녁

태민, 잠든 서준을 안고 있고, 그 앞에 연우가 서 있다.

태민	고마워. 서준이 녀석 재밌었을 거야, 나도 그렇고.
연우	앞으론 자주 와요. 태하씨가 좋아할 거예요.

태민	강태하가? (하다) 하긴, 좀 변하긴 했더라. (연우 보며) 형수님 덕분에.
연우	! (형수님?)
태민	다행이야, 형 옆에 좋은 사람이 있어서.
연우	… 고마웠어요. 늘 내 편이 돼줘서.
태민	알고 있었어? 그럼 됐네. 그거면 난… 충분하니까. (서준이 공차 안으며) 무겁다, 얼른 가야지 안 되겠네. (하곤 돌아서서 간다)

태민, 서준을 안고 걸어가다 혹시나 해서 돌아본다. 보면, 여전히 서 있는 연우.

〈플래시컷//
2부 S#43. 돈 봉투를 태민에게 던지는 연우.
3부 S#59, 머리끈 풀어서 태민의 상처 묶어주는 연우.
7부 S#65, 하얀 한복을 입고 무대 위로 나오는 연우.)

태민, 끝까지 자기를 보고 있는 연우를 보며 환하게 웃더니 돌아서서 간다.

〰 S#15. 성표 집, 거실 / 저녁

사월, 거실에 앉아서 성표가 준 맥주 캔고리 반지를 약지에 살짝 끼운다.
손톱 지나 겨우 들어가는 걸 보면서도 기분이 좋다.

사월	내가 미쳤나? 조선에서 받았던 꽃반지랑 옥비녀보다 더 예쁘 잖앙~~

사월, 기분 좋아서 팔 펼치고 팽그르르~ 돌고 딱! 멈춰 서서 약지를 보는데 어라? 캔고리 반지가 없다!! 사월, 바닥에 납작 엎드려서 여기저기 찾아보는데 없다!

사월   (바닥 살피며) 뭐야! 어디로 갔어! 어? (아무데도 없다, 헉!!) 으아아악!!

나래   (방에서 튀어나오며) 왜요! 왜!! (하다가 사월 보며) 무슨 일 있어요?

사월   (나래를 보며, 울먹) 아니… 그게… 성표씨… 결혼… 반지… 따개… 팽그르르….

나래   (!, 찰떡 같이 알아듣고) 오빠가 프로포즈 한 반지를 잃어버렸다고요?

사월   어떡해요!!! (뿌엥—!!)

∿ S#16. 성표 집, 전경 / 저녁

성표   (E) 이게 다 뭐예요!!!

∿ S#17. 성표 집, 거실 / 저녁

성표, 눈이 휘둥그레해져서 뭔가를 보고 있다. 보면, (*캔고리 반지 찾느라) 난장판이 된 거실에서 사월이랑 나래가 술에 취해 있다. 테이블 위엔 20개 이상 되는 빈 캔맥주가 나뒹굴고 있고. 사월은 캔맥주에서 딴 캔고리들을 하나하나 약지에 껴보고 있다.

사월	(캔고리 약지에 끼며, 취한) 이거 아냐! (다른 거 끼고) 이 느낌 아니라고!
성표	(나래 옆으로 와서) 홍나래… 뭐냐, 이거?
나래	(취해서) 오빠 너는! 뭔 놈의 프로포즈를 어! 저딴 따개로 해가지고 어! 사람을 어! 막 힘들게 하냐!!
사월	성표씨… 미안해요. 내가 반지… 잃어버려써—!
성표	(사월 달래며) 사월씨, 괜찮아요. 그건 진짜 반지도 아니고 그냥 내가,
사월	(O.L) 아니야! 나한텐 마당쇠랑 꺽쇠랑 봉팔이랑 만근이가 준 것보다 더 귀한 거였다고요!! 내 따개에—!
나래	(큭) 와! 사월 언니 인기 짱이네. 마당쇠, 꺽쇠, 봉팔이 만근이! (엄지 척)
성표	(큼) 홍나래, 그러는 거 아니다. (하는데)
사월	(급 회상) 하… 마당쇠가 몸은 좋았는데. 그때 그 물레방앗간에서,
성표	! (O.L, 사월 입 손으로 막으며) 하지 말라니깐요! (하는데)
사월	… 숨 막혀…! (하다가, 성표를 보다가 갑자기 욱—) !
성표	(헉!) 사월씨! (하면서 손으로 아예 사월 입 더 세게 막는다)
나래	오빠… 나도 속이… (하다가 갑자기 욱—) !
성표	(다른 손으로 나래 손 막으며) 정말 나한테 왜 이러냐고!!!!

〰 S#18. 태하 집, 거실 / 저녁

태하, 벌러덩 소파에 드러눕는다. (*서준, 태민 가고난 후) 하… 한숨을 쉬는 태하.

연우	(옆에 와 앉으며) 그렇게 힘들었소? 서준 도련님은 엄청 좋아하던데. 자주 좀 놀아주시오.
태하	(벌떡 일어나 앉으며, 하···) 서준이 고 녀석 체력 장난 아니네. 나중에 우리도 아들 낳으면 어쩌죠? 안 되겠다. 딸 낳아요, 우리.
연우	(!) 아. 아들이요? (당황해) 아니 무슨··· 떡 줄 사람은 생각도 없는데.
태하	진짜요? 생각 없어요? (간지럼 태우며) 이래도? 이래두요?
연우	(간지러운, 태하 손잡고 말리며) 그만 해요! 아, ㄱ만!! 하지 마요~ (하면서 태하 손잡은 채로 소파 위로 넘어진다)

두 사람 뭔가 야릇한 분위기로 쳐다보다가 태하가 연우 쇄골 쪽으로 키스를 하려는데 소파에 있던 연우의 휴대폰이 울린다! 연우와 태하, 잠시 멈칫! 하는데 연우, 재빨리 휴대폰을 뒤집어 저 멀리 던진다! 태하, 연우 행동에 당황해서 쳐다보는데! 연우, 모르는 척 눈을 지그시 감는다! 태하, 피식— 웃더니 연우에게 다시 키스하려는데 이번엔 테이블 위에 있던 태하의 휴대폰이 울린다! 태하 연우, 일단 무시하려고 하는데 계속 울리는 태하 휴대폰!

태하	! (안 되겠다, 벌떡 일어나 받는, 삑사리) 여보, (했다가 다시) 여보세요!
서준	(F) 형님~! 형수님~! 우리 집에 도착했어요!
태하	어~ 그래! 잘 갔어?
서준	(F) 오늘 완전 꿀잼이었어요! 다음에 또 놀러 갈게요! (끊고)
태하	아니 올 것까진··· (하다가 전화가 끊기자) ··· (어색하게 연우 보며) 끊었네요. (하다가 다시 쓱— 연우 옆으로 다가가 앉는데)
연우	! (벌떡 일어나) 아! 내일까지 자수 완성해야 하는데 깜빡했네!

(태하 보며) 난 올라가서 일 좀 해야겠소! (하더니 후다닥 2층으로 가는)

태하   연우씨… (부르려다 말고) 아… 강태하!! (하며 자기 머리 때리는)

S#19. 태하 집, 연우 방 / 저녁

쾅! 문을 닫고 들어오는 연우. 침대로 와 앉으며 가쁜 숨을 몰아세운다.

연우   박연우. 대체 어쩔 생각인데!! (하… 하며 시선 돌리는데 배롱꽃이 보이고)

연우, 시선 거두고는 침대 위에 모로 눕는다. 후… 답답한 듯 깊은 한숨을 쉰다.

S#20. 성표 집, 전경 / 다음날, 아침

S#21. 성표 집, 거실 / 아침

사월, 퀭~한 눈으로 식탁에 앉아 있고 연우가 북엇국을 떠서 사월 앞에 내려놓는다.

연우   먹어. 홍가 양반이 아침부터 전화했더라. 너 좀 챙겨주라고.
사월   감사합니다. (숟가락으로 북엇국 떠먹고) 크~~~

연우	홍가 양반은 요리도 잘하나봐?
사월	여동생을 혼자 키웠잖아요. 사내 손으로 어디 쉬웠겠어요?
연우	(보다가) 다행이다. 울 사월이 새조선에서 멋진 남자도 만나고.
사월	어디 저만 만났어요? 애기씨도 있음서.
연우	… (슬쩍) 사월이 넌 여기가 좋아?
사월	당연하다 못해 입 아파요. 아, 근데 여기서 살라면 신분증? 그게 필요하겠더라구요. 알바 구하려는데 어딜 가든 그거부터 보여 달란 거 있죠?
연우	(장난) 왜, 니 얼굴이 신분증이라고 하지.
사월	왐마! 어떻게 아셨어요? 내가 딱 그렇게 말했는데. (웃는) 어쨌든 여기서 열심히 살아보려구요. 성표씨도 있고, 언니도 있고. (헤헤―)
연우	그래. 다행이다 정말. (애틋하게 사월을 보는)

⌒ S#22. SH서울, 마케팅팀 탕비실 앞 + 안 / 낮

태민, 탕비실로 들어가려는데 안에서 현정과 하나가 얘기하는 게 들려온다.

하나	정말이요? 이사들이 민대표님을 회장으로 올리려고 한다구요?
태민	! (멈칫! 두 사람 얘길 듣는)
현정	응. 윤전무 비서가 그러는데 주총 전에 이사회 통해서 승인할 거래. 부대표님은 아시나 몰라.
하나	그래도 돼요? 주총 없이 가능한 거예요?
현정	속도전이지 뭐. 일단 이사들 동원해서 취임부터 하고 뒤를 도모하겠단 거 아니겠어? 여튼~ 민대표님, 섬세하게 머리는 잘

굴려~

태민   (두 사람 얘기를 듣고, 마음이 복잡해지는)

〰 S#23. SH서울, 혜숙 사무실 / 낮

혜숙과 고이사가 마주 앉아 있다.

혜숙   이사들은요? 회장님 공석, 계속 이대로 둘 수 없잖아요.
고이사   네. 근데 아직 다들 말을 아끼고 있습니다.
혜숙   말을 아끼는 게 아니라, 나서지 못하는 거겠죠. 뻔하잖아요.
         고이사님이 나서 주서야겠어요. 누가 SH를 더 잘 이끌어 갈지,
         정하면 되는 겁니다.

이때, 안으로 태민이가 들어온다. 고이사, 일어나서 혜숙에게 인사를 하고
나가고.

태민   정말이야? 결국 회장 자리에 오르겠다고?
혜숙   (일어서며) 모두가 원하면 그럴 수도 있지.
태민   그렇게까지 해야 돼? SH가 전부라며, 그럼 더 잘 알 거 아냐.
         누가 더 회사에 필요한지. (하…) 할아버지 저렇게 된 거, 우연
         일 거 같아? 아니! 잘못한 건 결국 다 돌아오게 돼 있어.
혜숙   (보는) ….
태민   제발… 그만하자, (진심으로) 엄마.
혜숙   (엄마란 말에 잠시 흔들리지만, 이내) 얘기 끝났으면 가봐. 나 곧
         회의 들어가야 해. (하면서 책상으로 가 앉는다)

태민   (하… 답답한 듯 한숨을 내뱉더니 나가버린다)

혜숙   (자리에 앉아 생각이 많아지는 얼굴이다)

⌒ S#24. SH서울, 태하 사무실 / 낮

태하와 성표, 소파에 앉아 있다.

성표   임원들 대부분 민대표 쪽으로 줄을 선 것 같습니다. 주총 전 이
       사회에서 민대표를 그룹 차기 총수로 낙점하겠다구요. 그동안
       회장님께 반감을 품은 임원들이 꽤 됐던 모양입니다.

태하   그렇겠죠, 오랫동안 쌓인 불만들 많을 겁니다.

성표   황명수도 검찰에서 본인이 혼자 다 한 거라고 인정했다는데,
       어쩌죠? 우리 쪽 명분도 부족하고, 이번엔 힘들 것 같습니다.

태하   (흠… 생각이 많아지는)

⌒ S#25. 태하 집, 주방 / 저녁

연우와 태하, 밥을 먹고 있다. 태하, 밥은 안 먹고 생각이 많은 얼굴이다.

연우   무슨 걱정이라도 있는 거요? 얼굴색이 내내 안 좋은데.

태하   … 민대표가 회장 자리에 오를 것 같아요.

연우   ! (보면) 무슨… 소리요?

태하   이사들 움직임이 심상치 않아요.

연우   (보는데) 어떻게 할 생각이오?

태하	할아버지의 의지와 상관없이 SH를 좋은 회사로 만들고 싶다
	는 건 내 꿈이기도 했어요. 하지만 지금은 그게 맞는 건지 잘
	모르겠어요.
연우	(보다가) 이럴 땐, 답은 딱 하나요.
태하	? (보면)
연우	(일어나 태하 옆으로 와서) 밥 많이 먹고! 뱃심 단단히 길러서 하
	고 싶은 걸 하는 거! 태하씨 스스로 내려놓는다 해도 누가 뭐라
	할 사람 아무도 없소. 원하는 걸 그냥 해요. 그런 사내가 나는
	개인적으로 좀 취향이오.
태하	(하! 웃으며) 연우씨 취향 맞추려면 애 좀 써야겠네요?
연우	(웃으며) 당연한 거 아니요? 금쪽 같은 애기씬데. (웃는)

연우, 밥을 숟가락 가득 떠서 태하에게 먹으라며 주자, 당황한 태하, 헐!
하며 도리질. 연우, 어허! 하며 태하에게 숟가락 들이밀고. 티격태격하는
귀여운 두 사람.

〜 S#26. SH서울, 전경 / 다른 날, 낮

〜 S#27. SH서울, 대회의실 / 낮

태하와 최이사, 임원들(*총 15명 정도) 있고. 혜숙의 모습은 보이지 않고.

| 최이사 | (태하에게 귓속말) 민대표 막기 힘들 것 같아. 고이사도 그쪽으 |
| | 로 갔어. |

태하   ……. (표정)

〰 S#28. SH서울, 혜숙 사무실 / 낮

혜숙, 자리에 앉아 결재서류에 사인하고 일어난다. 책상 앞으로 와 자기 이름이 새겨진 명패를 만져본다. 이때, 노크와 함께 최비서가 들어온다.

최비서   가시죠, 대표님.
혜숙   (잠시 뭔가 생각하더니) 그래…. 가야지. (하고는 문으로 걸어가는)

〰 S#29. SH서울, 대회의실 / 낮

문이 열리고 고이사가 들어온다. 다들, 자리에서 일어나는데 혜숙은 보이지 않고. 다들, 무슨 일이지? 웅성거리는데 고이사, 상석으로 가 선다.

고이사   지금부터 민혜숙 대표님을 대신해 이사회 모두발언 진행하겠
            습니다.
태하/다들   (뭐지?) / (무슨 일이지? 웅성이는데)
고이사   민대표님께선 오늘부로 SH의 모든 직함을 내려놓으셨습니다.
최이사   고이사, 그게 무슨 말입니까!
고이사   더불어 보유하신 주식의 처분은 강태하 부대표님께 일임하고,
            SH그룹 대표로 강부대표님을 추천하겠다고 하셨습니다.
태하   (!!)
최/다들   (!, 태하 보며) 이게 대체… (?) / (웅성거리며 소란한)

〜 S#30. SH서울, 복도 / 낮

혜숙, 최비서와 걸어가는데 맞은편에서 태하와 성표가 오고 있다. 혜숙, 모르는 척 그냥 지나가려고 하는데 말을 건네는 태하.

태하	이사회, 어떻게 된 겁니까?
혜숙	말했잖니, SH는 내 전부라고. 그나마 니가 최선의 선택이었을 뿐이야. 별다른 의미는 없어.
태하	… 그동안 수고하셨습니다. 그리고, 제가 오해했던 부분은 죄송했습니다.
혜숙	(앞만 보며) 그럴 거 없어, 내가 널 싫어했던 건 사실이잖니. (하고 가려다가) 태민이는… 부탁하마. (가버린다)
태하	(가는 혜숙을 보는)

〜 S#31. 태하 집, 연우 방 + SH서울, 태하 사무실 / 낮

연우, 서책(*연우모의 일기)을 보고 있다. 이때, 성표에게 전화가 와서 받고.

성표	연우님! 이사회 잘 끝났습니다.
연우	어떻게 됐소? (*이하 화면분할)
성표	민대표님께서 대표 자리에서 물러나셨어요! 이제 정말 다 끝났습니다.
연우	정말이요? 이제 다 끝난 거요?
성표	예! 맘 놓고 계세요! 자세한 건 부대표님께서 말씀해주실 겁니다.

| 연우 | 알겠소. 알려줘서 고마워요. (끊고, 다시 서책을 보는데 표정이 어 |
| | 둡다) |

～ S#32. 미담 사무실 / 낮

연우와 미담, 차를 두고 마주 앉아 있다. 연우, 가방에서 서책을 꺼내 미담
에게 주는.

미담	이건, 내가 연우씨한테 준 거잖아요. 어머님 일기니까, (하는
	데)
연우	(O.L) 저보단 선생님께서 갖고 계신 게 나을 것 같아서요.
미담	(뭔가 이상한) 그게 무슨 소리예요?
연우	… 서책 내용, 여전히 그대로예요. 전 아직도 열녀고, 제 부모
	님도… 계속 고통받고 계세요.
미담	(답답한) 대체 왜 그래요? 뭐 다른 문제라도 있어요?
연우	(하…) 하나를 얻으면 하나를 잃는 것이 이치라면, 따라야겠죠.
	그래야 소중한 걸 지킬 수 있을 테니까요. (눈가 붉어지지만 참
	는)
미담	연우씨…? (하는데)
연우	제가 다시 돌아가야 태하씨가 살 수 있대요.
미담	(!) 뭐라구요? 돌아…가요?
연우	악연을 끊어내면 원래대로 돌아올 줄 알았는데 아니었어요.
	(눈물 참고) 그 사람 살릴 방법, 이것밖에 없어요.
미담	(하… 걱정되는) 이제 다신 못 돌아올 텐데… 그래도 정말 괜찮
	아요?

263

| 연우 | (마음먹은 일이다, 끄덕) 그게… 제가 해야 할 일이니까요. |
| 미담 | (마음 아픈) … (연우를 안아주더니 등을 쓰다듬는다) |

~ S#33. 학교 운동장 / 저녁 (*9부 S#44과 같은 장소)

연우, 운동장에 서 있는데 태하가 그런 연우를 발견하고 반갑게 다가와 선다. 태하, 연우를 보며 웃자 그런 태하를 와락! 안는 연우.

태하	(?) 연우씨…?
연우	(꽉! 한 번 더 태하를 끌어안았다가 풀더니, 가만히 바라본다) ….
태하	(웃으며) 왜요, 또 달리고 싶어서 불렀어요?
연우	(양손으로 태하 얼굴 감싸며) 나 말고 태하씨가 달릴 거예요, 이제 곧.
태하	(훗― 웃으며) 무슨 수수께끼예요?
연우	새조선에 오기 전에 천명이 내게 그랬소. 큰 걸 잃는 대신 먼 길을 떠나 원하는 걸얻을 거라고.
태하	그래서 얻었어요?
연우	(끄덕) 얻었소. 내 이름으로 사는 것도, 함께 하는 기쁨도, 벅찬 설렘도. 그리고… (태하 보며, 미소) 당신을.
태하	(연우의 말이 기쁜, 웃는데)
연우	그래서 이제, 돌아가려구요.
태하	(?!!) 돌아가다뇨? 어딜….
연우	(애써 미소 지으며) 나의 조선으로.
태하	(!!) … (연우를 보다가, 볼을 감싸고 있는 연우 손을 잡아 내리곤 애써)

　　　　　… 장난이죠? 그만 해요. 이런 장난 재미없으니까.

연우　　　…….

태하　　　(!) … 진심이에요?

연우　　　(끄덕이는)

태하　　　!! (연우 손목 잡으며) 왜 이래요? 갑자기 왜… (하다) 연우씨! (하는데)

연우　　　… 내가 가야 당신이 사니까요.

태하　　　(!!) 천명이에요? 천명을 만났어요?!

연우　　　(손을 태하 심장에 올리며) 더는 아프지 않을 거요.

태하　　　아뇨! 절대 안 돼요! (연우 어깨 잡고 보는) 말했죠, 내 말만 들으라고!

연우　　　(맘 아픈, 눈가 붉어지며) 그럴 수 없어요. 내가 여기 온 이유는 당신을 살리기 위해서니까.

태하　　　(눈가 붉어지는) 아니! 아니야!! 이깟 심장, 멈춰도 상관없다고! 내가… 내가 당신을 어떻게 보내. (연우 와락 안으며) 싫어… 안 돼… (눈물 흘리는) 연우… 제발… 그러지 마요, 제발…!

연우　　　(안긴 채 눈물을 참는다) ….

태하　　　(안았던 거 풀고, 보며, 애달픈) 당신 없이 살 거면, 죽는 게 더 나아요.

연우　　　(태하 손을 잡고) … 내가 없어도 태하씬 괜찮아요. (사이, 보며) 힘들고 아파도, 제 발로 우뚝 서서, 뜨거운 심장으로 살아갈 거예요. (애써 웃어 보이며) 나도 그곳에서 그럴 거니까.

태하　　　아뇨! 연우씬 여기, 내 곁에 있을 거예요. 누가 뭐라 해도, 내가! (하… 연우 보며) 죽는다고 해도 절대 안 보내요.

연우　　　(마음 아픈) ….

태하　　　그러니 포기해요. (연우 보다가, 획― 뒤돌아서 가버린다)

연우	(!) 태하씨! (하고 따라가려는데)
태하	(멈춰 서고) 따라오지 마요! 지금은 보고 싶지 않으니까. (하고는 간다)
연우	(그 말에 더는 따라가지 못하고 바라만 본다) ….

〜 S#34. 서연대학 병원, 현욱 진료실 / 저녁

현욱, 모니터 보고 있는데 문이 벌컥 열리더니 태하가 거칠게 들어온다.

현욱	(!, 놀라서) 야, 강태하! 너 뭐야? (하는데)
태하	(현욱 붙들며, O.L) 나 좀 살려줘! 뭐든 다 할게! 그러니까 살려만 줘!
현욱	(당황해서) 왜 이래?! 무슨 일 있어?
태하	못 걸어도 돼! 평생 누워서 살아도 된다고! 그냥… 숨만 쉬면 되니까 내 심장 좀 제발!! (매달리며) 선배, 제발 고쳐줘!! (무너지듯 무릎 꿇으며) 이것 좀 세말—!! (으아아— 몸을 웅크리며 괴로운 신음과 눈물을 토해낸다)
현욱	(무슨 일인지 모르겠지만, 마음 아픈) … (몸을 숙여 태하를 안아주는)

〜 S#35. 태하 집, 거실 / 밤

지친 얼굴의 태하가 들어온다. 연우, 바닥에 앉아 소파에 옆으로 기댄 채 잠들어 있다. 태하, 연우에게 와서 잠시 바라보다가, 연우처럼 소파에 기댄다. (*서로 마주보게) 태하, 연우를 지그시 보다가 손을 들어 연우 얼굴을 만진다.

〰 S#36. SH서울, 전경 / 다음날, 낮

〰 S#37. SH서울, 태하 사무실 / 낮

태하, 서류 보고 있고 그 앞에 성표 서 있다. 휴대폰 진동 울리는데 연우다.

성표	(?) 연우님 같은데… 안 받으십니까?
태하	(대꾸 없이 서류만 보는데, 지잉— 연우 문자가 온다)
연우	(E) 오늘 같이 저녁 먹어요. 기다릴게요.
성표	(한 번 더) 문자 온 거 같은데요?
태하	(휴대폰 뒤집고) 오팀장한테 팝업스토어 홍보 관련해서 제안서 다시 올리라고 하세요. 엉망이니까.
성표	(뭐지?) 네, 알겠습니다. (뭔가 싸한데? 갸웃하며 나가는)
태하	(하… 하며 의자 등받이에 몸을 기대고는 뒤집어 놓은 휴대폰을 보는)
사월	(E) 그게 무슨 말씀이세요?

〰 S#38. 태하 집, 주방 / 낮

사월, 당근을 자르다가 힐! 해서 연우를 보는. 그 옆에 연우 서 있고. (*둘 다 앞치마 / 테이블에 떡볶이 재료들이 올려져 있다)

267

사월	(놀란 눈) … 조선에… 돌아간다구요?
연우	원래 첨부터 돌아갈 생각이었잖아.
사월	(!) 아니… 왜 갑자기… (하다) 어떻게 가는데요? 갈 방법이 생겼어요?
연우	천명이 알려줬어.
사월	(망연자실한 표정) … (그러다) 도련님은요?! 얘기 하셨어요?
연우	(끄덕) 응. 했어.
사월	뭐래요?! 가지 말래죠? 그쵸?
연우	오늘 다시 말할 거야. 그래서 떡볶이 만드는 거 배우려고. 태하씨랑 먹으면서 한 번 더 얘기하게.
사월	(헐…) … 이 상황에 떡볶이가 넘어 가세요?
연우	그럼~ 먹고 자고 싸고, 사람한텐 이게 젤 중요하잖아!! (재료들 보면서) 당근은 대충 된 것 같고 다음에 뭘 해야지? (하는데)
사월	… (작게 중얼거리듯) 그럼… 저도… 같이 가는, (거예요? 하는데)
연우	(잘 못 듣고) 응? 뭐라고? (하며 사월 보는데)
사월	아니, 아니에요! 떡부터 물에다 좀 넣어두세요.
연우	아~ 떡부터 물에 넣어두는 거야? (하면서 떡을 챙기는데)
사월	(연우는 눈에도 안 들어온다. 생각 많은 표정이고)

⌒ S#39. 성표 집, 거실 / 저녁

사월, 소파에 쪼그리고 앉아 고개 푹— 숙이고 있는데 성표가 들어온다.

성표	(사월 보고 응? 해서 옆으로 와) 에이프릴, 왜 그러고 있어요.
사월	(고개를 드는데 눈물 콧물 범벅이다)

성표	(헉!!) 왜요! 뭐예요?! 나래랑 싸웠어요?
사월	(울먹, 웅얼, 발음 뭉개져) 애기씨가 조선으로 돌아가신대요!
성표	(알아듣고) 뭐라구요?! 연우님이 조선에 돌아간다구요? 그럼 사월씨는요!
사월	(울먹, 웅얼, 발음 뭉개져) 애기씨가 가면 나도 가겠죠, 뭐!
성표	(알아듣고) 가긴 어딜 가요! 날 두고!!
사월	내 말이요!!!!!
사월/성표	(끌어안고 뿌엥— 울고불고 난리인데)

〰 S#40. 태하 집, 거실 / 저녁

태하, 거실로 들어오는데 연우가 주방에서 나온다.

연우	(반기며) 왔소? 씻고 와요. 내가 맛있는 거 해놨소.
태하	… 난 생각 없으니까 먼저 먹어요.
연우	(!) 그래도 밥은 먹어야죠.
태하	됐다구요. (하고 방으로 가려는데)
연우	(속상한) 그렇게 자꾸 피할 거면 집엔 왜 들어온 거요?!
태하	(하!, 돌아보는, 살짝 화나서) 여기 내 집이거든요?
연우	(하!, 화나서) 알겠소! 그럼 내가 나가면 되지. (하고 나가려는데)
태하	(연우 팔 잡고) 장난해요, 지금?!
연우	! (보는)
태하	뭘 어쩌자는 거예요, 대체!! 난 미치고 돌아버리겠는데! 그냥 아무 일도 없는 것처럼 밥 먹고, 얘기하고, 연우씬 그게 돼요?!
연우	(속상한) 그럼 맨날 울고불고 그래요?! 아무리 힘들고, 속상하

고 화나도 살아가야 하는 게 사람이요. 내가 태하씨 곁에 있다가 죽으면, 그때도 이럴 거예요? 다 포기한 것처럼?!

태하   그래, 그럴 거야! 당신을 사랑하니까!!

연우   (보는)

태하   (하…) 다른 이유가… 더 필요해요?

연우   그럼 나는요? 당신을 살릴 수 있는데도 아무것도 하지 말라구요? 그러고도 내가… 괜찮을 것 같소?

태하   (!!)

연우   배롱꽃이 질 때까지 보름 정도 남았어요. 내겐 무엇보다 소중한 시간이니 제발… 이러지 말아요. (보다가 돌아서서 2층으로 올라가버린다)

태하   …. (말없이 가는 연우 보는)

〰 S#41. 태하 집, 태하방 + 연우 방 / 저녁

태하, 방으로 들어와 재킷을 벗다가 제 화를 못이겨 침내에 재킷을 집어던진다! 침대에 털썩 앉는 태하. 괴로운 듯 손으로 머리를 감싸 쥔다. (*화면 분할되면서)

연우 방/ 연우, 문에 등을 기대고 앉아 무릎을 감싸 안고 후… 한숨을 쉰다. (*태하와 연우, 마치 서로 등을 돌린 채 앉아 있는 듯한 느낌으로 화면분할)

〰 S#42. SH서울, 매장 일각 / 다음날, 낮

태하와 현정, 이벤트 홀을 살펴보고 있다.

현정 　　박연우씨 팝업스토어는 여기 이벤트홀 정도의 규모로 작업 중
　　　　입니다.

태하 　　좀 더 크게 잡아보죠, 고객분들 이동 편의도 생각해서.

현정 　　네, 알겠습니다.

이때, 30대 커플이 의류매장 앞에서 투닥거리는 게 보인다.

커플남 　커플티를 꼭 입어야 돼? 아, 나 진짜 민망한데.

커플녀 　그렇게 싫어? (삐죽) 사랑한다며 그것도 못 해주냐? 아, 됐어!
　　　　(가려는데)

커플남 　! (커플녀 붙잡고) 아냐! 사! 사야지~ 울 애기가 입자는데 왜 못
　　　　해!

커플녀 　(그제야 맘 풀려, 커플남 팔짱을 끼고 매장 안으로 들어간다)

현정 　　(웃으며) 마법의 단어네요, 사랑.

태하 　　? (현정 보는)

현정 　　사랑하면 원하는 건 다 해주고 싶잖아요. 그러니까 마법의 단
　　　　어죠.

태하 　　… 원하는 걸 다 해주는 게 사랑일까요?

현정 　　네? (하고 보는데)

태하 　　(휴대폰 진동이 울린다, 보면 미담이다)

〜 S#43. 미담 사무실 / 낮

태하와 미담, 차를 두고 마주 앉아 있다.

미담　연우씨가 며칠 전에 어머님 서책을 돌려주고 갔어요.

태하　(!, 잠시 생각) … 조선으로 돌아가겠단 얘기도 했나요?

미담　(끄덕) 많이 힘들어했어요, 태하씨 때문에. (흠) 어쩔 생각이에
　　　요?

태하　… 모르겠어요. 연우씨가 원하는 대로 해주면 난 혼자가 될 거
　　　고, 내가 붙잡으면 결국 그 사람이 혼자가 되겠죠. 둘 다 생각
　　　하고 싶지 않아요.

미담　내가 아는 연우씬 강부대플 위해선 뭐든 할 거예요. 그건 알고
　　　있죠?

태하　네…. (엷은 미소) 고집쟁이니까요.

미담　생각이 확고한 만큼 자의식도 강한 친구예요. (사이) 서책 내용
　　　이 그대로라고 많이 속상해했거든요. 여전히 자긴 열녀 박씨
　　　로 남아 있고, 과거에서도 지금도 태하씰 지키지도 못했다구
　　　요.

태하　(!) …….

미담　내 얘기가 태하씨가 답을 찾는 데 도움이 되길 바래요.

〜 S#44. 호텔, 야외 수영장 / 저녁

배롱나무 아래 벤치에 태하가 앉아 나무를 올려다보고 있다. 잠시 후, 연우
가 들어와 그런 태하를 보다가 옆으로 다가와 앉는다. 두 사람, 잠시 말없

이 앉아 있는데.

태하	처음 여기서 연우씰 봤을 때 미친 사람인 줄 알았어요.
연우	… 나라도 그랬을 거요. 다짜고짜 서방님이라고 했으니. (홋…)
태하	근데 지금은 내가 미친 것 같아요. (하…) 당신을… (겨우, 힘겹게) 연우씰… 보내주려구요.
연우	!! (놀란 눈으로 태하를 본다)
태하	(주머니에서 회중시계 꺼내 보며) 내가 졌어요. (회중시계 연우에게 주며) 연우씨의 시간, 돌려줄게요. 돌아가서 박연우란 이름으로 살아요.
연우	(시계를 받는) … (눈물 애써 참으며) … 미안해요.
태하	괜찮아요. 그 미안한 값, 비싸게 쳐서 받을 거니까.
연우	(웃으며 애써 끄덕이는) 얼마든지요.

태하, 연우의 손을 잡으며 배롱나무를 쳐다본다. 연우도 같이 배롱나무 바라보는.

태하	(배롱나무를 보다가) … 배롱꽃이 질 때까지 얼마나 남은 거죠?
연우	… 이제 정말 보름 남았소.
태하	보름… 충분하네요, 연우씰 사랑할 시간은.
연우	(태하 어깨에 머리를 기대며) 우리가 사랑할 시간이요.
태하/연우	(배롱나무를 바라보며 손을 꼭 쥔다)

혜숙, 책을 읽고 있는데 노크와 함께 태민이 들어온다.

혜숙	뭐야, 이 시간에.
태민	내일 경찰서 같이 가. 참고인이래도 조사받으려면 무섭잖아.
혜숙	… 됐어. 변호사도 있는데 뭘.
태민	나 말 드럽게 안 듣는 거 알지? (웃고) 낼 봐요, 잘 자고. (나가려는데)
혜숙	… 너 때문이었어.
태민	?! (보는)
혜숙	물었잖아. 널 왜 낳았냐고. (사이) 그 사람 그렇게 되고 따라갈까 했는데 못 했어, 뱃속에 너 때문에. (훗) 전 부인 납골당에 갔다가 죽은 사람이 뭐 좋다고.
태민	(애써, 담담하게) 그랬구나. 아버지 최악이네.
혜숙	… 다 핑계고, 변명이지. 어차피 난 엄마 자격 없는 사람이니까.
태민	잘 아네. 그럼 이제부터라도 해요, 늙어서 외롭기 싫으면.
혜숙	(싫다는 말은 안하고 책만 본다) ….

태민, 씩— 웃더니 나간다. 혜숙, 책을 덮고 일어나 돌아본다. 보면 벽에 드레스룸에 있었던 정훈의 그림이 걸려 있다. 팔짱을 낀 채, 그림을 보는 한결 부드러워진 혜숙.

⌒ S#46. 태하 집, 전경 / 다른 날, 낮

⌒ S#47. 태하 집, 주방 / 낮

연우, 태하, 성표, 사월이 식탁에 앉아 있다. 식탁 위 테이블엔 예쁜 그릇이 세팅돼 있고 그 위에 떡볶이가 있다. 밝은 연우와 태하에 비해 침울한 사월과 성표.

태하	두 사람한테 할 얘기도 있고, 연우씨가 맛있는 거 해주고 싶다고 해서요.
사월	(!, 울상, E) 할 얘기?! 조선으로 가라고요?!!
성표	(!, 울상, E) 제발 그 말만은 싫어요~!
연우	근데 나랑 태하씨가 할 수 있는 게 떡볶이밖에 없더라고. 미안.
사월	아니에요~ 그릇이 고급진 게 더 맛있어 보여요. (성표 보며 애잔한, E) 우리의 마지막 인사는 매콤하겠죠?
성표	잘 먹겠습니다. (사월 보며 애잔, E) 에이프릴~ 정말 날 두고 갈 거예요?

사월과 성표, 쳐다보며 눈짓 몸짓으로 대화를 하자. 연우, 탁! 테이블을 잡고 일어나.

연우	둘이 뭐라고 하는지 완전 다 알겠거든! 오바 그만하고 얼른 먹기나 해!!
사월/성표	(깨갱! 해서 쳐다보면)

태하(*손에 서류봉투)와 연우, 성표와 사월이 앉아 있다.

태하	(서류봉투 사월에게 주며) 여기 사월씨 주민등록증 만들 서류예요.
사월/성표	(!!, 보는) / ! (놀라서) 예??
연우	내가 부탁했어. 너 여기 있으려면 신분증 필요하잖아.
사월	(!) … 애기씨…?
성표	그럼 사월씬 조선에 안 가는 겁니까?
연우	사월이가 왜요. 홍가양반이 여기 있는데.
성표	(당황해서) 아니, 연우님도 대표님 여기 계시는데 가시(잖아요, 하려는데)
사월	! (성표 입 손으로 막아 뒤로 밀면서) 아니에요, 저도 같이 갈래요.
연우	(괜히) 진심 아닌 거 완전 티나거든?!
사월	… 반은 진심인데… (하다가) 고마워요, 애기씨. (하며 연우 끌어 안고)
성표	(소파에 반쯤 누워 있다 벌떡!) 감사합니다, 싸랑합니다! (태하 안으려는데)
태하	! (성표 손으로 밀어내며) 아, 저리로 좀 가요!!!
연우	(괴로워하는 태하의 모습을 보며 빵— 터지는)

부산대교를 지나가는 차들의 모습이 보이고.

⌒ S#50. 부산 보수동, 책방거리(*정원 카페 아래) 계단 / 낮

태하와 연우, 계단을 걸어 내려오고 있다. 연우, 주변을 살펴보고.

태하   (계단을 내려와) 어릴 때 이 골목에서 살았어요. 부모님하고 여기서 책도 사고, 산책도 하고. (주변을 보며) 연우씨한테 꼭 보여주고 싶었어요.

연우   (웃으며) 고맙소, 데려와줘서.

태하   목 마르지 않아요? 뭣 좀 마실래요?

연우   (끄덕) 안 그래도 살짝 배도 고픈 참이었소.

태하   좀 기다렸다 말할 걸. 그래야 연우씨 배에서 또 꼬르륵 소리 나죠~ 그거 놀리는 거 꽤 재밌는데.

연우   (하!, 주먹 쥐어 보이며) 한 대 맞는 것도 꽤 재밌지 않소?

태하   (바로 딴청 부리며 앞으로 가는) 이 근처에 카페가 있을 텐데.

연우   (주먹에 후! 바람 불고는) 같이 갑시다~ 사기꾼 양반! (따라가는)

⌒ S#51. 아테네 학당 / 낮

연우, 초코음료와 초코빵을 먹고 있다. 태하, 그런 연우를 보고 있고.

연우   역시~ 촉호가 젤 맛있소! (빵 먹고, 또 음료 쭉!)

태하   천천히 먹어요. 그러다 흘리겠네.

연우   내가 애요? 음식 먹다가 흘리게? (하며 빵을 베어 무는데 초코크림이 연우 입가에 묻는다)

태하   (빤히 보는)

연우	(?) 뭘 보는 거요?
태하	(휙— 휙— 주변 살펴보다가 크림 묻은 연우 입가에 뽀뽀를 쪽! 한다)
연우	!!!
태하	확실히 애는 아니네요. 어른의 크림 맛? (웃는데)
연우	… (이리저리 눈 굴리더니, 빵을 들어 초코크림을 입술에 일부러 톡 톡톡 묻히더니) 어떻소? 어른의 크림. (빙긋)
태하	(그 모습에 빵! 터지며) 그게 뭐예요! (휴지로 연우 입술 닦아주는)
연우	(장난치며) 아깝게 왜 닦소! 어허!!!

〰 S#52. 용두산 공원 / 낮

태하와 연우, 손을 잡고 산책하고 있다. 그러다 굿즈 매대를 발견한 연우가 매대를 향해 태하를 끌고 간다. 매대에는 각종 기념품과 부기인형 키링이 보이고.

연우	(인형 보며) 요 입을 삐죽! 내밀고 있는 게 화났을 때 사월이 같 지 않소? (다른 거 보며) 이건 멍하니 있을 때 홍가양반 같고.
태하	맘에 들어요? 하나씩 살래요?
연우	(끄덕) 선물로 주면 좋아할 거요. 우리 둘만 왔다고 삐졌을 텐 데. (웃는)

〰 S#53. 성표 집, 거실 / 낮

사월, 소파에서 귀를 긁으며 '뭐야~ 누가 내 얘기해?' 궁시렁거리는데 이

때, 안경성표(*4부 S#39)가 거실 테이블 위에 두껍게 제본한 책을 쾅! 하고
내려놓는다.

사월   ! (살짝 쫄아서) 이게… 뭐예요?

성표   뭐긴요! 무적자*인 사월씨의 출생신고를 위한 가이드죠!

사월   무적…?

성표   이 책엔 사월씨가 왜 출생신고를 못 했는지, 부모님은 어째서
       기억이 안 나는지! 눈물 없이 들을 수 없는 완벽한 스토리가 다
       ~ 있습니다! 누가 만들었냐? 바로 나, 홍성표! 스토리의 왕!

사월   (쩝ー) 그니까 이 많은 걸 다 보고 외우란 거예요?

성표   당연하죠!! (안경 한 번 올렸다 내리고)

사월   (제본한 책 펼쳐서 보며) 근데… 나 글자 잘 모르는데.

〈플래시컷// 4부 S#39.

연우   이게… 내가 아는 글자완…(책 덮고) 글부터 배웁시다!〉

성표   (헉) 이거슨… 데자뷰?!! 소오름~? (하는데)

사월   (책 던지고) 나 안 해! 공부 싫어! 싫다고!!

～ **S#54. 해운대 / 낮**

연우와 태하, 손을 잡고 해변을 거닐고 있다.

● 무적자(無籍者) : 출생신고 되지 않아 서류상 존재하지 않는 사람.

연우	같은 바다인데 또 다른 것 같소. (바다를 보다가) 오늘 여기서 태하씨에 대해 더 알게 돼서 기뻤어요. (태하 보며) 고맙고.
태하	나도 고마워요, 내 추억에 함께 해줘서.
연우	(태하 보다가) 다행이에요. 태하씨 혼자 두고 가는 게 아니라서. 추억도 있고, 함께 해줄 사람들도 있으니까.
태하	… 연우씨는 없는데두요?
연우	왜 없소. 그 마음속에 계속 있을 텐데.
태하	계속이요? 싫은데. 좋은 사람 생기면 만날 거에요.
연우	그것도 괜찮겠네요, 태하씨가 외롭지 않다면. (웃어 보이곤 앞을 본다)
태하	(앞만 보고 가는 연우를 보는)

∿ S#55. 엑스 더 스카이 전망대 / 저녁

연우, 창밖의 야경과 바다를 보고 있다가 고개를 들면 달이 가까이 떠 있는 듯 크게 보인다. 연우 옆으로 다가와 서는 태하. 연우와 함께 달을 본다.

연우	(달을 보며) 달이 손에 잡힐 것 같아 무섭소.
태하	무섭다구요?
연우	(달 보며) 가질 수 없는 걸 원하면 마음이 아플 테니까요.
태하	그냥 소원 빌어요, 영원히 갖게 해달라고.
연우	(삐죽) … 좋은 사람 생기면 만난다더니.
태하	다른 여자 만나도 괜찮다면서요? 내 거 하자더니, 완전 사기꾼. 나 정말 그래도 돼요?
연우	(바로) 안 돼요! 그냥 내 거 합시다.

태하	됐어요! 맘에 드는 여자 벌써 생겼으니까. (하며 뒤를 돌아본다)
연우	(뭐지? 해서 태하 시선 따라 보면)

천장 위 스크린에 연우의 일상 (*먹고, 자고, 웃고, 하품하는 등 태하가 찍은 느낌의) 사진들이 지나간다. 연우, 사진들을 보는데 태하가 연우 목에 나비 목걸이(*8부 S#20)를 걸어준다. 연우, 손으로 나비 펜던트를 만져보는데. (*이후부터 계속 하고 있음)

태하	연우씨와 함께 한 순간들은 절대 잊지 못할 거예요.
연우	(돌아보며) 나도 그럴 거요. (태하의 손을 보며) 내 손, (태하의 가슴을 보며) 내 마음, (태하의 눈을 보며) 내 눈, (태하의 입술을 보며) 내 입술, 당신이 머물고 간 모든 순간을 기억할게요.

태하, 연우를 바라보다가 키스한다. 연우, 손으로 태하 목을 감싸고. 이내 점점 조명이 조금씩 어두워지더니 달빛에 두 사람의 키스하는 실루엣만이 보인다.

⌒ S#56. SH서울, 스튜디오 안 / 다른 날, 낮

카메라 화면 속 연우의 모습이 보인다.(*연우 인터뷰 중)

연우	안녕하세요. '연우'의 디자이너 박연우입니다. '연우'는 잇닿을 연에 만날 우, 제 이름에서 따온 겁니다. 그 의미처럼 제 옷을 통해 만난 모든 분과의 인연을 소중히 간직하고 싶어요. (웃는)

화면 넓어지면 인터뷰 중인 연우다. 연우 뒤로 연우 의상 몇 벌이 마네킹 등에 입혀져 있다. 앞쪽에선 현정, 하나가 그 모습을 지켜보고 있다.

현정   (하나에게 속닥) 세상에 연우씨 화면발도 끝내준다. 요새 섬세
        하게 더 예뻐진 거 같지 않아? 역시 사람은 사랑을 해야 되나?

하나   (속닥) 팀장님도 아직 늦지 않으셨어요. 돌싱 전성시대! (하는
        데)

이때, 태하가 스튜디오 안으로 들어와 현정과 하나 옆으로 와 선다.

태하   (현정과 하나 옆으로 와) 어때요? 잘하고 있습니까?

하나   연우씨 옷만 잘 만드는 게 아니라 인터뷰 스킬도 좋은데요?

태하   원래 말싸움 절대 안 지거든요, 한마디도. (웃으며 연우 보는)

현정/하나   (태하 보면서 서로 눈짓, 아주 좋아 죽네! 란 느낌)

인터뷰어   (연우에게) 마지막으로 하고 싶은 말씀 있으세요?

연우   (잠시 생각) '박연우'라는 이름과 제 옷이 오래 기억됐으면 좋겠
        어요. 잠시나마 여기서 머물고 간 흔적일지라도요.

태하   (그런 연우를 바라본다)

〜 S#57. 미담 작업실 / 저녁

연우, 마네킹이 입고 있는 자기 옷을 천천히 만져본다. 나비 자수를 만져보
는데 미담이 옆으로 와 선다. 미담, 잠시 동안 연우 옷을 보다가.

미담   (연우 보며) 바보 같은 질문 해도 돼요?

연우	(보면)
미담	… 정말 괜찮겠어요?
연우	(솔직하게) 아뇨, 안 괜찮아요. 여전히 마음이 아프고, 슬프고, 화도 나는데 이상하게 태하씨를 보면 전부 사라져요.
미담	…….
연우	그 사람이 살아갈 시간들이 너무 기대되고, 기쁘고, 행복해서요.
미담	이 옷들, 연우씨를 참 많이 닮았어요. (미소) 늘 만나고 싶었거든요. (보자기 액자에 놓인 연우 자수를 보며) 저런 아름다운 자수를 둔 사람은 누굴까. 얼마나 곱고, 따뜻하고 좋은 사람일까…. (연우 보며) 내가 상상했던 그대로예요. (연우 손잡고) 고마워요, 내 소원 이뤄줘서.
연우	그간 감사했습니다. 잊지 못할 거예요. (웃는)
미담	(연우 안아주며) 나도 계속 기억할게요. 거기서도 꼭 행복해야 해요.
연우	(품에 안긴 채, 끄덕이며) 네. 그럴게요.

〰 S#58. 거리 / 저녁(*혹은 해 질 녘)

걸어가던 연우, 잠시 걸음을 멈춰 서더니 주변을 바라본다. 새조선의 모습을 하나하나 눈에 담으려고 찬찬히 살펴보다가 연우의 시선이 늙은 노부부를 향한다. 손을 꼭 잡고 걸어가는 노부부의 모습을 부러운 듯 바라보는데 연우. 이때 누군가가 연우의 손을 잡는다. 보면, 태하다.

태하	(연우 보며) 오래 기다렸어요?

연우   (가만히 태하를 보다가) … 괜찮소. 200년도 더 기다렸으니. (웃는)

연우와 태하, 손을 잡고 간다. 두 사람, 아까 연우가 봤던 노부부와 스쳐
지나가고.

S#59. 태하 집, 전경 / 다른 날, 아침

S#60. 태하 집, 연우 방 / 아침 (*마지막 날)

사월, 한 손으로 연우의 눈을 가리고 있다가 짠! 하고 떼더니 다른 손에 들
고 있던 주민등록증을 보여준다. 연우, 어! 해서는 사월 손에서 주민등록
증 뺏어서 들고 보며.

연우   (!) 뭐야? 벌써 받은 거야? (앞면 보다가) 박, 사월?
사월   애기씨랑 똑같이 하고 싶어서요~ 괜찮죠?
연우   당연하지! 내 동생인데. (주민등록증 보며) 이제 진짜 새조선 사
       람이네?
사월   (눈물 날 것 같은데 참으며) 사진이 요 실물보다 별루더라구요.
       그죠?
연우   아닌데? 사진이 천 배 만 배 더 나은데?
사월   (빽) 아, 애기씨!! (하는데)
연우   아, 맞다! (한쪽에 있던 한복 상자를 가져와 사월에게 준다) 열어
       봐.
사월   이게 뭔데요? (상자를 열면 남녀 한복이 들어 있다) ?!

연우	사월이 네 혼례복은 꼭 해주고 싶었거든. 활옷은 아니지만, 홍 가양반하고 혼례할 때 입어줄래?
사월	(왈칵! 눈물 날 것 같아 괜히) 안 되겠다! 저도 뭣 좀 해드릴래요!

(CUT TO) 연우 화장대 앞에 앉아 있고 사월이 연우의 머리를 빗겨주고 있다.

사월	오랜만이네요, 이렇게 애기씨 머리 빗겨드리는 것도.
연우	… 그러게. 맨날 사월이 네가 해줬는데. (하다가) 근데 언니라니까?
사월	오늘은 애기씨 할래요. 저한텐 세상에 둘도 없는 금쪽 같은 애기씨니까.
연우	그래. 그러자, 그럼. (애써 웃는데)
사월	(눈물 떨어지자 재빨리 닦고, 괜히) 아유, 눈이 시리네. 이 빗, 애기씨랑 똑같은 거 샀어요. 정표처럼 나눠 가지려고, (하다가) (뒤에서 와락 연우 안으며) 안 가시면 안 돼요? 저랑 그냥 같이 살아요, 예?
연우	(사월의 팔을 토닥이며) 고마웠어, 내 동생.

⌒ S#61. 태하 집, 거실 / 아침

태하, 계단 아래 있고 예쁘게 단장한(*사월이가 해준) 연우가 계단에서 내려와 선다.

태하	오늘은 뭐 할까요?

연우   그냥… 같이 있고 싶소. (웃는)

⌒ S#62. 몽타주 – 태하 집에서 평범한 하루를 보내는 둘의 모습

1. 주방/ 태하, 연우에게 라면 끓이는 법을 가르쳐 주고 있다. 연우, 신중하게 라면을 반으로 쪼개서 냄비에 집어넣고 오오! 하며 좋아하는.
2. 거실/ 새돌쇠, 마당쇠가 청소 중이고 연우와 태하 그 뒤를 졸졸 쫓아다니고 있다.
3. 화장실/ 나란히 서서 양치하는 태하와 연우. 연우가 엉덩이로 툭! 태하를 치자, 태하도 툭! 연우를 치는. 두 사람, 큭! 웃으며 사이좋게 양치하는.

⌒ S#63. 태하 집, 거실 / 밤

연우와 태하, 소파에 등을 기대고 바닥에 앉아 있다. (*태하가 연우 어깨 감싼)

태하   … 후회하지 않겠어요?
연우   (끄덕이며) 당신을 지켰으니까요.
태하   난 후회할 거예요, 당신을 잡지 못한 걸.
연우   (그 말에 태하를 보는)
태하   그러니까… 서둘러서 와요. 여기서 기다릴게요.
연우   (눈가가 붉어지며) … 대신 그때까진 날 잊어 줄래요?

태하	(연우의 얼굴 만지며) 연우씨가 그러면 나도 그럴게요.
연우	… 그럴 리가 없잖소. (눈물이 뚝 − 떨어지는)
태하	(한 손으로 연우의 눈물을 닦아 주고 보며) 다행이네요. (웃는)
연우	(태하를 보다가 눈 위에 입 맞추곤) 은애합니다. 사랑해요.
태하	(하… 연우의 허리를 감싸 안더니 키스를 한다)

태하, 마지막 밤이라는 게 아프고 괴로운 만큼 연우에게 뜨거운 키스를 퍼 붓는다. 연우도 태하의 마음을 아는 듯 온전히 그 마음을 받아내고. 태하, 잠시 입술을 떼고 자기 이마를 연우에게 대고 거친 숨을 내쉬더니 마주 댔 던 이마를 떼고 연우를 바라본다. 태하, 당장이라도 연우를 안고 싶은 간절 한 눈빛으로 연우를 바라보는데 그래도 되는 걸까 망설여진다.

연우	(양손으로 태하 얼굴 살포시 잡고) 괜찮아요. 이미 저의 서방님이 신 걸요. (먼저 다가가 키스한다)
태하	(그런 연우를 꼭 끌어안고 다시 키스)

〰 S#64. 태하 집, 태하 방 + 거실 + 연우 방 + 주방 + 태 하 방 / 밤

태하 방/ 연우와 태하, 키스를 하며 문을 열고 들어온다. 쾅! 닫히는 문. 두 사람, 잠시 떨어져 서로를 쳐다본다.

거실/ 깜깜한 거실, 소파 아래 쿠션이 떨어져 있다.

태하 방/ 침대 위, 상의를 벗은 태하의 몸 아래 연우가 누워 있다. 연우, 태

하의 가슴 흉터를 손으로 만진다. 태하, 연우의 셔츠 단추를 하나둘씩 풀기
시작하고.

주방/ 조용한 주방. 싱크대 수도꼭지에서 똑ㅡ 똑ㅡ 물이 떨어진다.

태하 방/ 태하, 연우에게 키스를 하고 있고. 연우 머리 위로 꼭 잡은 두 사
람의 손.

연우 방/ 배롱나무 가지에 하나 남아 있던 배롱꽃이 더 붉게 물들고.

태하 방/ 태하 방 창문. 창밖에 커다란 달이 보이고.

태하와 백허그하고 누워 있던 연우, 몸을 돌려 태하와 마주 본다.

연우 (E) 이곳에 오기 전까지 내 시간은 멈춰 있었습니다. 당신을 만
   나고, 사랑하고, 아파하면서 나는… 꿈에도 그리던 나로 살았
   습니다.
태하 (연우를 보며 웃는)
연우 (E) 그거면 됩니다, 당신을 기억할 추억 하나만으로도 충분하
   니까요.

연우, 태하의 품에 파고들고. 태하는 연우를 꼭 안아준다.

연우 (E) (태하 심장 소리 들으며) 당신과 잇닿을 수 있어 행복했습니
   다. (눈 감는)

주방/ 똑똑, 싱크대에서 떨어지던 물이 멈춘다!

연우 방/ 배롱나무 가지에 하나 남아 있던 배롱꽃이 바닥에 떨어지며 재가
돼 날아간다.

태하 방/ 창문 밖. 밤하늘의 달이 천천히 완연한 붉은색이 된다!

⌒ S#65. 호은당 별채, 연우 방 / 아침

눈을 감고 잠이 들어 있는 연우의 얼굴로 디졸브. 연우, 꿈에서 깨는 듯 눈
을 뜨는데 화면 넓어지면, 조선시대 자기 방에 누워 있는 연우다!

(엔딩)

12부

—

연(聯),
그 두 번째 달

〜 S#1. 태하 집, 태하 방 + 거실 / 아침

옆으로 누워 잠들어 있던 태하, 스륵— 눈을 뜬다. 보면, 옆자리가 비어 있다. 태하, 벌떡! 일어나 비어 있는 자리를 보더니 다급히 문 밖으로 나간다.

거실/ 태하. 주변을 둘러보다가 2층 계단으로 빠르게 올라가고.

〜 S#2. 태하 집, 연우 방 / 아침

태하, 문을 열고 들어오는데 연우는 없다. 배롱나무 가지가 꽂혀 있던 화병도 비어 있고. 태하, 터덜터덜 연우의 침대로 와서 앉더니 가만히 손으로 쓰다듬어본다. 그러더니 양손으로 얼굴을 감싸 쥐는 태하. 이내 우는 듯 태하의 어깨가 들썩인다.

〜 S#3. 호은당 별채, 연우 방 / 아침

잠에서 눈을 뜨는 연우. 천장을 봤다가 옆을 보면 조선시대 자기 방이다! 연우, 벌떡 일어나는데 베개 옆에 회중시계가 보인다. 째각째각 제대로 움직이고 있는 회중시계. 연우, 돌아온 건가… 싶은데 문이 열리고 연우모가 들어온다!

연우모   해가 중천에 떴는데 아직까지 자고 있는 게야?
연우   (어머니가 보이자 눈가가 붉어지는) …. (눈물이 뚝— 떨어진다)

연우모	! (놀라, 연우 앞으로 와 앉으며) 왜 그래? 어디 아픈 거니?
연우	(눈물 닦으며) 아니요, 아니에요. 일어나니 어머니가 계셔서….
연우모	(것 참!) 언제는 멋대로 혼인시켜 밉다면서?
연우	(?!) 혼인…이요?
연우모	(이상한) 그래, 열흘 뒤면 네 혼인날이잖니.
연우	(E) 혼인 열흘 전으로 돌아온 모양이구나.
연우모	마천댁한테 아침 들이라고 할 테니 소세부터 하거라. (일어서는데)
연우	! (문득) 어머니, 사월이는요?
연우모	사월이? 그게 누구니? (하다가) 대체 뭔 꿈을 꿨길래 아침부터 계속 이상한 소리야. 정신 차리고 어서 일어나. (하고는 나가버린다)
연우	나만 돌아왔구나… 다행이다. (하다가) ! (다급히 나비 목걸이를 만져본다, 안심하고) 꿈이 아니야, 연우야. 알고 있잖아. (태하를 생각하자 눈가가 붉어지는데, 애써 울음을 참는다)

TITLE : 연(聯), 그 두 번째 달

〰 S#4. 조선태하 집, 뒷문 / 다른 날, 낮

태하, 뒷문을 열고 나오는데 이때 문 앞으로 화살이 날아와 꽂힌다. 놀란 태하, 화살을 보는데 보면, 화살촉 부분에 서찰이 묶여 있다. 태하, 주변을 살펴보다가 일단 화살을 뽑아 서찰을 꺼내 읽어보는데.

⌒ S#5. 저잣거리, 강가 다리(*낙화놀이 했던) / 저녁

연우, 태하를 기다리고 있는데 이때, 다리 끝에서 태하가 오는 게 보인다. 순간!

〈인서트// 연우를 보며 웃으며 서 있는 (새조선)태하.〉

연우, 멍하니 태하를 보고 있는데. 태하, 반가운 얼굴로 연우 앞으로 와 선다.

태하	(웃으며) 연우 낭자.
연우	(그제야)! (시선 돌리며) … 조용한 곳으로 가시죠. (앞장서서 가고)
태하	? (뭔가 이상하지만 일단 따라가는)

⌒ S#6. 조용한 정자 / 저녁

태하, 연우에게 서찰(*S#4)을 건넨다. 연우, 서찰을 받아들고.

태하	내 목숨이 위험하다니, 그게 무슨 말이요.
연우	하나 여쭙겠습니다. 도련님 어머님께서 매일 탕약을 주시는지요.
태하	(끄덕) 그렇습니다. (의아한) 헌데 어찌 그걸….
연우	근자에 목 안의 열기가 느껴지고 구역질이나 구토를 한 적도 있구요?

태하	! (있었다) … 요 며칠 속이 좋진 않았소.
연우	(역시) 외람된 얘기 오나, 탕약 안에 독이… 들었습니다.
태하	(!!) 독이요?! (하다) 낭자! 말을 삼가세요!
연우	제 말을 안 믿으셔도 됩니다, 관아에 고변하셔도 괜찮아요. 허나, 허투루 듣진 말아 주십시오. (품에서 은비녀와 비단 주머니 꺼내며) 이 은비녀로 확인해보세요. 해독제도 꼭 드시구요.
태하	(연우 손에 들린 은비녀와 비단 주머니를 보는) …….
연우	(태하 보며) 전… 도련님을 꼭 살리고 싶습니다.
태하	(연우를 보는, 혼란스럽다)

〰 S#7. 조선태하 집, 태하 방 / 저녁

태하, 방 안으로 들어오는데 윤씨부인이 앉아 있다. 경상 위엔 탕약이 올려져 있고.

윤씨부인	어딜 그리 다니는 게야, 예서 한참을 기다렸는데.
태하	(탕약을 봤다가, 윤씨부인 보며) 잠시 바람 좀 쐰다는 것이 늦어졌습니다.
윤씨부인	… 탕약 가져다 놨으니 먹고 쉬거라. (일어서서) 약은 잘 먹고 있는 거지?
태하	예, 어머님. 걱정 마십시오.
윤씨부인	그래, 알았다. (하고 나가는)
태하	(탕약을 보다가 품에서 비녀를 꺼내 본다) … (고민하는 표정)

현정, 석주(*태블릿 들고), 하나가 팝업스토어 도면을 보고 있는데 쇼핑백과 커피를 든 성표, 사월이 '수고하십니다!' 하고 들어온다.

현정	어머! 사월씨~ 어쩐 일이에요?
사월	야근이라고 해서 쿠키 좀 만들어 왔어요.
성표	(쇼핑백 내려놓고) 연우님 팝업 준비 잘 부탁한다고 저희가 쏘는 겁니다!
현정	정말요? 둘 다 넘 섬세하다~ 어디 먹어볼까? (하며 하나, 석주 보는데) !
하나/석주	(이미 양손에 쿠키 들고 먹고 있는)
현정	(!!) 뭐야 뭐야~! (후다닥 쿠키 꺼내 먹으며) 음~ 맛있어!
하나	사월씨, 이거 레시피 있어요? 나도 만들어보게요.
석주	가게 차려도 되겠는데요? 저 완전 단골 될 듯!
사월	(헤헤 웃으며) 양껏 드세요! 자주 만들어 줄게요!
현정	(쿠키 먹으며) 그나저나 연우씬 밀라노에 잘 도착했대요?
하나	출국한 지 일주일 정도 됐죠? 잘 지낸대요?
사월	(연우 얘기에 살짝 침울해져) … 잘 지낼 거예요. 우리 언니라면.
성표	(분위기 바꾸려 커피 나눠주며) 자~! 커피도 좀 드시면서 하세요! (하다가) 근데 태민씬 어디 갔어요? 안 보이네?
석주	아, 미담에 갔어요. 의상 체크한다고.

⌒ S#9. 미담 작업실 / 저녁

연우가 디자인 한 옷들이 보인다. 태하, 〈연우〉라고 적힌 라벨을 만져보는데.

태민	(E) 전시품엔 손대지 마시죠?

태하, 돌아보면 태민이 문 앞에 서 있다. 태민, 태하 옆으로 와서,

태민	강태하 대표님, 왜 청승을 떨고 계십니까? 보기 흉하게.
태하	(보며, 피식-) 그러는 강태민씬 무슨 일입니까?
태민	일하러 왔지, 의상 체크. (태하 보며) 형수 보고 싶음 전화 해. 뭐 다신 못 볼 사람처럼 맨날 그런 얼굴이야?
태하	… (화제 돌리며) 열심히다? 이 시간까지.
태민	난 형처럼 머리가 좋은 편은 아니니까, 몸으로라도 해야지. 승진해서 SH 접수한다고 했잖아.
태하	(피식- 웃으며) 그래, 기대할게. 한번 잘해봐.
태민	웃어? 지금 나 무시한 거? 와~ 강태하, 요새 좀 봐줬다고 기가 살았네?!
태하	이게 어디 형한테! (하더니 태민이 헤드락 걸며) 덤비지 마라~!
태민	(태하 툭툭 치며) 이거 놔! 놓으라니까! 아, 진짜!!

태하와 태민, 티격태격 장난을 치고. 그 뒤로 그걸 지켜보는 듯한 연우 의상이 보인다.

S#10. 호은당 인근 거리 / 다른 날, 낮 (*1부 S#55)

푸른 사선으로 얼굴을 가린 채 말을 타고 오는 신랑과 행렬들이 보인다. 구경 나온 사람들 '한양 최고의 원녀가 드디어 혼인하는구먼!' 하며 즐거워하고.

S#11. 호은당 별채, 연우 방 / 저녁

태하와 연우(*족두리 벗은) 술상을 두고 마주 앉아 있는데 태하의 낯빛이 어둡다.

연우 (태하가 걱정돼) 도련님, 제가 드린 약은 드신 겁니까?

태하 먼저 묻고 싶은 게 있습니다. (흠…) 왜 나와 혼인하는 거요? 낭자의 말대로라면 거절했어도 될 일인데.

연우 … 도련님께서 사셔야 모든 악업을 끊어내고 (태하 떠올리며) 그 사람을 지킬 수 있으니까요.

태하 (?) 악업? 그 사람…? 그게 무슨 말이요?

연우 (슬픈) 지금은 말씀드릴 수 없습니다.

태하 내가 알아야 할 것이 또 있단 말이요? (하는데 쿨럭- 피를 토해낸다)

연우 (!!) 도련님!!! (다급히 태하 앞으로 와서 보며) 약을 아니 드신 겁니까?

태하 (또 쿨럭하며 연우 앞으로 고꾸라진다)

연우 !! (태하 품을 안아 붙들며) 아니 됩니다, 이리 돌아가시면! (하다가, 문 쪽을 보며) 여봐라! 게 아무도 없느냐!! 여봐라!!!

298

태하	… (힘겹게) 걱정 말아요… 다 괜찮을거니… 걱정 말고….
연우	아무 말씀 마세요! (문에 대고) 어머님!! 아버님!! (하다) 누구 없느냐!! 이보거라!! 제발 아무나 좀, (하는데)
태하	(툭 ─ 하고 손을 바닥에 떨군다)
연우	!!! (태하 손 보며) 도련님 안 됩니다, 아니 된다구요!! (절망) 일어나세요, 제발!! 어찌하여 또… 왜…! 왜!! (눈물 흘리며 으윽─ 괴로운 울음 삼키는)

∼ S#12. 호은당, 전경 / 다음날, 아침

∼ S#13. 호은당, 별채 마당 / 다음날, 아침

소복 입은 연우(*쪽진 머리)가 기운 없이 마당으로 나오는데 윤씨부인이 마당으로 들어온다! 순간, 연우 눈빛이 차갑게 변하며 윤씨부인을 쳐다보는데.

윤씨부인	(연우 앞으로 와) 네 이년! (하며 손을 들어 뺨을 치려는데)
연우	(윤씨부인 손을 잡고, 차갑게) 이게 무슨 짓입니까!
윤씨부인	! (당황) 이, 이 손 놓지 못하느냐! 어디서 감히! (하며 손을 빼려는데)
연우	(손을 꽉 잡고) 상중입니다! 체통을 지키십시오. (손을 던지듯 탁! 놓는)
윤씨부인	! (반동으로 비틀, 연우를 째려보며) 뭐라? 체통?! (하는데)
연우모	(다급히 오며) 사부인! 그만 하세요! (연우 옆으로 와 서는데)

윤씨부인	(연우모를 매섭게 노려보며) 딸을 대체 어찌 키우신 겁니까? 서방 잡아먹은 것도 부족해 시애미에게 패악질까지 해대다니!
연우모	(!) 패악질이라뇨?! 말씀이 과하십니다!
윤씨부인	(버럭) 내 귀한 아들이 죽었는데 이 정도도 못 합니까!
연우	(하!, 귀한 아들?) … (화 참고) 알겠습니다! 어머님의 그 귀한 아들을 위해서 제 도리는 다할 테니, 그 정도만 하십시오!
윤씨부인	(하!) 그래, 얼마나 잘할지 보자꾸나! (하더니 나가버린다)
연우	(윤씨부인이 나가자 진이 빠진 듯 비틀거리는)
연우모	(연우 붙들며) 연우야!!
연우	(바로 서며) 괜찮습니다. (연우모 보며) 어머니, 한 가지 부탁이 있습니다.
연우모	? (보는)

〜 S#14. 호은당 뒷마당 / 밤

탈을 쓴 덕구가 담을 넘어온다. 주변을 살피는 덕구, 별채 쪽으로 뛰어가는.

〜 S#15. 호은당 별채, 연우 방 / 밤

연우, 자는 듯 누워 있는데 덕구가 들어온다. 덕구, 잠든 연우에게 다가가 재갈을 물린다! 연우, 눈을 뜨고 버둥거리자 연우 얼굴 위에 보자기를 뒤집어씌운다!

S#16. 호은당, 우물가 / 밤

연우를 둘러업고 우물가로 온 덕구. 들고 온 연우 신발을 우물가 앞에 놓고 연우를 우물에 던지려는 순간! 앞쪽에서 횃불을 든 남종들과 연우부, 연우모가 나타난다!

연우부	이놈! 당장 그 아이를 내려놓지 못할까! (종들에게) 어서 저놈을 잡으리!
남종들	(덕구를 향해 다가가자)
덕구	(!, 연우를 내려놓고 보자기를 벗기더니 목에 칼을 대며) 다가오지 마!
연우모	(놀라서) 연우야!!!
덕구	(연우를 인질 삼아 뒤로 물러나며) 오지 마! 오지 말라고!!

남종들, 슬금슬금 사방에서 다가오자 덕구, 그대로 연우를 앞으로 밀고 도망친다! 남종들 '거기 서라!!' 하면서 덕구를 쫓아가고. 연우부와 연우모 연우에게 뛰어온다.

연우부	(연우 입에 물린 재갈과 손을 묶은 밧줄을 풀며) 괜찮니? 안 다쳤어?
연우	예, 괜찮아요. (하는데)
남종1	(급히 달려와) 대감마님! 놈이 말을 타고 도망을 쳤습니다!
연우부	뭐야?! (하는데)
연우	(!!, 연우모의 손을 뿌리치고 어디론가 다급히 뛰어간다)
연우모	(!, 쫓아가며) 연우야! 어딜 가느냐! 연우야!!!

◠ S#17. 강가 일각 / 다음날, 새벽

덕구(*탈 쓴), 정신없이 말을 타고 도망치고 있고 그 뒤를 연우가 활을 메고 쫓아가고 있다. 말을 타고 달리던 연우, 활을 꺼내 덕구를 향해 쏘는데 아슬하게 바닥에 꽂히고 그대로 도망치는 덕구! 연우, 말고삐를 꽉 쥐고 그 뒤를 쫓는다!

◠ S#18. 좁은 숲길 입구 + 숲 / 새벽

좁은 숲길 입구. 덕구, 말에서 내려 숲으로 도망을 치려고 하는데 화살이 날아와 나무에 꽂힌다! 덕구, 헉! 놀라 돌아보면 활시위를 겨누고 있는 연우다!

연우   한 발자국만 더 움직이면 이 화살이 네 놈 심장을 뚫을 것이다!

덕구, 에이씨! 하고 도망치는데 횃불을 든 남종들이 '여기다! 여기!' 하며 오고 있다. 덕구, 뒤로 도는데 연우와 남종들이 에워싸더니 순간, 남종들이 달려들어 덕구를 잡는다. 연우, 덕구에게 다가와 탈을 벗기자 황명수와 똑같은 덕구의 얼굴이 드러나고!

◠ S#19. 조선태하 집, 마당 / 낮

상복 입은 윤씨부인, 관원들에게 끌려 마당으로 나오고 있다.

윤씨부인	이놈들! 이거 놓지 못 하겠느냐!! 놓아라!!!
태민	(상복 입은, 마당으로 뛰어오며) 어머님!! (하는데)
관원1,2	(윤씨부인에게 가려는 태민을 막아서는)
윤씨부인	(질질 끌려가며) 놓아라, 놓으래두!! (하다가 사랑채 쪽을 보며) 아버님! 살려주십시오, 아버님!!! (하면서 끌려가고)

〰 S#20. 포도청 / 낮

종사관(도윤재)이 앉아 있고, 그 앞에 연우와 덕구, 윤씨부인이 머리를 조아리고 있다. 주변엔 연우부와 연우모, 태민과 관졸과 구경 중인 사람들이 모여 있다.

윤씨부인	아닙니다! 제가 아들을 죽였다니요!! 이는 필시, (연우 보며) 저것이 제 서방을 죽여놓고 제게 뒤집어씌우려는 겁니다!
종사관	그럼 저 덕구란 자를 모른다는 거냐? 너희 집 노복이지 않느냐!
윤씨부인	(!) 그렇긴 하오나 저랑은 상관없는 일입니다! (울먹이는 척) 대명천지에 어떤 어미가 자식을 죽입니까! 이유가 없지 않습니까?!
연우	열녀비 때문이지요.
윤씨부인	!! (연우를 쳐다보는)
종사관	열녀비?
연우	예. 서방님을 독살한 후, (덕구를 보며) 저자를 시켜 절 우물에 빠트리고 열녀로 만들어 벼슬을 받으려 했던 겁니다.
연우부/모	(서로 손을 꼭 잡고 그런 연우를 보는)

사람들	!! (열녀비? / 이게 무슨 소리야? / 정말? 하며 웅성거리는)
태민	!! (놀라서 연우를 봤다가, 윤씨부인을 보는)
윤씨부인	(연우에게) 네 이년! 어디서 입을 함부로 놀려! 내가 그 아일 독 살했단 증좌가 어딨느냐! 있거든 내놓아라!! (하는데)
태하(E)	여기 있습니다, 그 증좌가.

연우와 윤씨부인, 태하 목소리에 놀라서 돌아보면! 사람들 사이에서 태하 가 멀쩡하게 걸어온다. 태민 '형님…' 하며 놀라서 보고, 윤씨부인은 벌벌 떨며 아무 말도 못 한다!

태하	(연우 옆으로 와 서며) 제가 그 탕약을 먹은 장본인이니까요.
연우	(?!) 도련님….
종사관	자네가 강씨 집안 장자란 말인가?! 그럼 죽은 게 아니었어?
태하	예, 죽은 척했을 뿐입니다. 어머님의 죄를 밝히기 위해서요. (표정)

∼ S#21. 조선태하 집, 태하 방 / 저녁 – S#7 이어서 태하 회상

태하, 탕약에 넣어둔 비녀를 꺼내는데 검게 변해 있다! 놀라는 표정이고.

∼ S#22. 의원 집 / 다른 날, 낮 – 태하 회상

태하, 의원(현욱)에게 해독제가 든 비단 주머니를 주며.

태하	이건 해독제일세. 내 몸에 있는 독을 죽지 않을 만큼만 해독하
	려면 얼마나 먹으면 되는가?
의원	(!) 예? 독을 몸에 남겨두겠다구요? 아니 됩니다! 잘못하면 죽
	어요!
태하	그건 내가 알아서 할 테니 알려나 주시게.

◟ S#23. 포도청 / 낮 - 현재

종사관	(!) 죽지 않을 만큼만 해독제를 먹었단 건가? 일부러?
태하	(서글픈) 그래야 모든 일의 전모가 드러날 테니까요.
윤씨부인	(발악) 아냐, 아니야!! (종사관에게 무릎으로 기어가며) 억울합니
	다! 정말 전 아무것도 모릅니다!! (덕구 보며) 이놈! 무슨 말이
	든 해보거라! 내가 아니라고 어서 말해!
덕구	(체념) … 마님께서 시키신 일이 맞습니다, 나으리.
종사관	뭣들 하느냐! 어서 저 죄인들을 오랏줄에 묶어 하옥시켜라!
관졸1, 2	네! (하고 윤씨부인에게 가려는데)
윤씨부인	(벌떡 일어나 태하에게 달려들어 멱살 잡고 흔들며) 무슨 억하심정
	으로 내게 이러느냐! 이 배은망덕한 놈!! 내가 네 놈을 키운 어
	미거늘!!
태하	(참담한) ….
관졸1, 2	(윤씨부인과 태하 떼어놓고, 윤씨부인 끌고 가는)
윤씨부인	(끌려가면서도) 놔라, 이놈들!! 난 잘못한 게 없다! 모함이야, 모
	함!! 잡아가려면 저 연놈들을 잡아가거라!!!
연우부/모/태민	(괴로운 듯 그 모습을 보고 있는데)
태하	(몸을 숙여 앉아, 연우에게) 이제 다 끝났소. (하는데)

연우   (태하를 쳐다보다가 그대로 힘이 빠진 듯 푹! 쓰러진다)

태하   (!) 부인!! (연우를 붙들고!)

〰 S#24. 태하 집, 태하 방 / 다음 날, 아침

자고 있던 태하, '연우씨!' 하며 눈을 뜬다. 태하, 숨을 몰아쉬다가 일어나 앉는다. 태하, 협탁을 쳐다보는데 보면, 연우와의 결혼사진이 보인다. 태하, 사진을 들어 연우 얼굴을 만져보는데 휴대폰으로 문자가 온다. 보면, 미담이고.

미담   (E) 강대표, 연우씨 어머님 서책이 원래대로 돌아왔어요!

태하   (!, 표정)

〰 S#25. 강회장 집, 뒷산 열녀비 인근 / 낮

태하와 성표, 사월이 함께 열녀비 쪽으로 오고 있다. 사월, 열녀비가 있던 자리에 열녀비가 안 보이자 그곳으로 뛰어가더니 주변을 두리번거리고.

사월   (주변 두리번거리며) 사라졌다…! (태하, 성표 보며) 열녀비가 사
         라졌어요!

성표   (사월 옆으로 와 보다가, 태하 보며) 정말 없어졌어요!!

태하   (다가와 서며) 연우씨의 억울함이 풀렸나보네요.

사월   (눈물 고이며) 애기씨… 잘하셨어요. 참말로 잘하셨어요. (눈물
         닦는)

성표	(사월 토닥이며) 울지 마요. 나도 슬퍼지잖아요! (멀리 보며 눈물 참는)
태하	(성표 보며) 홍비서, 준비한 것 좀 가져와 줄래요?

(CUT TO) 태하, 열녀비 자리에 꽃을 심는다. 사월과 성표는 좀 떨어진 곳에 있다.

사월	(성표에게) 웬 꽃이래요?
성표	연우님이 나비 좋아하셨잖아요. 언제든 나비처럼 날아오라는 거겠죠.
태하	(정성을 다해 꽃을 심고 있고)

⌒ S#26. 호은당 별채, 연우 방 / 아침

연우, 잠들어 있다가 눈을 뜬다. 연우의 눈에 (새조선)태하 얼굴이 흐릿하게 보이고!

연우	… 태하씨? (!, 몸을 일으켜 앉는데, 다시 보면 태하다) !! (실망한)
태하	(연우 보며) 이제 정신이 좀 듭니까?
연우	(시선 피하며) … 도련님이셨군요. (하다가) 헌데 제가 왜 여기에….
태하	관아에서 쓰러져 이리로 옮겼습니다. 벌써 이틀이나 지났구요.
연우	(그랬구나…, 태하 보며) 계속 여기 계셨던 겁니까?
태하	(엷은 미소) 당연하죠, 부인께서 여기 계신데 내가 어딜 가겠어요.
연우	(부인이란 말에 아무런 말도 하지 않는다) ….

태하	(연우 눈치 살피며) 불편한 거요? 내가 부인이라고 해서?
연우	(말 돌리는) 윤씨부인은 어찌 됐습니까?
태하	(대답 없이 연우를 보는) …….

∿ S#27. 포도청 / 낮

윤씨부인과 덕구가 포승줄에 묶여 무릎을 꿇고 있고 그 앞에 종사관이 앉아 있다.

종사관	죄인 황덕구는 들어라. 비록 주인의 명을 받아 죄를 범했다 해도 양반을 죽이려 한 것을 가벼이 볼 수는 없을 터. 이에 참형을 내리노라.
덕구	(!) 참형이라뇨!! 전 그저 시키는 대로 했을 뿐입니다!!
관졸1, 2	(덕구에게 와 일으켜서 끌고 가는데)
덕구	(끌려가면서) 억울합니다!! 살려주십시오!!!
종사관	죄인 윤씨는 사특한 욕심으로 천륜을 저버렸음에도 뉘우치긴커녕 끝까지 죄가 없다 하니 그 간악함이 이로 말할 데가 없다. 이에 장 50대와 교동으로 유배 보낼 것을 명한다!

관졸3, 4가 윤씨부인에게 와 끌고 간다. 윤씨부인 말없이 끌려가고.

∿ S#28. 포도청, 옥사 / 낮

윤씨부인, 엉망인 몰골로 옥사에 앉아 있는데 장옷을 입은 연우가 다가와 선다.

윤씨부인	(하!) 뭣 하러 온 것이냐? 왜, 내 꼴을 구경이라도 하려고?
연우	예, 구경하러 왔습니다.
윤씨부인	(!) 네 이년! (하는데)
연우	(O.L) 참으로 비겁하십니다!
윤씨부인	! (보면)
연우	고작 벼슬 때문에 천륜까지 버려놓고 어찌 자신의 죄 앞에선 도망치려는 겁니까?! 부인의 그릇된 욕심으로 사람이 죽을 뻔했습니다!
윤씨부인	…….
연우	저와 제 부모님, 그리고 도련님께도 진심으로 사죄하세요. 그래야 그나마 사람입니다! (하는데)
윤씨부인	내 무얼 그리 잘못했다고!! (사이) 난! 난 그저… 시키는 대로 강씨 집안을 위해 살았을 뿐이다.

⌒ S#29. 조선태하 집, 사랑채 / 저녁 - 윤씨부인 회상

강대감이 앉아 있고, 윤씨부인, 납작 엎드려 읍소하고 있다.

윤씨부인	어떻게든 태민이를 과거 급제시킬 테니 제발… 제발 내쫓지만 말아 주십시오. (울먹) 제가 뭐든 할 테니, 저희 두 모자 목숨만은 부디, (하는데)
강대감	그 입! 입! 입! (하더니 냅다 연적을 윤씨부인에게 집어던진다!)
윤씨부인	(이마에 연적 맞고) 아! (이마를 붙잡는데 손 사이로 피가 흘러내린

다) !!

강대감 어디 아녀자가 울음소릴 높여! 니가 잘했으면 태하, 태민이 모두 과거에 급제해 강씨 집안을 살려도 골백번은 더 살렸을 게다! 시집와서 무지렁이 마냥 밥만 축내놓고 뭘 잘했다고 따박따박! (쯧!)

윤씨부인 (이마를 잡은 채 모욕감을 참는) ….

강대감 뇌물을 주든 대리 시험을 보든, 이번엔 무조건 급제를 시켜야 할 게야!

〰 S#30. 포도청, 옥사 / 낮 – 현재

연우 (그런 일이 있었구나) ….

윤씨부인 남편이 아픈 것도, 자식이 출세를 못 한 것도 다 내 부덕의 소치라 하니 어쩌겠느냐, 집안을 살리려면 뭐든 해야지.

연우 (안타까운) 그것이 정녕 부인의 잘못이라 생각하십니까? 그 모든 것이요?

윤씨부인 그리 배우고, 그리 알고 살았으니 그게 맞겠지.

연우 그래서 제 손으로 키운 자식을 죽이려 했다구요? 아니요! 적어도 아닌 건 아니라고 선택할 순 있었습니다.

윤씨부인 (!, 그 말이 맞다. 모든 게 자신의 선택이다) ……. (눈가가 붉어지는)

연우 (그런 윤씨부인 보다가 돌아서서 간다)

～ S#31. 포도청 앞 / 낮

연우, 씁쓸한 얼굴로 나오는데 앞에 태하가 서 있다. 태하를 보는 표정.

～ S#32. 오솔길 / 낮

연우와 태하, 말없이 길을 걸어가고 있다.

태하 　　어머님께서 유배를 가시면 나도 집을 나올 생각입니다.

연우 　　(!, 멈춰 서는) 예? 그게 무슨 말씀이십니까?

태하 　　할아버님께서 하신 일을 용서할 수 없으니까요. 그리고, (연우
　　　　　보며) 부끄럽지 않게 낭자 곁에 있고 싶어 그럽니다.

연우 　　(보는) ……..

태하 　　우리 집안 때문에 고초를 겪은 건 알지만, 허락해준다면 그대
　　　　　와 부부의 연을 이어 가고 싶습니다.

연우 　　전… 그럴 수 없습니다. (하고는 돌아서려는데)

태하 　　연우야. 넌, 정말 날 잊은 모양이구나.

연우 　　?! (돌아보면)

태하 　　난 한시도 잊은 적 없었어요. (품에서 노리개를 꺼내 연우에게 주
　　　　　며) 그날 그 숲에서 봤을 때부터.

연우 　　(노리개를 받아들고 보는데) … (!)

〈플래시컷// 어린연우, 복건을 들고 도망치고 그 뒤를 쫓는 어린태하.〉

연우 　　설마… 그때 그 꼬마 도령이? (하며 태하 보는)

태하   … 가슴의 병증으로 힘들 때마다 낭자를 떠올리며 참을 수 있
       었습니다.

〈인서트//
1. 태하, 길을 가는데 앞쪽에서 연우가 '공부 안 한다니까!' 하며 도망치면
여몸종이 '애기씨!' 하며 쫓아간다. 태하, 연우를 보고 반가운 듯 웃는데.

태히   (E) 밝고 빛나던 그대가,

2. 서낭당(혹은 수호신 나무)/ 연우, 돌탑에 돌을 올리고 '청국으로 보내주
세요' 기도하고 간다. 잠시 후, 태하가 와서 연우의 돌 위에 다른 돌을 올
리며 기도하는.

태하   (E) 언제나 꿈을 꾸는 그대가 부럽고, 사랑스러웠습니다.〉

태하   내 아내 될 사람이 낭자란 걸 알고 망설였어요, 가슴의 병증 때
       문에. 허나, 포기가 안 됐습니다. (연우 손잡고) 잠시라도 곁에
       있고 싶었어요. 그러니 부디 나와,
연우   (O.L) 죄송합니다. (손을 빼며) 그만 가봐야겠네요. (도망치듯 가
       버린다)
태하   연우 낭자! (쫓아가려다 멈춰 서는) … (연우의 뒷모습을 쳐다만 본
       다)

S#33. 호은당 별채, 툇마루 / 밤

연우, 툇마루에 앉아 노리개를 보고 있다.

대하	(E) 허락해준다면 그대와 부부의 연을 이어 가고 싶습니다.
연우	(마음이 답답한데)
연우모	(별채로 오다가 그런 연우 발견하고) 연우야.
연우	(자세를 고쳐 앉으며) 어머니.
연우모	(연우 옆으로 와 앉아) 무슨 걱정이라도 있니? 얼굴색이 어둡구나.
연우	아니에요, 별일 없어요.
연우모	윤씨부인을 만났다며? 뭐하러 간 거야, 거긴. 무슨 변명을 듣겠다고.
연우	… 내 목숨을 원했던 건, 윤씨부인이 아닌 강대감이었어요.
연우모	! (보는) 뭐?
연우	헌데 그 죄는 다른 이가 지게 됐네요. (하…) 그게 조선의 여인이겠지요. 집안을 위해, 지아비를 위해 제 이름 따윈 사라진 채 그리 사는 것이.
연우모	네 맘은 알겠지만 무얼 어쩌겠느냐. 그것이 운명인 것을.
연우	전, 그렇게 살지 않을 거예요. 운명이라면 더더욱이요. (결심한 표정이고)

313

S#34. 서연대학 병원 전경 / 다른 날, 아침

S#35. 서연대학 병원, 현욱 진료실 / 아침

현욱, 입을 벌린 채 뭔가를 보고 있다. 보면, 그 앞에 태하 앉아 있고.

현욱	… 너… 외계인이야? 아님 좀비? 아니, 아니야. 그냥… 누구세요?
태하	(웃으며) 왜 그래요, 또.
현욱	(검사 결과 보며) 너 말짱해졌어. 아니, 말짱해진 것보다 더 좋아졌어?! (태하 보며) 며칠 전까지 죽네 사네 했던 니 심장, 문제없다고.
태하	다행이네요, 그럼.
현욱	(!) 다행? 얌마, 고작 다행이 뭐야!! 초초초대박이지!! (태하 손 잡고) 너, 연구 좀 하자! 나 논문 좀 써야겠어! 너 대체 무슨 짓을 한 거야? 어!!
태하	(잡힌 손 빼며) 별로 한 건 없고 (흠…) 그냥… 사랑?
현욱	(댕!) … (벌떡 일어나 태하 머리 잡고 이리저리 살피며, 장난) 심장병이 머리로 옮겨갔어? 왜 그래! 정신 차려!!
태하	(웃으며) 그만 좀 해요, 선배!

S#36. SH서울, 연우 팝업스토어 매장 안 / 낮

큰 규모의 팝업 매장. 한쪽 TV에선 패션쇼(*7부)와 연우 인터뷰(*11부) 영상이 나오고 있고. 사람들, 연우 옷을 보며 '예쁘다 / 갖고 싶다' 등등 얘기 중이다.

현정   (신나서) 첫날부터 이거 완전 대박인데?

석주   (살짝 입 나와서 / 카메라 목에 건) 그러게요. 너무 좋네요. (칫!)

현정   석주씨~ 삐돌이 컨셉 안 어울려. 그만 좀 해라, 엉?!

석주   (삐죽) 나도 저런 거 잘할 수 있단 말이에요! (하며 어딘가 손짓하면)

태민, 하나가 커플 의상 입고 조선시대로 꾸민 포토존에서 손님들과 사진 찍는 중.

현정   (달래며) 알지 알지~! 근데 석주씬 비주얼보다 요 머리가 스마~트하잖아? 그니까, 그 스마~트한 머리로 현장 사진 찍어야지. 앵글 생각하면서~

석주   (신난) 제가요? 스마트? (바로 칫!) 놀리는 거 다 알거든요! (하며 가는)

현정   (감동) 우리 석주씨… 눈치가 생겼어. 왜 눈물 날 것 같지? (따라가는)

한쪽에선 나래가 한복을 입고 성표에게 보여주고 있다.

나래   오빠! 나 이거 완전 맘에 들어, 어때?

성표   오~ (엄지 척) 예쁜데? 사, 사! 사줄게, 오빠가.

사월   (한복 입고 나래 옆으로 와 서며) 성표씨~ 난 어때요?

성표   오~ (쌍따봉) 사월씨~ 최소 선녀인 줄! 것도 제가 사드릴게요!

사월과 나래, 아싸아! 하더니 신나서 '이것도 살래!' '난 이거!' 하면서 옷을 양팔 가득 들고 난리가 났다. 성표, 슬그머니 도망치려다 붙잡히고!

∿ S#37. SH서울, 연우 팝업스토어 매장 앞 / 낮

매장 벽면에 크게 〈연우〉란 로고가 보이고 사람들이 길게 늘어서 있다. 입구에서는 직원이 3~4명씩만 들여보내는 중이다. 일각에서 그 모습을 보고 있는 태하와 미담.

미담 (좋은) 연우씨가 봤으면 정말 좋아했을 텐데. (하다가 아차!) 미안해요. 나도 모르게.

태하 (팝업 매장 보며) 아마, (미담 보고 웃으며) 겁내 좋아했을 거예요.

미담 (!, 살짝 당황했지만 웃는) … (슬쩍) 잘 지내고 있겠죠?

태하 (잠시 생각하다가, 미소) 그럼요, 연우씨답게 그럴 겁니다. (그립다)

∿ S#38. 한양 거리 / 다른 날, 낮

사람들이 웅성웅성 잔뜩 모여 있다. 이때, 임금과 대비의 행차가 지나간다. 모두 고개를 조아린 채 있는데 그 사이로 연우가 튀어나와 행차를 가로 막는다!

연우 전하! 부디 걸음을 멈추시고 저희의 억울함을 들어주십시오!

사람들 !! (뭐야 / 왜 저래? / 호은당 애기씨 아니야? 하며 웅성거리는)

연우	조선의 여인들이, 전하의 백성이 무고하게 죽어가고 있습니다! (하는데)
내금위장	(칼을 연우 목에 가져다 댄다!) 멈춰라! 더 움직이면 벨 것이다.
연우	(!, 목이 칼에 베여 피가 흐른다) … (주먹 쥐고) 어차피 죽을 거라면, 이 자리에서 죽겠습니다. (무섭고, 아프지만 참고 임금에게 가려는데)
대비	(단호하게) 내금위장은 당장 그 칼을 거두거라!!
연우	! (걸음을 멈추고, 대비를 보는)
내금위장	(칼을 거두고 물러선다)
대비	주상. 내 저 아이의 얘기를 듣고 싶은데 괜찮겠습니까?
임금	알겠습니다. (연우를 보며) 말해보거라, 목숨을 걸 만한 얘기가 무엇인지.
연우	(무릎을 꿇고 고개를 조아리며) 소녀는 얼마 전 열녀로 몰려 죽임을 당할 뻔했던 이조판서 박재원의 여식 박연우라 하옵니다.
임금	(!) 박연우…? (생각 난) 니가 그 아이더냐? 그 일은 죄인들 모두 벌을 받았다 들었는데 억울하다니?
연우	(고개 들고) 아직 받지 않은 자들도 있기 때문입니다.
대비	아직 받지 않은 자? 그게 누구지?
연우	집안을 위해, 돈과 벼슬을 위해 가짜 열녀를 만들려는 자들입니다!
임금/대비	(듣고 있는) …….
연우	알고 있습니다, 조선의 여인들이 지켜야 하는 덕목들을요. 허나 그건, 스스로 지키려 하는 이들에겐 귀한 것이겠으나 그렇지 못한 이들에겐 족쇄가 되기도 하옵니다.
여인들	(연우의 말에 고개를 들고 서로가 서로를 보며 끄덕인다)
임금	족쇄라?

연우　열녀가 그렇습니다! 그 뜻을 기려 상을 주는 일이 계속되는 한, 전하의 선한 백성은 원치 않은 죽임을 또 당할 것이고, 이를 악용하는 자들도 늘어날 겁니다. 부디 이를 바로잡아 더는 억울한 죽음이 없게 (바닥에 엎드리며) 굽어 살펴주십시오.

모두 조용한데. 이때, 여인1이 고개를 조아리며 '살펴주십시오!' 소리치자 주변의 여인들이 다 같이 따라하기 시작한다! 임금과 대비, 그 모습을 둘러보는데.

대비　참으로 귀한 말입니다. 그렇지요, 여인 또한 주상의 소중한 백성이지요. 어미는 저 아이의 말이 도리에도 맞다 생각하는데 어떠십니까?

임금　(흠… 하며 연우를 보는)

연우　(머리를 숙이고 하명을 기다리는)

⌁ S#39. 근정전 / 다음날, 아침

임금이 앉아 있고 주변으로 신하들(*연우부 포함)이 늘어서 있다.

임금　정절을 지키는 열녀의 모습이 실로 아름답다고는 하나, 근자에 이를 악용해 사리사욕을 챙기려는 자들이 늘어나고 있소. 하여, 앞으로는 법으로 열녀를 엄격히 구분하여 그 진위를 가릴 것이니 더는 이로 인해 억울한 죽음이 없도록 하시오.

신하들　예, 전하.

～ S#40. 강가 / 낮

연우(*목에 상처), 흘러가는 강물을 바라보고 있는데 태하가 숨을 헐떡이며 연우에게 뛰어온다. 연우, 태하를 쳐다보자 와락 끌어안는 태하! 연우, 놀라서 멈칫! 하는데

태하 　(안은 채) 왜 그리 멋대로 구는 겁니까! (안은 거 풀고, 양손으로 연우의 팔을 잡고 보니) 괜찮은 거요? 목에 그 상처는 뭡니까?

연우 　(보는) ….

태하 　이젠 내 옆에 있어 주시오, 한순간도 놓치고 싶지 않으니까.

연우 　!!!

〈플래시컷// 7부 S#21.

태하 　봐요, 눈을 뗄 수가 없잖아요.

태하 　그러니까 내 옆에 있어요. 한순간도 놓치지 않게.〉

연우 　(눈가가 붉어지더니 이내 눈물이 뚝 — 떨어진다) …. (태하가 보고 싶다)

태하 　(!) 낭자?! (연우 잡고 있던 거 놓고) 왜 그러시오? (눈물을 닦아주려는데)

연우 　(고개 돌려 눈물 닦으며) 도련님 때문이 아니니, 심려치 마십시오.

태하 　(보다가) … 그 사람 때문입니까? 나와 이름이 같은 그 자요.

연우 　?! (보면)

태하 　알고 있었어요. 낭자의 눈이 머무르는 곳이 내가 아니란 건. (사이) 그래도 괜찮습니다, 내가 그댈 은애하니까요.

연우 　(도리질) 그리 할 수 없습니다. 제 마음은 이미 그분께 드렸으

니까요.

태하   (연우 손을 잡고) 낭자!

연우   (보며) 부디… 절 놓아주십시오.

태하   ……. (연우를 보다가 잡은 손을 놓아준다)

연우   (꾸벅, 인사를 하고 돌아서서 간다)

태하   (가는 연우의 뒷모습을 바라보는데 눈가가 붉어진다)

⌒ S#41. 호은당 별채, 연우 방 / 저녁

연우부가 상석에 앉아 있고, 연우모와 연우가 앉아 있다.

연우모   그게 무슨 소리냐? 한양을 떠나 있겠다니!

연우   좀 쉬고 싶어서요. 여기선 세상 일도 시끄럽고 마음이 불편해요.

연우모   안 된다! 그 큰일을 겪었는데 어찌 너 혼자 그 멀리. 난 싫다.

연우부   (흠) 네 뜻이 정 그러하면 당숙 어르신 댁에서 잠시 지내다 오려무나.

연우모   대감! 무슨 말씀이십니까?! 이제 곧 날도 추워질 텐데요.

연우부   걱정 마세요, 부인. 주상 전하 앞에서도 할 말을 다 한 아입니다. 별일 없을 거예요. (연우에게) 언제든 오고 싶을 때 다시 오거라.

연우   감사합니다, 아버님.

S#42. SH서울, 겨울 전경 / 다른 날, 낮

S#43. SH서울, 태하 사무실 / 낮

태하, 〈대표 강태하〉라고 적힌 명패를 보고 있다. 그 옆에 미담이 서 있고.

미담   왜, 서운해요?

태하   늘 여기가 제 전부라고 생각했는데 뭔가 좀 이상해서요.

미담   (웃으며) 대신 갈 수 있는 곳들이 늘어났잖아요. 좋은 거 아닌가요?

태하   그런가요? (하며 웃는데)

미담   새로 오는 대표님은 어떤 분이세요? 소개까지 해주고 고마워요.

태하   앞으로 미담과 더 많은 일들을 해야 하는데, 당연하죠.

이때, 노크와 함께 성표가 문을 열고 박대표(*연우부)와 함께 들어온다.

태하   (박대표 앞으로 와 꾸벅 인사하며) 오셨습니까, 박대표님.

박대표   네. 또 보네요, 강대표. (하고는 미담을 보는)

태하   (그 시선에) 아, 말씀드린 미담의 대표님이십니다. SH 뉴욕지점 오픈에 큰 힘이 돼주실 겁니다.

박대표   (미담에게 와) 말씀 많이 들었습니다. (손 내밀며) 박재원이라고 합니다.

미담   (악수하며) 이미담 입니다.

박대표와 미담, 호감 있는 눈으로 쳐다보고… 태하, 성표 나쁘지 않은데? 하는 표정.

～ S#44. 태하 집, 거실 / 저녁

태하(*옆에 서류봉투), 성표, 사월이 소파에 앉아 있다.

태하	(서류봉투 건네며) 내가 갖고 있던 건물인데 퇴사하면 거기에 작은 가게 하나 정돈 할 수 있을 거예요. 두 사람 결혼 선물이에요.
성표	(!) 아, 아닙니다! (서류봉투 밀며) 그러실 필요 없습니다! (하는데)
사월	(봉투 뺏어 들고) 감사합니다!! (안을 보며) 이거 비싼 거 맞죠? 그죠?
태하	(웃고, 성표에게) 그동안 정말 고마웠어요, 성표 형.
성표	(!!!) 혀엉~ 형이요?! (울먹이며 웅얼거리느라 발음 다 뭉개지는) 드디어 형이라고 했어~ 완전 감동~ 너무 좋아~
태하	(?!) 뭐라구요?
사월	드디어 형이라고 했어. 완전 감동. 너무 좋아. (태하 보며) 라네요?
태하	(헐!, 사월 보며, 그걸 알아 들었다고?)
성표	(사월 보며, 웅얼거리며) 형~ 형이래요! (태하 안으며) 태하야!! (오열!)
사월	(슬쩍 눈치 보다가 끼어들면서 함께 끌어안고, 눈만 깜박깜박인다)
태하	(어안이 벙벙한데, 오열하는 성표와 덤덤한 사월을 보니 웃음이 터진다) 하하!

～ S#45. 시골, 작은 한옥 마당 + 담벼락 일각 / 다른 날, 낮 → 밤

겨울이다. 여종들과 남종들, 가져온 짐을 연우의 거처로 옮기느라 바쁘다.

담벼락/ 연우, 걸어 나오는데 뒤쪽에서 인기척이 들린다. 돌아보면 태하가 서 있다!

태하 (연우 앞으로 다가와 서는) 부부가 아니라면, 친구는 어떻습니까?

연우 (보다가) … (돌아서서 조금 가다가 다시 태하 보며) 산책 안 하실 겁니까?

태하 (?!, 보면)

연우 … 친구는 저도 필요해서요. (하고 웃는)

(CUT TO) 밤이다. 마당 앞 툇마루에 태하와 연우가 앉아서 달을 보고 있다.

태하 (달을 보며) 달이 참 밝습니다. 옥토끼한테 소원이나 빌어볼까요?

연우 소용없을 겁니다. 저 달엔 옥토끼가 살지 않으니까요.

태하 (충격) 예?! 그럴 리가요! 어찌 그리 허망한 소릴 하십니까!

연우 (달을 가리키며) 저긴 뜯어 먹을 풀도 없고 있는 건 돌뿐이라서 토끼가 살 수 없다니깐요. 한 200년쯤 지나면 우리도 달에 갈 수 있답니다. 로켓이란 날으는 가마를 타고요. (손으로 로켓 흉내) 슝~! 이렇게.

323

태하	(댕!!보다가, 헉!) 낭자! 아무래도 몸이 안 좋은 듯하니 의원에 갑시다! 어서요! (허둥지둥 신발을 신으며) 의원께서 계시려나 모르겠네.
연우	(큭―, 장난) 뭘 그리 놀라십니까. 200년 후엔 다들 머리도 (귀밑에 손 가져다 대고) 이렇게 짧게 자르고.
태하	(헉!!)
연우	(벌떡 일어나) 치마도 (치마를 종아리까지 올려) 이 정도로 입는데다가.
태하	(헉!!, 손으로 눈 가리며) 낭자!!!!!
연우	(태하 앞으로 다가와, 귓가에다) … 사내가 치마를 입기도 한답니다~!

태하, 헐! 놀라서 비틀하다가 신발이 벗겨진다. 연우, 그 모습에 빵! 터지고. 환하게 웃는 연우를 어안이 벙벙한 표정으로 보던 태하, 이내 하! 하더니 하하 웃고.

∿ S#46. 몽타주 / 조선과 새조선의 모습 교차 편집되며 계절 경과

1. 태하 집, 거실(겨울)/ 태하, 청소 중인 새돌쇠를 보다가 슬그머니 대걸레를 가져와 컬링을 하는데 장바구니 든 성표와 사월, 태민이 안으로 들어오다 그 모습을 본다! 다들, 헐~ 하고 보는데 태하, 민망한 듯 괜히 대걸레 들고 스트레칭을 하고!

2. 숲(봄)/ 연우와 태하 산책 중인데 나뭇가지 같은 게 연우의 머리와 부딪

칠 것 같으니 자연스럽게 손으로 나뭇가지 치워주면서 연우 배려하자, 연우 웃어 보이고.

3. 스튜디오(여름)/ 한복(*11부 S#60)을 입은 사월, 성표가 촬영 중인데 난 입하는 나래! 성표는 저리 가라고 밀어내는데 사월이 나래의 팔짱을 끼며 같이 찍는.

4. 강가(가을)/ 연우와 태하가 낚싯대를 드리우고 있어 있다. 대하, 낚싯데 잡고 꾸벅 조는데 연우가 장난으로 태하 낚싯대를 잡아당기자 놀란 태하가 벌떡 일어나다가 강에 빠진다. 연우, 그런 태하를 보며 까르르 웃고.

〰 S#48. 숲속 / 다른 날(가을), 낮

바구니를 든 연우가 버섯을 따고 있다. 태하도 주변에서 뭔가를 살피는 중.

연우	(버섯을 따며) 버섯 중엔 독이 있는 것도 있으니 잘 살펴서 따야 합니다.
태하	(뭔가를 살피며) 예… 알고 있습니다. (하다가, 뭔가 발견하고 오!) 여깄다! (하더니 후다닥 가서 열심히 따는 뒷모습)
연우	(돌아보며) 찾으셨습니까? (하는데)
태하	(등 뒤에 뭔가 숨겼다가 꺼내는데 보면, 노란 들국화다) 받으십시오. 먹진 못 해도 보기엔 좋을 겁니다.
연우	(미소, 국화를 받아 바구니에 넣다가 뭔가 보고) 어! 배암세 풀이네?
태하	배암세요?

연우	(태하 뒤로 가 배암세를 뜯으며) 상처 난 곳에 효험이 좋은 풀입니다. (하다가, 손가락을 베인) 아! (하면서 손을 보는데 피가 난다)
태하	(?!, 베인 손을 보는) 피? (하더니 재빨리 연우의 다친 손가락을 잡아 피를 빨아준다) … (피를 뱉고 연우 손잡은 채 상처 살피며) 괜찮습니까?
연우	!!! (당황) 괘, 괜찮습니다! (다급히 손을 뺀다)
태하	(그제야, 아차!) 미안하오. 나도 모르게 그만….
연우	아닙니다. (시선 돌리며) 그만 가시지요. (앞장 서서 가는)
태하	(민망, 그래도 연우의 손을 잡았던 자기 손을 보는데 기분이 나쁘진 않다)

〜 S#49. 시골 한옥, 툇마루 / 다른 날, 낮

연우는 자수를 두고, 태하는 그림을 그리고 있는데 태하가 갑자기 가슴을 움켜잡는다.

태하	! (붓을 떨어트리며 가슴을 움켜잡는) 아!
연우	! (놀라서 태하 옆으로 와) 도련님!! 어찌 그러십니까!
태하	(가슴의 통증을 참으려 하는데 너무 괴롭다)
연우	(다급히 마당을 보며) 게 아무도 없느냐! 여봐라!!

1. 시골 한옥, 연우 방 + 방 앞 툇마루 / 저녁
태하, 잠이 든 듯 누워 있고 의원(현욱)이 진맥 중이다. 그 옆에 연우가 보고 있고.

방 앞/ 연우와 의원(*현욱)이 나온다.

| 의원 | (연우를 보며) 오래 버티긴 힘드실 듯 합니다. 마음의 준비를 하시지요. |
| 연우 | (!, 놀라서 방 쪽을 돌아본다) |

방 안/ 태하, 핏기 없는 얼굴로 눈을 감은 채 자고 있다.

⌒ S#50. 〈조선의 맛〉 반찬가게 전경 / 다른 날, 낮 (*사월 이네 반찬가게)

⌒ S#51. 반찬가게 안 / 낮

사월, 전화로 주문을 받고 있고 반찬 냉장고 앞에서 나래가 대기 중이다.

사월	(통화) 네~알겠습니다. (끊고, 빠르게) 고추장진미채, 오삼 둘, 삼색나물, 코다리, 열무김치, 불고기에 식혜까지!
나래	(말 끝나기 무섭게 바구니에 반찬들 담고) 오케이~! (계산대로 가져오는)
성표	(E) 으아아아아!

사월, 나래 그 소리에 보면 성표가 매장 한쪽에서 노트북으로 불꽃 키보드 치는 중!

성표	(머리를 쥐어뜯으며) 조선에 돌아간 김연아와 새조선에 남은 윤
	태호를 재회시켜? 말어? 아~ 모르겠다!! 근데 어떻게 재회시키
	냐고오!!
사월	(성표에게 와서) 무조건 만나게 해요~ 무조건 해피엔딩!!
성표	(사월 보며) 그렇죠? 역시~ (하며 키보드를 치려는데)
나래	(성표에게 와서) 아련 터지려면 새드엔딩이지! 글로벌, 머니, 새
	드엔딩!
성표	그런가? 글로벌하게 머니 좀 벌어보려면 남다른 새드엔딩?!
	(하는데)
사월/나래	(서로를 보며) 에이~ 해피해피! / 노노 새드새드!! (투닥거리는)

이때, 성표의 휴대폰이 울린다. 보면, 태하다.

〰 S#52. 그랜드 서울 호텔, 수영장 / 낮

태하, 배롱나무를 바라보며 서 있고, 그 옆에 성표가 놀란 얼굴로 서 있다.

성표	(!) 태하, 니가 이 호텔을 산다구?
태하	다른 사람한테 팔리는 것보단 낫겠다 싶어서요. (나무 보며) 배
	롱나무에 아직도 꽃이 피어 있는 이유, 연우씨 때문일 거라고
	믿어요. (성표 보며) 돌아올 거라고 약속했으니까.
성표	(태하가 안쓰러운) 그래, 잘했다! (부러 더) 돌아올 거야. 약속했으
	니까.
태하	(다시 배롱나무를 보며 엷은 미소를 짓는다) …….

∿ S#53. 시골 한옥, 연우 방 / 밤

태하, 식은땀을 흘리며 자고 있다가 눈을 뜬다! 헉헉… 살짝 거친 숨을 쉬며 옆을 보면 옷을 만들다(*1부에서 태하에게 주려고 만든 것과 같은 것) 화초장에 옆으로 기댄 채 잠든 연우가 보인다. 태하, 조용히 자리에서 일어나 연우 앞으로 와 가만히 바라본다. 연우를 바라보던 태하, 천천히 연우 입술 가까이 다가가다가 바로 앞에서 멈춘다.

〈플래시컷// S#40.
연우   그리 할 수 없습 …… 그분께 드렸으니까요.〉

태하도 화초장에 기대 연우를 마주본다. (*마치 함께 누워 있는 듯) 그러더니 가만히 손을 들어 연우의 이마 선을 따라 코, 입술을 천천히 그려본다. (*제주도 연우처럼) 그리곤 말없이 연우를 바라보는 태하.

∿ S#54. 시골 한옥, 마당 / 다음 날, 아침

연우, 빨랫줄에 천들을 널고 있는데 태하가 천들 사이로 모습을 드러낸다.

연우   나오셨습니까? 몸은 좀 어떠세요?
태하   (끄덕) 잠을 잘 잤더니 한결 가볍습니다. 오늘 소풍이나 갈까요?
연우   소풍이요? 바람이 많이 찬데 괜찮겠습니까?
태하   더 추워지기 전에 가고 싶어 그럽니다. 그리고 낭자가 만들어 준 옷도 입어보고 싶구요. (웃는)

S#55. 숲속, 정자 / 낮

단풍이 물든 숲속 정자에 연우와 태하(*S#53에서 연우가 만들던 옷을 입은)가 앉아 있다. 태하, 바람에 떨어지는 나뭇잎을 보며 환히 웃는 연우를 보며 따뜻하게 웃는데.

연우 (시선에 돌아보며) 무얼 그리 보십니까.

태하 그냥… 모든 것이 아름다워서요. (나무를 보며) 나무도 (하늘을 보며) 바람도 (연우를 보며) 그대도.

연우 … (화제전환) 시간이 늦었습니다, 일어나시죠. (하는데)

태하 (연우 어깨에 몸을 기댄다)

연우 ! (놀라서 보면)

태하 오늘만… 잠시 빌리면 안 되겠습니까.

연우 (어찌할까 하다가, 끄덕이는)

태하 (웃으며) 알고 계십니까? 내가 낭자의 이름을 좋아한다는 거. 잇닿을 연에 만날 우. 참으로 따뜻한 이름입니다.

연우 그러셨습니까.

태하 (숲을 보다가) 어젯밤 꿈을 꿨어요. 한번도 가본 적 없는 풍경이었는데 내가, 나를 닮은 어떤 사내의 모습을 하고 있더군요.

연우 !

〈인서트// (새조선)태하가 배롱나무 앞에 앉아 연우를 기다리고 있다.

태하 (E) 매일 같이 배롱나무 아래 앉아 누군가를 기다리고 있었는데.〉

태하 기다려도 오지 않아, 너무 그리워서… 한참을 울었던 것 같습니다.

연우   (태하 얘기구나! 눈물이 고인다)

태하   (몸을 일으켜 연우를 보며) 그대도 날 닮은 그 사람이 많이 보고
         싶었겠지요? 미안합니다, 힘들게 해서. 날 보면 그 사람이 생
         각났을 텐데.

연우   (눈물이 뚝— 떨어지는)

태하   알고 있었는데 놓을 수 없었습니다. (하…) 은애하니까.

연우   (눈물 닦고, 참으며) 이제 그만… 가시지요. (하는데)

태하   (연우 손을 잡아 붙들며) 만약 다음 생이 있다면, 꼭 그 사람으로
         태어날 테니 다시 만나러 와주겠습니까?

연우   !! (보는)

태하   그럼 그땐 그대도 날… 바라봐주겠지요. (엷게 미소 짓는)

연우   (눈물이 후드득 떨어진다)

태하   (연우 눈물을 닦아주곤) 잊지 말고 꼭 오셔야 합니다. (연우를 바
         라보며) 당신을 만나 아프고, 슬프고, 그리웠지만… 다행이었
         습니다. (눈물 맺히며) 그대의 시간 속에 잠시나마 머물 수 있어
         서. (눈물이 뚝 떨어지며 웃는)

태하, 천천히 연우에게 기대듯 그녀를 끌어안는다. 연우, 안긴 채 눈물이
맺히는데.

태하   (연우 귓가에) 당신과… 잇닿을 수 있어 기뻤습니다. (미소, 스르
         눈 감는)

태하, 연우를 안고 있던 손이 툭— 떨어지고 평온한 얼굴로 숨을 거둔다.
연우, 참았던 숨을 내뱉으며 태하를 안고 슬프고, 아프게 운다. 연우의 눈

물처럼 나뭇잎들도 우수수 떨어지고.

〜 S#56. 시골 한옥, 마당 / 다른 날, 낮

소복 차림의 연우, 마당으로 들어오는데 봇짐을 진 태민이 등을 돌린 채 서 있다. 태민, 인기척 소리에 돌아보더니 연우를 보며 꾸벅 인사한다.

태민	그간 잘 지내셨습니까? 과거 보러 가기 전에 인사 차 들렀습니다.
연우	(인사하고) … 과거를 보신다구요?
태민	이젠 제가 집안을 돌봐야 하니까요. (하다) 형님께서 남기신 게 있어 가져왔는데 그건 사람 시켜 방에 두었습니다.
연우	예. 감사합니다.
태민	그럼 전 이만 가보겠습니다. 건강 챙기시구요. (가려는데)
연우	(문득) 도련님께 형님은 어떤 분이셨습니까?
태민	(연우 보며) 제겐 누구보다 한없이 좋은 형님이셨습니다.
연우	그랬다니 다행이네요.

태민, 연우에게 꾸벅 인사를 하고 간다. 연우, 가는 태민을 보다가 엷은 미소를 짓고.

〜 S#57. 시골 한옥, 연우 방 / 저녁

태하의 은장도와 일기장, 화구통이 경상 위에 있고. 연우, 태하의 일기를 보고 있다.

〈인서트//
1. 덩치도령(*15세)이 어린연우의 멱살을 잡고 괴롭히고 있다.

덩치도령   어디서 계집애가 건방지게 말대꾸야!
연우   사람을 밀쳤으면 사과를 해야지, 어서 사과해! (하는데)

덩치 뒤통수로 돌맹이가 날아와 때리고! 연우, 덩치가 아파하는 틈에 도망친다. 근처 나무 뒤에서 돌맹이를 쥔 어린태하가 휴~ 안도하더니 도망치는 연우를 보며 웃는다.

태하   (NA) 그날, 널 지킬 수 있어서 얼마나 기뻤는지 몰라.

2. 태하 방/ 태하, 어린연우 그림에 색을 입히고 있다. 그 모습 위로.

태하   (NA) 연우 네가 보고 싶을 때면 널, 그리고 또 그렸어.〉

연우, 일기를 손으로 만지다가 화구통을 쳐다본다. 연우, 화구통을 열어 그 안의 그림을 꺼내는데 순간 눈이 커진다! 강회장 집에서 봤던 어린연우 그림이다!

〈플래시컷// 10부 S#49.
강회장   저 그림 때문이었거든, 내가 널 그냥 두고 봤던 건.〉

연우   (눈가가 붉어지는) … 전부 도련님이셨습니까? 늘 지켜주신 것

도… 이 그림으로 날 구했던 것두요. (그림을 말없이 보는)

～ S#58. 갤러리 입구 안 / 낮

그을린 어린연우의 그림으로 디졸브. 화면 넓어지면 강회장의 서재 소장품들이 전시돼 있고(*오픈 전) 현정, 하나, 석주가 전시품을 체크하고 있다. 갤러리 벽면엔 〈SH그룹 소장품 전시회〉라는 문구가 적혀 있다.

현정   (연우 그림 보며) 이 그림 말야. 볼수록 연우씨 닮지 않았어?

하나   저도 처음에 보고 진짜 놀랐어요. 연우씨 어릴 때 초상화 같아서.

석주   근데 연우씬 언제 와요? 벌써 1년도 훨씬 넘었는데. (하는데)

태민   (E) 이해가 안 가네요, 지금.

세 사람, 그 소리에 돌아보면 태민(*슈트 입은)이 여신입(*20대) 교육 중이다.

여신입   죄송합니다, 강대리님. 근데… 뭐가 이해가 안 가세요?

태민   한성희씨 내가 말했죠. 최근 미술시장에서 MZ가 차지하는 비중이 41.7% 정도 커졌다고. 특히 이번처럼 레트로한 컨셉의 전시일 경우, 그 수요는 70% 이상 늘어날 겁니다. 근데, 큐알코드나 앱으로 작품 가이드를 확인할 수 없는 게 말이 됩니까? (넥타이 슬쩍 풀며) 준비하라고 했잖아요.

여신입   아~ 그 말씀이셨군요. 제가 다시 한번 확인해보겠습니다. (꾸벅 인사하고 가면서) 와. 존멋탱. 화내는데 섹시해! 앵그리섹시~

현정	(그 모습 보며) 헐… 대박. 나 강드로 강림한 줄.
하나	그러니깐요. 완전 판박이네. 누가 형제 아니랄까 봐.
석주	완전 강보그인데요? 강사이보그. (도리질) 그래서 승진한 건가? 부럽다.

다른 일각/ 정훈의 그림(*6부 S#56 / 작가—강정훈 / 제목—윤희〉 앞에 혜숙이 서 있다.

태민	(나사와 시며) 네기 훨씬 잘 그릴 것 같은데?
혜숙	왜. 이제라도 다시 공부해보려고?
태민	싫어요. 요샌 회사 일이 젤 재밌거든요. 나 별명도 있어요, 강사이보그.
혜숙	(웃으며) 그건 좀 별루다. 별명이 너무 태하스럽잖아. 짝퉁도 아니고.
태민	난 그래서 좋은데. (혜숙 팔짱 끼며) 배고파요, 점심 사준다면서요.
혜숙	그래, 그러자. (태민과 가면서) 뭐 먹을래?

태민과 혜숙, 사이좋게 지나가면서 자연스럽게 카메라는 연우 그림 보여주고.

⌒ S#59. 시골 한옥, 툇마루 / 낮

연우, 천에다 패턴을 그리고 있는데 몸종과 함께 연우모가 집으로 들어온다.

연우모	(반가워하며) 연우야!!
연우	어머니!! (반가움에 벌떡 일어나는데)
연우	(E) 덕구가 도망을 쳤다구요?

(CUT TO) 연우와 연우모, 툇마루에 앉아 차를 마시는 중이다.

연우모	참형 직전에 관원을 해치고 도망을 쳤다더구나.
연우	(뭔가 마음에 걸리는) ….
연우모	그래서 말인데 집으로 돌아가자꾸나. 아버님께서도 네 걱정이 많으셔.
연우	죄송합니다, 어머니.
연우모	대체 왜 그러는 게야. 무엇 때문에 그리 힘들어하느냔 말이다.
연우	(잠시 생각하는, 목에 차고 있던 목걸이를 풀어 연우모에게 보이는)
연우모	이게 무엇이더냐?
연우	긴 얘기가 될지 모르는데 들어주시겠어요? (표정)

〰 S#60. 시골 한옥, 마당 / 다음날, 이른 새벽

연우, 마당으로 걸어 나와 달을 올려다본다.

연우모	(E) 연우 네가 다녀왔단 새조선 얘기, 이 애미는 믿는다. 허나, 그만 잊어라. 너는 네 삶을 살아야 하지 않겠니.

연우, 깊은 한숨을 쉬고 고개를 돌리는데 보면, (새조선)태하가 웃으며 서 있다.

연우   당신에게 가고 싶은데 어떻게 해야 할지 모르겠어요. 정말…
      이대로 다 잊어야 하는 걸까요? (손을 뻗어 태하를 만지려는데)

(세조선)태하 환영이 사라진다. 연우, 맘 아픈 얼굴로 돌아서는데 이때 누
군가 연우의 목덜미를 가격해 쓰러트린다. 쓰러진 연우 앞으로 걸어오는
누군가. 바로 덕구다!

ᕼ S#61. 숲속, 버려진 폐가 / 이른 새벽

연우, 재갈을 물고 손(*뒤로)과 다리가 묶여 옆으로 비스듬히 누워 있고,
그 앞에선 덕구가 칼을 갈고 있다. 연우, 몸을 버둥거리며 밧줄을 풀어보려
고 용을 쓰는데.

덕구   (연우를 돌아보며) 용쓰지 말거라. 그래봤자 명을 재촉할 뿐이니.
연우   (재갈이 물린 채) 이놈! 뭐하는 짓이냐!
덕구   (연우에게 와 재갈을 내려주며) 그래, 마지막 말은 들어줘야겠지.
      (훗!)
연우   이게 무슨 짓이냐! 천벌이 무섭지도 않은 게야!
덕구   천벌? 받으면 되지, 네 년을 죽이고. (큭)
연우   (!)
덕구   난, 시킨 대로 한 죄밖에 없어! 강대감 그놈도 뻔뻔하게 잘만
      살아 있는데! (칼 갈던 곳으로 다시 가, 칼을 갈며) 하여, 내 인생
      을 망친 네 년의 목을 꼭 거둬드려야겠다! (훗!)

연우, 주변을 살펴보는데 바닥에 태하의 은장도(*S#57)가 보인다! 연우,

덕구를 살피며 슬그머니 몸을 옮겨 손으로 은장도를 잡아 칼집을 벗겨내고 밧줄을 끊으려고 하는데 칼을 다 간 덕구가 연우를 향해 다가온다. 연우, 밧줄 끊으려던 걸 멈추고 보는.

덕구   (칼을 들이밀며) 너무 원망 말고 극락왕생 하거라. (칼로 내려치
        려는데)
연우   네 놈 인생을 망친 건 바로 너 자신이다! (손의 밧줄을 풀고는 냅
        다 넉구를 밀쳐버린다!)
덕구   억!! (하며 뒤로 넘어지다가 돌에 머리를 찧고 기절한다!)
연우   ! (재빨리 은장도로 다리의 밧줄을 끊고 도망친다)

⌒ S#62. 숲속 + 절벽 인근 / 이른 새벽

연우가 정신없이 도망을 치고 있고 그 뒤를 피를 흘리며 덕구가 쫓아오고 있다.

덕구   (쫓아가며) 네 이년! 거기 서라!!
연우   (급히 뛰어가다 넘어지는) 윽! (다시 일어나 마구 뛰어가는)

한편, 새벽 하늘 달이 점점 붉게 변하기 시작하고!

절벽 인근/ 미친 듯이 달려가던 연우, 절벽을 발견하고는 멈춰 선다!

연우   (!) 안 돼…! (하며 돌아서려는데 덕구가 보인다) !!
덕구   (하!) 네 년이 도망쳐봤자지. (다가오며) 이리 오거라, 이리 오래

두!!

연우   … (슬금슬금 뒤로 가는데 절벽 끝이다) !! (뒤를 힐끔 보는데)

절벽 아래 강물이 휘몰아치는 게 보인다. 한편, 달은 점점 더 붉게 변해가고 있다. 덕구는 점점 더 연우에게 다가오고…. 연우, 어찌해야 할까 고민하는데.

태하   (E) 잊지 말고 꼭 와줘요. 기다리고 있을게요.
연우   (나비목걸이를 꼭 쥐고 뒤를 돌아 절벽을 처다보더니 절벽에 뛰어든다!)

동시에 새벽 하늘의 달이 완연히 붉은 달로 변하고.

⌒ S#63. 그랜드 서울 호텔 / 아침

태하, 배롱나무 아래 앉아서 토끼키링을 만지작거리고 있는데 갑자기 바람이 불더니 태하의 발아래로 배롱나무 꽃 한 송이가 툭— 떨어진다. 태하, 떨어진 꽃을 주워 들고 고개를 돌려 배롱나무를 보는데 배롱나무의 꽃들이 하나 둘, 사라지고 있다!

태하   (!, 벌떡 일어나) 연우씨…?! 안 돼…. (나무 앞으로 달려와 보는데)

배롱나무의 꽃들이 모두 사라지고, 태하, 망연자실한 표정으로 손을 떨군다. 태하 손에서 떨어지는 배롱꽃. 바닥에 떨어지자마자 이내 안개처럼 사라지고.

S#64. 시골 한옥 앞 + 연우방 / 다른 날, 낮

불이 모두 꺼져 있다. 툇마루 아래 연우 신발도 없고, 아무도 살지 않는 집 같다.

연우 방/ 사람이 쓰지 않는 듯, 정리돼 있는 방. 연우의 자수틀, 태하의 그림 도구 위로 먼지가 보인다. 창문 아래 있는 경상 위에 태하 일기가 보인다. 바람이 부는 듯 상문이 흔들리다가 살짝 열린다. 방 안으로 바람이 들어오자 경상 위의 태하 일기가 몇 장 넘어가는데 책갈피처럼 껴 있던 마른 국화와 배암세꽃(*S#48)이 보이고.

S#65. 몽타주 (*연우를 기다리는 태하의 시간 경과)

1. 호텔/ 낮. 배롱나무 벤치에 앉아 있는 태하. 이파리만 남은 나무를 말없이 보는.
2. 태하 집, 연우 방/ 아침. 빈 연우의 침대를 손으로 가만히 쓸어본다.
3. 운동장(*9부 S#44) / 밤. 태하, 운동장을 달리면서 운동 중인데.

연우   (E) 사기꾼 양반!!

태하, 놀라서 뒤를 돌아보지만 아무도 없다. 순간, 그리움에 왈칵! 눈물이 쏟아지고.

태하, 여전히 이파리만 무성한 배롱나무를 올려다보고 있다. 답답한 듯 짧은 한숨을 쉬고는 돌아서는데 태하 앞으로 배롱꽃 송이가 떨어진다. 놀란 태하, 돌아보면 어느새 활짝 핀 배롱나무 앞에 연우(*한복/쪽진 머리)가 서 있다! 태하, 눈가가 붉어지는데.

태하	(눈가가 붉어지는) 정말… 돌아온 겁니까?
연우	(끄덕이며) 다녀왔소, 너무 늦진 않은 거요?
태하	괜찮아요, 기다린다고 했잖아요.
연우	(눈가가 붉어지며) 오랜 시간 날 위해 기도한 당신의 바람을 들었소. 그리고 그 바람이 드디어 내 운명이 되었네요.
태하	(연우에게 다가와 서며) 이젠 연우씨와 나의 운명이에요. (환하게 웃는)

연우도 환하게 웃는데, 연우 눈동자 안으로 빛과 함께 지난날들(조선태하, 현대태하와 함께 보낸 시간들)이 빠르게 흘러간다. 그러다 이내 화면 화이트 아웃 되는데. 그 위로.

| 태하 | (E) 절대 안 돼! 벗어요!!! |

태하, 딱 달라붙은 초미니 원피스(*하얀)를 입은 연우와 거실 한가운데서 싸우는 중.

연우	이게 뭐 어떻다고 그러는 거요? 겁내 예쁘구만.
태하	너무… (빠직) 휑하잖아요! 팔도 다리고 어깨도!!
연우	내 결혼식에 맘대로 옷도 못 입소? 여기가 무슨 조선도 아니고!
태하	(우기기) 새조선도 조선이죠!! 여튼! 그거 입으면 나 결혼 안 해요!
연우	(하!) 됐소! 나도 안 해, 그럼~ (하! 하며 옆으로 돌아서는데)
태하	(차! 하고 있다가) … (슬쩍) … 근데 진짜 안 할 겁니까?
연우	(큐) … 거야, 뭐. 서방님 하는 거 봐서. (하며 태하 옆구리 콕 찌르자)
태하	(좋은) 아~ 서방님이래 또~! (연우 꼭 안으며) 자꾸 그럼 설레잖아요~!
연우	(태하 등 토닥이며) 그랬어요?! 아유~ 울 서방님, 설렜어요?!!

연우와 태하, 끌어안고 부둥부둥하고 있고. 화면 넓어지면 소파에 앉은 사월과 성표가 그 모습 보며 '하하… 하하' 영혼 없이 웃으며 박수를 친다. 그 위로, 웨딩 음악 흐르며.

⌒ S#68. 호텔, 채플 웨딩홀 / 낮

웨딩드레스 차림의 연우와 태하가 서 있다. (*2부와 똑같은 옷)

| 태하 | 서로 다른 곳을 바라보며 살아오던 두 사람이 이제 한결 같은 마음으로 영원히 함께 할 것을 (연우 보며) 지금 이 자리에서 서약합니다. |
| 연우 | (태하 보며, 장난) 설마 또 사기치려는 건 아니오? |

태하	(팅기는 척) 금쪽 같은 애기씨 하는 거 봐서요?
연우	(태하 볼에 쪽! 뽀뽀하곤) 됐소! 도장 찍었으니 이젠 내 거요! (환히 웃는)
태하	! (놀라서 봤다가 이내 연우 따라 환하게 웃고)

그렇게 서로를 보며 환하게 웃는 연우와 태하의 모습에서 스틸!!

(엔딩)

에필로그
– 못다 한 이야기

S#1. 민속촌 일각 / 낮

가마꾼들이 가마를 들고 오다가 어느 양반집 앞에서 세운다.

여종   (가마 앞으로 와 문을 열며) 내리시죠, 애기씨.

가마에서 꽃신을 신을 누군가가 내리는데 연우가 아닌 다른 여자(*배우)다. 이때, '하이, 컷!' 하는 소리가 들리고. 보면, 드라마 촬영 현장이다. 스태프들, '자~ 다음 씬이요!' 하면서 분주하게 움직이고 그 뒤로 보조출연자인 종들의 모습이 보인다. 그리고 그 안에 여종 분장을 하고 서 있는 연우와 나래도 보인다.

연우   내 알바 노비를 하고자 했더니… 진짜 노비가 될 줄은. (큼)
나래   보출 알바가 꽤 쏠쏠해요, 재미도 있고. 그냥 하라는 대로만 하세요.
연우   그렇긴 해도… 내 본디 금쪽 같은 애기씨로만 살아봐서. (흐음…)
나래   어쨌든 짤리면 안 돼요. 갑자기 부른거라, 알바비 조금 더 얹어 준대요.
연우   ! (돈을 더 준다고??)

(CUT TO) 이하, 연우 엄청나게 잘 적응하는 몽타주.

1. 바닥에 앉아 짚을 꼬는 연우. 남들의 2배는 더 빠르게 꼰다.

2. 머리에 물동이를 이고 양손에 메주까지 들고 잘도 걷는 연우!

3. 놀이마당. 나무 팽이 돌리는 아이들 옆에서 엄청난 속도의 팽이로 모두 쓸어버리는 연우! 아이들은 울상이고. 나래는 우와!!

4. 놀이마당. 투호 던지기 중. 던지는 족족 백발백중으로 들어간다!

5. 평상 위. 종들 사이에서 나무바가지에 밥을 쓱쓱 비며 잘도 먹는 연우!

(CUT TO) 연우, 평상에 앉아 배를 두들기고 있는데 나래가 생수를 들고 온다.

나래   (생수 주며) 연우님. 완전 본투비 노빈데요? (엄지 척) 싱크로율 쩔어요.

연우   사월이가 하는 걸 많이 봐서 그런가 보오. (훗─)

나래   (웅?) 사월이? 누구... 친구?

연우   (웃으며, 끄덕) 내겐 벗이자, 자매 같은 아이요. (보고 싶다)

～ S#2. 민속촌 / 낮

연우, 평상 위에 대자로 뻗어 낮잠을 자고 있는데 파리 한 마리가 웽~ 하고 날아와 얼굴 위를 왔다 갔다 한다. 연우, 자면서 파리를 쫓으려다가 찰싹! 자기 뺨을 때린다.

연우   (헉! 하고 일어 난다) ⋯ (주변 살피며, 쓰윽─ 침 닦는데)

나래   (다가와) 촬영이 좀 지연돼서 30분 정도 기다리라네요.

연우   (기지개 켜며) 남의 돈 받는 게 뭐 하나 쉬운 게 없지, 그럼~! (일
       어서며) 난 잠깐 졸음을 쫓고 오겠소. (웃고)

(CUT TO) 의상팀1, 앞섶이 찢어진 저고리를 들고 짜증을 부리고 있다.

의상1   이거 여주 의상이잖아!! 하나밖에 없다고! 게다가 겹치는 씬도
       아니라 바꿔 입어야 하는데 제정신이야? 실장님한테 뭐라 그
       럴 거야?!!

의상2   … 그래서 제가 따로 가져간다고 했더니 그냥 가져오라고 하
       셔서.

의상1   (하!) 지금 나한테 따져?? 내가 잘못했단 거야? 이게, 진짜! (하
       면서 들고 있던 저고리를 집어던지려는데)

연우   (의상팀1의 손을 탁! 하고 잡는다)

의상1   !! (뭐야? 해서 보는데)

연우   듣자 하니 그 저고리, 꽤 중요한 거 같은데 그리 던지면 쓰나~!

의상1   (하!) 이봐요. 지나가던 종은 그냥 가던 길 가죠?

연우   그걸 내가 고쳐주면 어떻겠소? 지나가던 종이지만.

의상1   뭐래는 거야~ (하는데)

연우   (무시, 의상팀2에게) 혹, 바늘과 실이 있소?

의상2   아… 네…. (하면서 가방에서 반짇고리함을 꺼내준다)

의상1   (!) 돌았어? 그걸 왜 줘!! (연우에게) 그 옷 이리 내요! 그게 얼마
       짜린데!

연우   어허! (협박) 한 번만 더 소리치면 이 옷, 찢겠소!

의상1   (헐!!)

연우, 씩— 웃더니 빠른 손놀림으로 앞섶에 예쁜 꽃모양 자수를 수놓는다.

의상팀1, 2 그 모습에 저도 모르게 입이 쩍! 벌어지고.

연우   (내어주며) 어떻소. 감쪽같지 않소?
의상1/2   (헙) 대박… 완전 예뻐…. / (끄덕끄덕)
연우   그리고, (의상팀1에게) 너무 성질부리지 마시오. 다 같이 남의 돈
         받는 노비들끼리. 상부상조해야지~ (웃으며) 그럼~ (하고 가는)
의상1/2   (대체 뭐지 저 여종은? 싶은데)

연우, 가면서 보조 출연자들 보며 '수고만만이요! 알바노비 가즈아!' 외치
며 신났는데.

～ S#3. 연우태하집, 신혼방 / 아침

침대 위, 연우가 꿈(*앞 상황)을 꾸며 '홧팅…' 중얼거리고. 태하, 그걸 귀
엽게 보다가 '연우야' 하며 깨우려는데 연우가 '으음…' 몸을 돌려 태하 품
에 파고들더니 '노비…' 하고 중얼거린다.

태하   ?! (그런 연우 보다가) 그래, (노비) 맞네. 나… 박연우 거니까. (훗)

태하, 연우를 따뜻하게 안아주며 이마에 '쪽' 소리나게 뽀뽀를 한다. 연우,
잠결에도 빙긋 웃고. 그렇게 서로를 꼭 끌어안은 채 행복한 미소를 보이는
연우와 태하에서.

열녀박씨 계약결혼뎐 2

초판 1쇄 인쇄 2024년 3월 20일
초판 1쇄 발행 2024년 3월 28일

지은이 고남정
펴낸이 김선식

부사장 김은영
콘텐츠사업2본부장 박현미
책임편집 남슬기 책임마케터 문서희
콘텐츠사업7팀장 김단비 콘텐츠사업7팀 권예경, 이한결, 남슬기
마케팅본부장 권장규 마케팅1팀 최혜령, 오서영, 문서희 채널1팀 박태준
미디어홍보본부장 정명찬 브랜드관리팀 안지혜, 오수미, 김은지, 이소영
뉴미디어팀 김민정, 이지은, 홍수경, 서가을, 문윤정, 이예주
크리에이티브팀 임유나, 박지수, 변승주, 김화정, 장세진, 박장미, 박주현
지식교양팀 이수인, 염아라, 석찬미, 김혜원, 백지은
편집관리팀 조세현, 김호주, 백설희 저작권팀 한승빈, 이슬, 윤제희
재무관리팀 하미선, 윤이경, 김재경, 이보람, 임혜정
인사총무팀 강미숙, 지석배, 김혜진, 황종원
제작관리팀 이소현, 김소영, 김진경, 최완규, 이지우, 박예찬
물류관리팀 김형기, 김선민, 주정훈, 김선진, 한유현, 전태연, 양문현, 이민운
외주스태프 디자인 운용

펴낸곳 다산북스 출판등록 2005년 12월 23일 제313-2005-00277호
주소 경기도 파주시 회동길 490 다산북스 파주사옥
전화 02-702-1724 팩스 02-703-2219 이메일 dasanbooks@dasanbooks.com
홈페이지 www.dasanbooks.com 블로그 blog.naver.com/dasan_books
종이 IPP 인쇄 정민문화사 코팅 및 후가공 평창피앤지 제본 정민문화사

ISBN 979-11-306-5037-1 (04680)
세트 ISBN 979-11-306-5038-8 (04680)

· 이 책의 원작은 네이버시리즈 웹소설 〈열녀박씨 계약결혼뎐〉(작가 김녀울)입니다.
· 책값은 뒤표지에 있습니다.
· 파본은 구입하신 서점에서 교환해 드립니다.